Llyfrau Llafar Gwlad

Er Lles Llawer

Bywyd a Gwaith Meddygon Esgyrn Môn

J. Richard Williams

I gofio Mam
Amy Mary Williams
(1920-2012)

Argraffiad cyntaf: 2014

Rhif rhyngwladol: 978-1-84527-473-3

Mae'r cyhoeddwr yn cydnabod cefnogaeth ariannol
Cyngor Llyfrau Cymru

Cynllun clawr: Sion Ilar

Cyhoeddwyd gan Wasg Carreg Gwalch,
12 Iard yr Orsaf, Llanrwst, Conwy, LL26 0EH.
Ffôn: 01492 642031 Ffacs: 01492 641502
e-bost: llyfrau@carreg-gwalch.com
lle ar y we: www.carreg-gwalch.com

Argraffwyd a chyhoeddwyd yng Nghymru.

Eglurhad

Yn ei gyfrol *L'orthopédie*, a gyhoeddwyd ym Mharis yn 1741 ac a gyfieithwyd i'r Saesneg (*Orthopaedia: or the art of correcting and preventing deformities in children*) yn 1743, mae Nicolas Andry, lluniwr y gair 'orthopaedia' yn egluro ystyr y teitl:

> As to the Title, I have formed it of two Greek Words, viz., 'Orthos', which signifies streight, free from Deformity, and 'Paidion', a Child.

Wrth esbonio ei ddull o gywiro coesau cam drwy ddefnyddio plât haearn a rhwymyn i dynnu'r goes tuag at yr haearn, mae'n dweud:

> The same method for recovering the Shape of the Leg, as is used for making streight the crooked Trunk of a young Tree.

Diolch i:

John I Edwards, Rhosmeirch
Ann Farrell, Cemaes
Gwen Hughes, Llangefni
Ted Huws, Cemaes
Tom Jones, Witney,
Tony Jones, Rhostrehwfa
Gareth Neigwl, Llŷn
Arthur Lloyd Owen, Llangefni
Gruff Roberts, Dyserth
Nia, Mererid a Gwasg Carreg Gwalch
ac yn arbennig i **Mavis** am fod mor amyneddgar.

Cynnwys

Cyflwyniad

O Lanfair-yng-Nghornwy yng ngogledd Sir Fôn y deilliodd Meddygon Esgyrn Môn er i'w henw da fod yn fwy cysylltiedig â dinas Lerpwl yn fwyaf arbennig. Perthyn eu hanes yn bennaf i'r ddeunawfed a'r bedwaredd ganrif ar bymtheg. Heddiw, mae hanes y teulu enwog o feddygon bron mynd yn ymylol a gresyn fyddai i'r fath hanes fynd yn angof. Y mae yn perthyn iddynt nodweddion rhamantaidd a ffeithiau pendant gan gynnwys eglurebau gwyddonol. Heb os y mae iddynt eu lle amlwg yn hanes Cymru.

Bu problemau gwlad Afghanistan yn ddraenen gyson yn ystlys Prydain Fawr ers blynyddoedd lawer ac nid oes dim wedi newid gan i Afghanistan a'i phrifddinas, Kabul, fod yn y newyddion yn nechrau'r unfed ganrif ar hugain fel y bu ers blynyddoedd. Daeth y wlad a'r ddinas yn gyfarwydd i ni gyda golygfeydd o ardaloedd llychlyd a thywodlyd lle mae tlodi'r werin yn amlwg a gwerth bywyd dynol yn ymddangos yn isel iawn mewn rhyfela cyson, er i wledydd y gorllewin wario miloedd ar filoedd i geisio heddwch yn yr ardal gythryblus hon o'r byd.

Nid oes yno wasanaethau meddygol fel ag y gwyddom ni amdanynt i fwyafrif y boblogaeth a rhaid iddynt ddibynnu ar yr hen drefn o geisio meddyginiaethau a gwellhad. Un olygfa gyffredin yw gweld tlodion yn galw ym meddygfa y meddyg esgyrn ac yng Nghabul yn 2012 safai meddygfa Abdullah Wakil Arakash, meddyg esgyrn hynaf y wlad, a honno yn parhau i ffynnu. Er iddo gyfaddef i gyrraedd naw deg pum mlwydd oed, yr oedd Abdullah yn parhau i drin y sawl oedd yn gofyn am ei wasanaeth. Deuai o linach hir a hen o feddygon esgyrn ac wedi ymarfer ei grefft am o leiaf saith deg saith o flynyddoedd, amcangyfrifai iddo drin miloedd ar filoedd o gleifion a hynny heb yr un gŵyn!

Ystafell fechan, dywyll wedi ei lleoli ar lan afon fwdlyd Kabul oedd ei feddygfa ac yno, yn y gwyll, y byddai yn defnyddio'i ddwylo i fynd at wraidd y broblem gan daflu dim ond cipolwg ar y plât pelydr-X a ddeuai ambell glaf mwy cyfoethog na'r rhelyw efo fo. Arbenigedd Abdullah oedd tylino'r corff gan ddefnyddio eli o'i wneuthuriad cyfrinachol ei hun i iro'r croen ac ailosod esgyrn dwy ddefnyddio sblint neu wrth roi'r claf i orwedd ar lawr a cherdded dros y corff! Efo'i holl brofiad, tybiai Abdullah iddo fod yn gyfarwydd â phob un o'r dau gant a chwech asgwrn yn y corff dynol.

Talai ei gleifion deyrnged haeddiannol iawn i Abdullah pan wrthodent fynd i ysbyty newydd ei hadeiladu gan ddweud nad oedd ganddynt ymddiriedaeth yn y fath lefydd, a ph'run bynnag, yr oedd triniaethau Abdullah yn llawer llai poenus!

Byddai Abdullah Arakash ac Evan a Hugh Owen Thomas, meddygon esgyrn Môn, yn gallu cydfyw yn iawn. Er bod y nesaf peth i dair canrif yn gwahanu eu bywydau yr oedd eu dulliau o weithio yn debyg iawn. Meddygon esgyrn o'r iawn ryw fu'r tri a'u hamgylchiadau yn golygu eu bod yn gweithio ymysg tlodion ac wedi llwyddo i'w gwella o'u poenau. Prin iawn y byddai'r teulu Thomas yn troi at offer arbenigol. Bys a bawd a, weithiau, sawdl troed oedd eu hangen. Felly hefyd Abdullah er ei fod yn byw ymysg offer mwyaf diweddar y byd meddygol oedd ar gael yn Afghanistan ar gyfer milwyr clwyfedig.

Does fawr ddim yn newydd yn y byd a phan oedd yr 'hen bobl' yn gwybod fod unrhyw driniaeth yn sicr o weithio, yna doedd dim rheswm na phwrpas dros ei haddasu na'i newid. Efallai ei bod yn amser i ninnau yn yr unfed ganrif ar hugain ddangos mwy o ymddiriedaeth yn nulliau'r meddyg esgyrn a'u tebyg. Byddai Evan a Hugh Owen Thomas, eu teuluoedd ac Abdullah Arakash yn sicr o gytuno.

i

Meddygaeth gynnar

Er bod elfennau o chwedloniaeth a rhamantiaeth yn perthyn iddynt, hanes ffeithiol yw hanes y ddwy linach Gymreig o feddygon – y ddwy, fel mae'n digwydd, o ardaloedd o'r enw Llanddeusant – un yn llinach o'r gogledd a'r llall o'r de. Byddent yn gwneud testun ffilm ardderchog ond hyd yma, does neb wedi llyncu'r abwyd.

Yr oedd Meddyginiaeth yn un o'r naw crefft wledig oedd yn cael eu harfer gan yr Hen Gymry. Un o fysg hierarchaeth yr Hen Gymry oedd Y Gwyddoniad, gŵr doeth yn berchen gallu i iacháu. Byddai cymeriad o'r fath wedi meistroli Botanoleg (astudiaeth o blanhigion) yn ogystal â Diwinyddiaeth a Seryddiaeth (Y Tair Colofn Gwybodaeth). Yng *Nghyfreithiau Dyfnwal Moelmud* (oedd yn byw yn yr un cyfnod ag Ipocras o wlad Groeg) rhestrwyd Y Tair Colofn fel Meddyginiaeth, Masnach a Morwriaeth.

Meddygon Myddfai

Ym mhentref Myddfai, Sir Gaerfyrddin y trigai Meddygon Myddfai. Daw'r hanesion cyntaf amdanynt o'r drydedd ganrif ar ddeg a bu'r olaf ohonynt farw yn 1739 tua'r un amser ag y tybir i Evan Thomas, y cyntaf o deulu meddygon Esgyrn Môn, gael ei daflu i'r lan ar un o draethau unig yr ynys. Ym Mynwent Eglwys Llangadog, Sir Gaerfyrddin gwelir carreg fedd y ddau olaf o Feddygon Myddfai yn yr ardal, ac wedi eu hysgythru arni y manylion:

here
Lieth the body of Mr David Jones of Mothvey
Surgeon who was a well known charitable
and skilful man. He died September 14th
Anno Dom. 1719, aged 61.

John Jones, Surgeon,
Eldest son of the said David Jones departed this
life the 25th of November, 1739 in the 44th year
of his age, and also lyes interred hereunder.

Yn Chwedl Llyn y Fan Fach y ceir hanes dechreuad llinach meddygon llysieuol Myddfai o Sir Gaerfyrddin. Cytunodd mab i wraig weddw o Flaen Sawdde ger Llanddeusant briodi merch ryfeddol o brydferth oedd yn arfer codi o'r llyn. Un amod a osodwyd arno wrth briodi oedd nad oedd i daro ei wraig ddim mwy na theirgwaith yn ystod ei hoes. Codwyd tŷ yn Esgair Llaethdy ac yno y magwyd eu teulu. Yr oedd y wraig yn berchen gyr o wartheg ac anifeiliaid arbennig iawn ond wedi i'w gŵr ei chyffwrdd deirgwaith:

i. am iddi beidio symud o'i lle
ii. am iddi wylo mewn bedydd
iii. am iddi chwerthin mewn angladd

diflannodd y wraig a'i hanifeiliaid yn ôl i'r llyn. Dychwelai yn achlysurol i roi cymorth i'w mab Rhiwallon a chyflwynodd iddo sgrepan yn llawn o feddyginiaethau llysieuol.

Rhiwallon, sylfaenydd y llinach, a'i feibion Cadwgan, Gruffydd ac Einion oedd meddygon y Tywysog Rhys Gryg. (Pedwerydd mab Rhys ap Gruffydd a'i wraig Gwenllïan oedd Rhys Gryg. Gwraig Rhys oedd Mathilde, merch Richard de Clare, Iarll Henffordd. Yn 1234, ymunodd Rhys â Maelgwn Fychan i ymosod ar Gaerfyrddin ond bu farw o'i glwyfau yn Llandeilo Fawr. Cafodd ei weddillion eu claddu yng Nghadeirlan Tŷ Ddewi.) Yr oedd Rhys Gryg, ei feibion a'u disgynyddion yn deall a dadansoddi afiechydon ac yn gwybod sut i wella cleifion drwy ddefnyddio llysiau a pherlysiau cyffredin. Ceir eu cyfarwyddiadau ynglŷn â pharatoi meddyginiaethau llysieuol yn *Llyfr Coch Hergest* a llawysgrifau eraill. Adlewyrcha cynnwys y *Llyfr Coch* yr hyn y disgwylid i bendefig neu uchelwr o dras Cymreig ei wybod ac ynddo ceir adrannau/erthyglau ar ddiarhebion, hanes, hwsmonaeth, iaith, seryddiaeth a meddyginiaeth yn ogystal â chwedlau a hanesion poblogaidd gan gynnwys *Y Mabinogion*. Y mae'r cyfarwyddiadau ynddo yn cynnwys mesuriadau manwl sydd yn nodwedd ddieithr i Gymru'r cyfnod ond yn rhan amlwg o faes meddygol Ewrop ar y pryd.

Mewn llawysgrifau eraill megis *Llyfr Hywel Feddyg* rhoddir cyfarwyddiadau ar sut i ddefnyddio uchelwydd i wella twymyn ar yr ymennydd, cryd cymalau, afiechydon y galon, yr arennau, y coluddion a'r asgwrn cefn, epilepsi, parlys a gwallgofrwydd. Yr oedd yn ddefnyddiol i wella diffyg clyw, golwg a synhwyrau eraill y corff ac yn effeithiol rhag diffrwythedd mewn merched. O'i gymysgu yn bowdr, yr oedd llond llwy mewn diod ddyddiol yn sicrhau bywyd iach, cryfder corfforol ac ynni dynol.

Yng *Nghyfreithiau Hywel Dda* nodwyd gwerth a safle'r meddyg o fewn cymdeithas. Ef oedd y deuddegfed o ran pwysigrwydd a statws yn llys y brenin. Rhoddwyd iddo ddarn o dir yn rhad a threfnwyd fod ceffyl ar gael iddo bob amser. Y frenhines oedd yn cyflenwi ei ddillad ysgafn a'r brenin ei ddillad gwlân, cynnes. Gosodwyd tâl iddo ar gyfer ei waith oedd yn amrywio o bymtheg swllt a dillad gwaedlyd y claf neu £1 heb y dillad. Os oedd angen codi pabell at ei waith, yr oedd y tâl yn ddau swllt ychwanegol. Codai swllt am roi eli coch ar friw a grôt (4d) am roi perlysiau ar chŵydd neu am waedu'r claf.

Datblygwyd cyswllt rhwng Meddygon Myddfai ag Ysgol Feddygol Salerno yn yr Eidal a barhaodd am bron i bum can mlynedd. Ni ellir dweud fod llinach Meddygon Esgyrn Môn wedi para cyhyd ond yr oedd ganddynt hwythau gyswllt tramorol, a changhennau o'r goeden deulu yn ymestyn o Fôn i Loegr a chyn belled â de a gogledd America.

Gadawodd Meddygon Myddfai lawer o ddywediadau/ofergoelion defnyddiol a synhwyrol sydd wedi cyfoethogi'n hiaith. Yn eu mysg mae:

Bara ddoe, cig heddiw a gwin y llynedd a bair iechyd.
Bwyta wyau heb halen a bair afiechyd.
Digon o fara; ychydig o ddiod.
Dŵr oer a bara twym a wnânt fol afiachus.
Genau oer a thraed gwresog fydd byw yn hir.
Na ddiosg dy bais cyn y Dyrchafael.
Na flysia laeth wedi pysgod.
Ni fydd y sawl sydd yn mynd i'w wely heb swper angen Meddygon Myddfai.
Swpera laddodd lawer mwy nag a wellhawyd gan Feddygon Myddfai.
Tair cynneddf dŵr, ni ddwg afiechyd, dyled na gweddwdod.
Tair gwledd iechyd – llaeth, bara a halen.
Tair meddyginiaeth meddygon Myddfai, dŵr, mêl a llafur.
Tra phiswyf yn loyw, cardotted y meddyg.
Tri cymedrolder ar gyfer bywyd hir; bwyd, llafur a myfyrdod.
Utgorn angau yw peswch sych.
Ŷf ddŵr fel ych a gwin fel brenin.

Ynghlwm â hanes Meddygon Myddfai mae ambell enw lle wedi goroesi megis 'Llidiard y Meddygon' (lle datgelodd mam Rhiwallon ei chyfrinachau iddo); 'Llwyn Meredydd Feddyg' a 'Phant y Meddygon' (lle yr eglurodd iddo nerth a gwerth gwahanol berlysiau).

Mewn ardaloedd amrywiol eraill yng Nghymru mae enwau llefydd yn gysylltiedig â meddygaeth – mae'r rhai sy'n dechrau efo 'ysbyty' yn golygu lle i bererinion neu gleifion orffwyso e.e. Ysbyty Farm/House rhwng Caeathro a Bontnewydd, Caernarfon; Ysbyty Cynfyn yng Ngheredigion; Ysbyty Ifan yng Nghonwy ac Ysbyty Ystwyth yng Ngheredigion. O'r gair 'ysbyty' daw yr enw 'spite' a welir ynghlwm â'r gair 'tafarn' mewn enwau yn Sir Benfro ac ym Môn a 'spittal' eto ym Mhenfro (cyn ysbyty yng Nghadeirlan Tŷ Ddewi). Enwau eraill â chysylltiadau meddygol yw 'clafdy', lle câi cleifion yn dioddef o'r gwahanglwyf gyfle i orffwyso a chael meddyginiaeth, fel yn Rhyd y Clafwr yn Sir Ddinbych; Claf(r)dy ym Môn a Gwynedd a Rhydyclafdy a Pant y Clafrdy yng Ngwynedd. Cwta ddwy filltir i'r de-orllewin o Rydyclafdy mae Tyddyn yr Haint.

Rhaid cofio nad cymeriadau o fyd chwedloniaeth mo Meddygon Myddfai. Yr oeddynt yn bobl o gig a gwaed go iawn. Maent wedi ennyn diddordeb meddygon cyfoes ac yng nghylchgrawn Y Gymdeithas Feddygol (Haf 2011) gwelwyd yr englyn isod:

Meddygon Myddfai
Yn ddidwyll i'r traddodiad – rhoi dolur
I'w dwylo a'u cariad,
Yn raenus eu cyfraniad
Gallu'n hil yn dwyn gwellhad.

Y Traddodiad Meddygol

Anodd, os nad amhosibl yw olrhain hanes meddygaeth a meddygon yn llawn mewn ychydig dudalennau gan fod gwneud hynny erbyn heddiw yn wyddor prifysgol ond er mwyn gwerthfawrogi cyfraniad Meddygon Esgyrn Môn i faes meddygaeth rhaid bod yn ymwybodol o ryw gymaint o'r hanes diddorol yma sydd yn llawn haeddu cyfrol iddi ei hun.

Un o fanteision byw yng Nghymru yn yr unfed ganrif ar hugain yw argaeledd meddygon a meddyginiaethau i bawb. Os na all claf fynd i weld y meddyg, daw'r meddyg at y claf. Os na ellir cael cyflenwad o dabledi neu ffisig o siop y fferyllydd, fe'i ceir ar bresgripsiwn gan y meddyg. Er i'r Gwasanaeth Iechyd Gwladol gael ei feirniadu yn aml, mewn gwirionedd lle i ddiolch sydd gennym am feddygfa, ysbyty ac am y gweithwyr ymroddedig sydd yn eu cynnal. Ond nid felly fu pethau bob amser.

Gellir olrhain hanes meddygaeth yn ôl i gyfnod Oes y Cerrig gan fod murddarluniau mewn ogofeydd yn Ffrainc wedi eu darganfod sy'n dangos defnydd o berlysiau i wella cleifion. Un o'r planhigion a ddefnyddiwyd yn y cyfnodau cynnar hyn oedd *Aloe Vera* oedd o gymorth i wella briwiau ac i ymladd heintiau. Dyma blanhigyn a ddefnyddir hyd heddiw a hynny yn llwyddiannus iawn. Ond mae llawer mwy i feddygaeth na gosod dail ar y corff.

Yr un a ystyrir fel y meddyg neu'r ffisigwr cyntaf oedd Asclepius o wlad Groeg. (Diffinir Meddyg/Llawfeddyg fel un oedd yn trin archollion, clwyfau a doluriau a Ffisigwr fel yr un oedd yn adnabod a dehongli salwch ar neu yn y corff. Roedd yr Apothecari, drwy gydweithio â'r ffisigwr, yn darparu eli a meddyginiaethau i'r claf.)
Gymaint oedd ei ddylanwad, dywedir i Socrates, pan oedd yn marw o orddôs o hemlog/cegiden, orchymyn i'w was Crito aberthu ceiliog i Asclepius i ddiolch iddo am farwolaeth gymharol hawdd!

Un arall o ardal Môr y Canoldir oedd Acmaeon o Groton yn ne'r Eidal. Yr oedd yn enwog yn ei gyfnod am astudio'r corff dynol ac ef oedd y cyntaf i ddadelfennu y llygad a darganfod y nerf optig. Ef hefyd a gynigiodd mai o'r ymennydd oedd dirnadaeth a syniadaeth yn deillio. Credai, fel meddygon China a'r Dwyrain Pell, fod angen cydbwysedd yn y corff rhwng tywyllwch a goleuni, gwres ac oerfel, gwlybaniaeth a sychder, chwerwder a melyster, ac os na cheid cydbwysedd rhwng yr Ying a'r Yang, yna byddai'r corff yn dioddef. Un dull o adnewyddu'r cydbwysedd hwn yw aciwbigo.

Meddyg amlwg arall, efallai'r amlycaf, oedd Ipocras (g. 460 CC) o Cosin yn Asia Leiaf. Cysylltir ei enw â'r Llw Ipocratig a dyngir gan ddarpar feddygon:

> Tyngaf lw i Apollo, yr iachawr, Asclepius, Hygieia, a Panacea, a phob un o'r duwiau a'r duwiesau, y byddaf hyd eithaf fy marn a'm gallu yn:
> ystyried annwyl i mi, fel fy rhieni, y sawl sydd wedi fy nysgu yn y gelfyddyd hon;
> gwneud popeth er lles fy nghleifion yn ôl fy ngallu a'm barn a byth yn gwneud niwed i unrhyw un;

yn gwrthod rhoi unrhyw feddyginiaeth angheuol i unrhyw un, nac yn awgrymu unrhyw gyngor o'r fath;
cadw purdeb fy mywyd a'm celfyddyd;
cadw yn gyfrinachol bob gwybodaeth a ddaw i'm clyw wrth arfer fy mhroffesiwn gyda dynion ac ni fyddaf byth yn ei ddatgelu;
Os cadwaf y llw hwn yn ffyddlon, caf fwynhau fy mywyd ac ymarfer fy nghrefft a chael parch gan yr holl ddynoliaeth bob amser.

(Addasiad diweddar o Lw Ipocras.)

Credai Ipocras mai pedair elfen oedd i fywyd – y ddaear, dŵr, aer a thân, a bod pedwar math o hylif yn y corff yn cyfateb iddynt – beil du, crachboer neu *phlegm*, gwaed a beil melyn. Yr oedd Ipocras ac Erasistratus o Chios â diddordeb yn yr ymennydd. Erasistratus oedd un o'r rhai cyntaf i ddadelfennu yr ymennydd ac enwi gwahanol rannau ohono.

Er bod meddygon ar gael at wasanaeth y bobl, yr oedd y boblogaeth yn gyffredinol mewn anwybodaeth ac yn ddibynnol ar gymorth cyntaf elfennol i osod esgyrn ac ar feddyginiaethau llysieuol. Araf iawn oedd datblygiad meddygaeth ffurfiol gan fod hen gredoau yn rheoli unrhyw ddatblygiad. Ni chredai'r Rhufeiniaid mewn dadelfennu cyrff oherwydd ofn dialedd eu duwiau. Dyna pam y cafodd Galen, un o lawfeddygon enwocaf y cyfnod ac a fu yn astudio yn Alecsandria yn yr Aifft, ei gyfyngu i astudio cyrff mwncïod ac epaod. Pan oedd yn wyth ar hugain oed cafodd swydd fel llawfeddyg i gleddyfwyr (*gladiators*) a manteisiodd ar y cyfle i astudio'r corff dynol wrth drin eu briwiau.

Bu raid aros hyd at 1316 i weld y llyfr anatomeg cyntaf – *Anatomia* – yn cael ei gyhoeddi yn Ewrop. Gwaith Mondino de Luzzi oedd hwn ond nid oedd ar gael i bawb ac nid pawb allai ei ddarllen na'i ddeall p'run bynnag. Yn Lloegr yn y bedwaredd ganrif ar ddeg yr oedd llai na chant yn berchen ar radd feddygol a llawer ohonynt yn gweithio mewn dinasoedd a threfi mawrion tra bod y gweddill yn cael eu cyflogi gan y teulu brenhinol neu uchelwyr. Yr oedd prinder unrhyw un â phrofiad o waith meddygol mewn ardaloedd gwledig yn yr Alban, Cymru ac Iwerddon. Eithriad oedd cael ysbyty i wasanaethu cymuned ac yn y rhai a fodolai, yr oedd safonau glendid a gofal yn isel iawn. Disgwyliwyd i'r cleifion rannu gwely efo sawl claf arall. Gwyngalchwyd y waliau unwaith y flwyddyn ond yr oedd y lloriau yn cael eu golchi efo dŵr glân yn ddyddiol, a dillad y cleifion a dillad y gwelyau yn cael eu golchi yn wythnosol. Dim ond yn y gaeaf y cyneuwyd tân. Yr oedd safon y bwyd ychydig yn well a gweiniwyd cig dafad bron bob pryd am y credid ei fod yn gymorth i wella. Câi'r cleifion botes neu gawl a galwyn o gwrw y dydd i'w yfed.

Lleia'n y byd oedd yr ysbyty o ran maint, lleia'n y byd o gymwysterau oedd gan y sawl fyddai yn gweithio yno. Yr oedd unrhyw driniaeth a roddwyd i'r cleifion yn ddibynnol iawn ar safle a symudiadau'r planedau. Byddai'r 'meddyg' yn ystyried cyflwr yr haul a'r lleuad cyn argymell unrhyw driniaeth ac os oedd diffyg ar yr haul neu'r lleuad, ystyriwyd hynny yn ddigon o reswm i beidio mentro triniaeth o gwbl! Gwnaed defnydd rhydd o berlysiau i'w gosod fel powltis ar friwiau neu i'w bwyta a'u hyfed.

Ymysg llawfeddygon mwyaf llwyddiannus Lloegr yn ystod chwarter olaf y bedwaredd ganrif ar ddeg oedd John o Arderne. Yr oedd ganddo wybodaeth drylwyr a safonau pendant. Defnyddiai lewyg yr iâr (*henbane*), mandragora a hemlog. O'r pabi du a'r pabi gwyn, câi opiwm a ddefnyddiai i lonyddu cleifion. Cymysgai lewyg yr iâr mewn alcohol fel bod y claf yn cysgu neu yn feddw ac yn methu teimlo poen. Credai yn gryf y dylai unrhyw lawfeddyg feddwl yn bositif, bod efo dwylo glân a bod â'r gallu i wneud i'r claf chwerthin fel ei fod yn anghofio'i boenau. Yn anffodus, ychydig oedd yn rhannu'r un daliadau ac yn y ganrif honno, fel mewn sawl un arall, gwelwyd goddefiant eang o farwolaeth trwy anffawd feddygol.

Mewn trefi llai eu maint, byddai llawer o lawfeddygon anghymwys yn arfer eu crefft ac yn hysbysebu'r 'feddygfa' drwy osod postyn coch a gwyn uwch y drws i gyfleu'r gwaed a'r rhwymau a osodwyd ar y briw wedi'r driniaeth. I sybsideiddio'u hincwm, byddai rhai o'r fath yn cynnig gwasanaeth tynnu dannedd a thorri gwallt. Yr oedd cyfnod eu prentisiaeth yn un hir ac er cystal eu sgiliau llawfeddygol yr oedd llawer yn anllythrennog.

Cymeriad amlwg ac enwog o gyfnod Elizabeth I oedd Elinor Sneshell, barbwr-feddyg benywaidd. Mewn Cyfrifiad o Ddieithriaid yn y Metropolis (Llundain) yn 1593, cafodd ei rhestru fel gwraig weddw yn hanu o Valenciennes yn ardal Nord, Ffrainc ond yn byw yn Llundain ers chwe mlynedd ar hugain. Yr oedd yn un o ddim ond dwy farbwr-feddyg yn Llundain ar y pryd.

Ym mlynyddoedd cynnar yr unfed ganrif ar bymtheg bu Leonardo da Vinci yn brysur yn cynhyrchu darluniau o wahanol rannau o'r corff gan gynnwys yr ymennydd a'r benglog. Llwyddodd i wneud model cŵyr o'r galon.

Yn ddiweddarach yn y ganrif (1561) cyhoeddodd Gabriele Fallopio lyfr yn disgrifio nerfau'r ymennydd a'r pen a hefyd y Tiwbiau Ffalopiaidd, ond araf oedd y datblygiadau o hyd. Ni ellid gwneud fawr o waith ymchwil sylweddol heb gymorth meicrosgob a ddyfeisiwyd gan Zacharias neu Hans Jansen yn 1595.

Un datblygiad sylweddol arall oedd y ddealltwriaeth o gylchrediad gwaed yn y corff. Caed eglurhad manwl gan William Harvey (1578-1657) oedd yn chwalu cred Galen fod y gwaed yn llifo fel llanw drwy'r corff. Ym Mhadua, yn yr Eidal ac yn Leyden yn yr Is-almaen agorwyd canolfannau lle gallai myfyrwyr astudio meddygaeth yn llawer mwy trylwyr. Yr oedd ynddynt athrawon a dosbarthiadau lle yr astudiwyd anatomeg a chaed cyfle i gynnal archwiliadau *post mortem*, dysgu am batholeg a chynnal astudiaethau achos manwl iawn ar gyrff.

Prin iawn oedd y parch a ddangoswyd tuag at apothecari, ffisigwr neu lawfeddyg. Bu'n rhaid aros hyd at 1545 i'r meddyg cyntaf gael ei urddo'n farchog gan Harri VIII – Syr William Butts – a hyd at 1556 cyn i'r llawfeddyg cyntaf gael ei urddo'n farchog gan Mari Tudur – Syr John Aycliffe. Welodd Elizabeth, chwaer Mari, mo'i ffordd i urddo unrhyw feddyg na llawfeddyg yn ystod ei theyrnasiad hir o ddeugain a phump o flynyddoedd. Yng nghyfnod y Tuduriaid yr oedd merched â'r hawl i ymarfer crefft y llawfeddyg os oeddynt wedi eu trwyddedu, ond cymharol brin oedd merched mor flaengar. Dim ond un – Mary Cornelys o Fodmin yn Esgobaeth Exeter – a drwyddedwyd yn ystod teyrnasiad Elizabeth, yn 1568.

Er mai cymharol brin oedd ymgeiswyr am swyddi meddygol yng nghyfnod y Tuduriaid, un datblygiad a welwyd oedd ymddangosiad nifer o lyfrau meddygol. Ymysg y cynharaf roedd cyfres o lyfrau am anatomeg gan Andreas Vesalius – *De Humani Corporis Fabrica* a ymddangosodd mewn saith cyfrol yn 1543. Eraill oedd *The Pearls of Practise for Physick and chirurgerie* a *Good Counscell against the plague*. Mewn Lladin yr ysgrifennwyd y mwyafrif o lyfrau tebyg ac felly yr oeddynt yn gyfyngedig eu darllenwyr. Llyfrau eraill a fwriadwyd fwy ar gyfer y gwragedd oedd *Breviary of Helthe* gan Andrew Boorde (1574), *The Widow's Treasure* gan John Partridge a ymddangosodd yn 1588 a *The Good Huswife's Jewel* yn 1596.

Erbyn diwedd teyrnasiad Elizabeth I yr oedd llawer mwy yn ymddiddori ac yn hyfforddi ym maes meddygaeth. Yr oedd ychydig dros ddwy fil o feddygon yn y deyrnas yn 1603 ac yn Esgobaeth Caergaint bryd hynny yr oedd cant a naw deg o feddygon, bydwragedd a gweinyddesau, oedd yn golygu fod un oedd yn berchen ar ryw fath o gymhwyster meddygol ar gyfer pob pedwar cant o'r boblogaeth. Tebyg oedd y niferoedd yn Llundain er, yn 2012, dim ond un meddyg oedd ar gyfer pob 250 o boblogaeth y brifddinas.

I ennill cymwysterau yr oedd yn rhaid cael gradd Baglor mewn Meddygaeth neu ddoethuriaeth ond llai na chant oedd wedi eu cymhwyso felly oherwydd cost uchel yr hyfforddiant mewn prifysgolion, yn arbennig rai tramor fel Leyden, Basel, Padua, Heidleberg, Bologna neu Montpellier, a hyd y cwrs oedd yn gallu bod hyd at saith neu ddeng mlynedd. Yn Lloegr yr oedd y mwyaf cymwys a'r uchaf eu cymwysterau ar gyfer y gwaith yn gymrodyr Coleg y Ffisigwyr yn Llundain – deunaw yn 1572 a deg ar hugain yn 1589. Os na allai'r ymgeiswyr fforddio talu'r costau uchel, dewis arall oedd iddynt gael eu trwyddedu un ai gan goleg, gan brifysgol neu gan esgob wedi iddynt ddilyn cwrs o brofiad ymarferol yn y gwaith neu drwy fod yn aelod o Gymdeithas y Barbwr / Llawfeddygon a chymhwyso eu hunain drwy brofiad ac arholiad. Yn aml iawn mewn cyfrifiadau a dogfennau o'r cyfnod yr oedd llawfeddygon yn cael eu rhestru fel rhai yn dilyn mwy nag un alwedigaeth megis gwydrwr, teiliwr, cogydd, cweiriwr ceffylau a daliwr llygod mawr! Mae'n siŵr fod i bob swydd ryw nodwedd fyddai o werth wrth ddilyn galwedigaeth feddygol!

Tueddai'r rhai oedd yn dilyn swydd llawfeddyg neu apothecari i aros yn y dref neu'r ddinas agosaf fel bod y cleifion yn gwybod yn iawn ble i gael gafael arnynt pan fyddai eu hangen. Yr oedd saith deg yn Norwich (un ar gyfer pob dau gant o'r boblogaeth); deugain yng Nghaergaint (un ar gyfer pob cant dau ddeg pump). Y tâl am wasanaeth llawfeddyg yn 1600 oedd 13/- gan glaf cyflogedig a 10/- gan glaf tlawd a di-waith. Gallai'r gwaith neu'r driniaeth olygu tynnu pen saeth neu fwled o'r corff, pwytho neu drychu (*amputate*) rhannau o'r corff. Gallai'r apothecari hawlio 20/- a 8/- gan yr un bobl.

Un a adawodd ddisgrifiad manwl iawn o'r ymennydd oedd Thomas Wills yn 1664. Darluniwyd ei lyfr gan y pensaer enwog Christopher Wren. Tua 1721 mentrodd y Fonesig Mary Montague gyflwyno'r arfer o frechu rhag y frech wen. Datblygodd Edward Jenner frechiad arall rhag yr un haint drwy frechu â brech y fuwch neu *cowpox*.

Brasgamodd meddygaeth ymlaen pan ddatblygodd Louis Pasteur (1822-1895) ei syniadaeth fod heintiau yn cael eu hachosi gan feicro-organebau, a chan syniadaeth ei gydweithiwr Joseph Lister (1827-1912) fod angen amodau hollol antiseptig er mwyn cyflawni unrhyw fath o lawdriniaeth.

Mewn ardaloedd gwledig a thlodaidd nid oedd gweld meddyg hyfforddedig yn beth cyffredin o gwbl. Yr oedd rhai yn galw eu hunain yn feddygon ond mewn gwirionedd nid oeddynt ddim amgenach na ffugwyr a thwyllwyr. Prin oedd y rhai gonest a deallus yn eu mysg ac o'r rheini yr oedd ychydig wedi etifeddu doniau prin oedd yn eu galluogi i ddelio yn effeithiol ac weithiau yn llwyddiannus â phob math o anafiadau ac afiechydon esgyrn a chymalau. Ond i'r werin gyffredin, rhaid oedd dibynnu ar hen feddyginiaethau gwerinol gan fod y sawl a'u defnyddient yn gwybod eu bod, i raddau helaeth, yn effeithiol gan fod yr 'hen bobl' wedi dal ati i'w defnyddio.

Meddygon Eraill Môn

Mewn llawer ardal arfordirol fel 'Yr Ardal Wyllt', ardal Llanfair-yng-Nghornwy a Mynydd y Garn yng ngogledd Môn, defnyddiwyd meddyginiaethau oedd yn cynnwys rhyw elfen o wymon o'r môr gan ei fod wrth law yn hwylus. Yr oedd un feddyginiaeth yn cynnwys gwymon coch wedi ei gasglu o byllau dŵr ar lanw isel. Wrth ei weinyddu i'r claf, deisyfwyd cymorth y Drindod Sanctaidd a gweddïwyd ar i'r claf wella o unrhyw anhwylder i do y geg neu'r bledren. Defnyddiwyd gwymon i dynnu'r drwg allan o ben dyn neu gornwyd drwy dorri'r gwymon yn fân, ei gymysgu efo nionyn a'i ferwi cyn ei osod ar y corff. Yr oedd y dylusg, math arall o wymon, yn cael ei ddefnyddio at waedlif o'r trwyn, cur pen difrifol neu meigryn, llosgiadau, doluriau ac archolliadau. Credid hefyd ei fod yn gymorth gwerthfawr i ferched yn ystod genedigaeth plentyn. Ar gyfer grydcymalau yn y pen-glin, awgrymid defnyddio gwymon wedi ei ferwi neu ei losgi ar y radell a'i rwymo'n dynn am y pen-glin er esmwythâd.

Mewn darlith ar y testun 'Meddygaeth ym Môn', a draddodwyd ar 8 Tachwedd, 1968, soniodd yr arbenigwr Glyn Penrhyn Jones am yr ynys yn nyddiau y cyfnod cyn-ddiwydiannol – roedd dibyniaeth ar ddulliau traddodiadol o fyw a gweithio mewn cymdeithas lafurus iawn. Roedd pobl yn gyfarwydd â dolur a phoen a'u bywydau 'yn fyr, yn frau ac yn frwnt'. Oes dyn, ar gyfartaledd, oedd deng mlynedd ar hugain ac:

> I'r sawl a anafid nid oedd ond rhyw drwth o lysieiau – a rheini yn ddigon gwenwynig – i roddi ar archoll, a hynny gan mwyaf dan gyfarwyddyd gwrach neu ddewin cwbl anllythrennog o feddyginiaethau yn ôl defod a rhyw hen grefydd.

Erbyn y ddeunawfed ganrif ym Môn, yr oedd mwy a mwy wedi manteisio ar y cyfleoedd oedd ar gael i ehangu eu gorwelion a manteisio ar addysg ffurfiol i gael cymwysterau ym maes meddygaeth. Yr oedd mwy o feddygon lleol ar gael, llawer yn feibion i fyddigion yr ynys. Yr oedd rhai yn gweithredu yn y Llynges ar fwrdd llongau tra bod eraill yn cynnig gwasanaeth gwerthfawr yn eu cymuned leol.

Yr enwocaf efallai o feddygon Môn oedd Richard Evans o Lannerch-y-medd a fu farw 20 Gorffennaf, 1742. Wedi saith mlynedd o brentisiaeth, bu'n gweithio yn Deptford cyn dychwelyd i Fôn yn 1729. Er ei fod, yn ôl pob tebyg, yn ŵr diwylliedig a mwyn iawn, ei wendid mawr oedd rhoi yr un ffisig i bawb. Yr oedd ganddo ffydd mawr yn Rhisgl Periw – *Cortex Peruvianus*. Pan fu farw, un a welodd golled fawr ar ei ôl oedd y Parchedig Thomas Ellis o Gaergybi, ei wraig a'u chwech o blant ifanc:

> Y Doctor Evans druan! Dyna anferth o golled. Bendith Dduw gyda phob migwrn ac asgwrn ohono.

Yr oedd Richard Evans wedi gofalu am rieni y Morrisiaid, ym Mhentre-eiriannell. Cyflwynodd Lewis Morris nifer o gerddi iddo yn deyrnged am ei gyfeillgarwch a'i waith. Fe'i canmolwyd am ei ofal gan y brawd ieuengaf, John Morris, hefyd. Lluniwyd cywydd coffa iddo gan Goronwy Owen, pan oedd y bardd yn ddim ond pedair ar bymtheg mlwydd oed:

> Duw a yrrodd yn dirion,
> Rhag diffyg, feddyg i Fôn;
> O'i dŷ oeraidd daearol
> I nef, fe'i galwyd yn ôl.

Ond yr oedd Richard wedi cyfansoddi ei feddargraff ei hun:

> Os marw ar fyrder fydd i'm rhan,
> Tyrd dithau i'r Llan i'n danfon –
> A dod fi orwedd yn y gro
> Lle caf orffwysfa ddigon,
> Heb neb i golli ond fy mhlant
> Ei meddiant a'm gofalon.

Yr oedd Mrs Evans (cyfnither i Forrisiaid Môn, Pentre-eiriannell) yn fydwraig ac iddi enw arbennig o dda. Yn ôl William Bulkeley, y dyddiadurwr o Frynddu, Llanfechell a dalodd dair gini am ei chymorth yng ngenedigaeth ei ferch Mary, hi oedd bydwraig enwocaf gogledd Cymru.

Bu William eu mab yn llawfeddyg ar fwrdd y llong *Indiaman*.

Aelod o'r un teulu oedd William Evans (11 Awst 1828-29 Rhagfyr 1904), llenor a meddyg. Wedi ei addysgu yng Ngholeg Dulyn a Chaeredin, bu'n gweithio fel meddyg yn Llannerch-y-medd. Yr oedd â diddordeb mawr mewn seryddiaeth. Ysgrifennodd bardd anhysbys amdano:

> Hir coffeir y cyffuriau – a rannodd
> I drueiniad angau;
> Ar ruddiau oedd yn pruddhau
> Rhoes wên ac ail rosynau.

Mab William Lewis, Trysclwyn oedd Howell Lewis. Fe'i prentisiwyd dan Richard Evans, Llannerch-y-medd. Bu'n feddyg yn Llundain ac yn feddyg llong yn Sheerness. Yn 1762, enillai gyflog o goron (5/-) y dydd fel meddyg yn y fyddin. Bu'n gyfrifol am Richard Morris (Pentre-eiriannell) a'i deulu yn Llundain. Collodd ei fywyd wedi iddo syrthio dros ochr llong ym Martinique, India'r Gorllewin a boddi. Meddyg arall o Fôn fu farw dramor oedd Owen Lewis, Cemlyn, llawfeddyg a fu fyw a marw yn Waterford, Iwerddon ym mis Chwefror 1738. Prentis arall i Richard Evans oedd Herbert Jones, Llynnon, Llanddeusant. Bu'n llawfeddyg ar fwrdd y llong ryfel *Swan* a'r llong ryfel 64 gwn *Yarmouth*. Yr oedd William Morris yn credu fod gwisg swyddogol y meddyg 'yn ymdrybaeddu mewn aur'.

Er iddo raddio mewn meddygaeth o Rydychen, yn wamal y galwyd 'Doctor' ar Francis Lloyd o Rosbeirio, Rhosgoch (Mynachdy, Llanfair-yng-Nghornwy yn ddiweddarach). Treuliodd chwech wythnos mewn gwely yn Ysbyty Guy yn Llundain a chredai llawer o'r ardal fod hynny yn ddigon o gymhwyster iddo! Beth bynnag arall a ddywedir amdano, rhaid cofio mai ef roddodd gartref i Evan Thomas, y cyntaf yn llinach Meddygon Esgyrn Môn, wedi iddo gael ei olchi i'r lan o longddrylliad ac ef a'i hanogodd i weithio fel meddyg esgyrn.

Yr oedd Lloyd â llawer mwy o ddiddordeb mewn casglu arian ac eiddo nag mewn gwella cleifion ac mae cofnodion yn dangos iddo fuddsoddi mewn gweithfeydd copr ym Môn ac Arfon er nad oes tystiolaeth iddo wneud ei ffortiwn. Bu'n Uchel Siryf y sir rhwng 1761-1762.

Eraill a fu'n gweini'r cleifion oedd Thomas Lloyd o Ddulyn, '*a doctor of Physick*' ac ail gefnder i Miss Jenny Lloyd, Llwydiarth; Dr Wheldon, Caergybi – llawfeddyg y llong ryfel *Experiment* a phriod i fodryb gwraig William Morris (Pentre-eiriannell); Robert Owen, Presaddfed a raddiodd o Leyden yn 1731 ac a fu yn uchel-siryf Môn yn 1750-1760; William Griffith, Garreg Lwyd, Llanfaethlu; Doctor Lancaster a gafodd dâl o 10/6 am '*inoculating Dixon children – January & February 1783*' a *Surgeon General* Nichols a ymwelodd â thŷ William Morris yng Nghaergybi yn 1745:

> 'Dyma fyng werthfawr gyfaill newydd ddyfod i'r dref.
> This gent. is deservedly at the head of his profession.'

Erbyn y bedwaredd ganrif ar bymtheg yr oedd datblygiadau bras wedi eu gwneud ym myd addysg a meddygaeth a mwy a mwy o alw am wasanaeth meddygon trwyddedig ac o daflu golwg frysiog ar gyfrolau *Enwogion Môn* gwelir efallai mai swydd meddyg oedd yn dod yn ail i'r parchus, arswydus offeiriaid a gweinidogion:

- Evan Lloyd, mab rheithor Llanfaethlu. Cafodd ei eni yn 1806 ac yn ôl Cyfrifiad 1841 yn *Surgeon in Army.*
- Hugh Griffith Hughes (Telynor Arfon). Fe'i ganwyd yn 1860. Graddiodd o Goleg Meddygol Glasgow yn 1883 a gweithiodd yn Ysbyty Chwarel Dinorwig, yng Nghricieth a'r Rhondda cyn ymfudo i Ventersburg, de Affrica. Bu farw o wenwyn gwaed.
- Thomas Hughes, Dinam Bach, Caergeiliog (1836-13 Mai, 1890). Graddiodd o Brifysgol St Andreas, Glasgow yn 1856 a gweithiodd fel meddyg yng ngwaith copr Mynydd Parys, Amlwch. Graddiodd yn MD yn 1862 a chael gwaith yn Chwarel Dinorwig yn 1875. Yn 1883 fe'i hapwyntiwyd yn brif arholwr Mudiad Ambiwlans St Ioan, gogledd Cymru. Fe'i claddwyd ym Mynwent Llandinorwig.
- Hugh Beaver Jones (Cyhelun Môn), un arall o feibion Llannerch-y-medd. Graddiodd yn MD o brifysgolion Caeredin a Llundain a bu'n gweithio fel meddyg yn Llundain. Treuliodd saith mlynedd yn Awstralia cyn dychwelyd i weithio fel meddyg yn Llannerch-y-medd, Penygroes a Lerpwl, lle bu farw.

- William Jones (1816-1882), mab Sybylltir, Caergeiliog. Bu'n byw a gweithio yn Rhosygaer a Llanfawr, Caergybi, lle bu'n 'Feddyg Gwaith y Mynydd' (chwarel Mynydd Tŵr yng nghyfnod adeiladu'r morglawdd yng Nghaergybi 1845-1873); Greianfryn, Llanddeusant a Phlas Hen, Llanddaniel lle bu farw a'i gladdu yn yr ardd.
- Owen Lewis, Cwyrtai, Aberffraw (1796-1868) a gafodd ei hyfforddi yna graddio o Ysbyty St Bartolomeus, Llundain yn 1820. Câi ei adnabod ym Môn fel 'Y Doctor Dail' oherwydd ei ddefnydd cyson o feddyginiaethau llysieuol.
- Humphrey Evans, Treiorwerth, Bodedern. Llawfeddyg.
- John Hughes Lloyd, Treflesg, Llanfair-yn-neubwll (13 Chwefror, 1814-14 Chwefror, 1878). Graddiodd o brifysgolion Dulyn a Chaeredin yn 1845. Meddyg teulu ym Modedern, Llantrisant a Llangefni.
- Ellis Morris (1829-4 Mai, 1876), mab Glan Gors Goch, Caergybi. Fferyllydd ym Mhorthmadog efo Robert Jones (Alltud-Eifion) cyn ailgyfeirio i Fanceinion a Llundain, lle datblygodd bractis o bedwar meddyg.
- John Robert Pryse (Golyddan), Cae Crin, Llanrhuddlad (1840-13 Tachwedd, 1863). Mab ieuengaf Gweirydd ap Rhys. Wedi hyfforddiant cychwynnol dan Dr W Jones, Caergybi, cofrestrodd yng Ngholeg yr Andersonian, Glasgow yn 1855. Yn bymtheg mlwydd oed, ef oedd yr ieuengaf o'r coleg i dderbyn tystysgrif am draethawd ar Fydwreigiaeth a gwobr am ragori yn yr Ystafell Ddadelfennu. Aeth i Brifysgol Caeredin yn 1860 ond ni allai weithio fel meddyg oherwydd ei waeledd. Bu farw yn Ninbych a'i gladdu ym Mynwent Eglwys Dewi Sant y dref.
- David Roberts (1788-12 Ionawr, 1869). Mab Aber Alaw, Llanfachraeth a Mynydd y Gof, Bodedern. Gweithiodd fel meddyg yn Llundain a Chaergybi. Priododd â Sarah Foulkes o Fachynlleth. Blaenor gyda'r Methodistiaid Calfinaidd.
- Owen Roberts, Tŷ'n Llan, Bodedern. Ewythr i Hugh Owen Thomas, y sonir amdano yn helaeth yn nes ymlaen. Wedi graddio o Ddulyn yn 1833 bu'n llwyddiannus yn arholiadau Coleg Llawfeddygon Llundain. Bu ym Mhrifysgol Caeredin ac yn Ysgol Feddygol Paris cyn dychwelyd i weithio fel meddyg teulu yn Rhuddlan a Llanelwy. Bu

farw drwy ddamwain. Wedi gadael tŷ un o'i gleifion, neidiodd i fyny i gerbyd. Yn anffodus, yr oedd ffrwyn y ceffyl wedi ei dal ar un o'r llorpiau a phan gododd hwnnw ei ben fe dorrodd y ffrwyn a syrthiodd yr enfa o'i geg. Rhedodd yn wyllt; methodd y meddyg â'i reoli ac fe'i taflwyd i'r llawr. Disgynnodd ar ei ben a thorri asgwrn y benglog yn ddifrifol. Bu farw ymhen ychydig oriau yn chwe deg dau mlwydd oed. Cafodd ei gladdu ym Mynwent Eglwys Gadeiriol Llanelwy.

- Syr William Roberts, Mynydd y Gof, Bodedern (18 Mawrth, 1830-16 Ebrill, 1899). Un o ddeg o blant. Graddiodd o brifysgolion Llundain, Paris a Berlin. Graddiodd yn BA yn 1851; MB yn 1853; MD yn 1854. Bu'n feddyg mewn ysbyty ym Manceinion (1854-1883) ac yn athro meddygaeth (1863-1889). Yr oedd yn awdur toreithiog ar bynciau meddygol. Yn 1889 symudodd i fyw yn Llundain ond bu farw yn fuan. Fe'i claddwyd ym Mynwent Eglwys Llanymawddwy.
- Frederick Roberts (1862-1894). Brawd i Syr William (uchod). Meddyg a chenhadwr yn China o 1887 ymlaen. Bu ym Mongolia cyn symud i Tien-Tsin, China lle bu farw. Rhoddwyd ei enw i ysbyty yn y dref.
- John Williams, Treaseth, Llangaffo (1864-1901). Wedi ei addysgu yn Ysgol Llangaffo ac Ysgol Ramadeg Biwmares a Chlynnog, aeth i'r coleg yn Lerpwl ac i Brifysgol Caeredin o'r lle graddiodd gydag anrhydedd yn MD yn 1888. Dyfarnwyd iddo dlws aur am draethawd gradd MD yn 1890 a gradd BSc yn 1892. Gweithiodd fel meddyg yn Nowlais ac fel gynocolegydd yng Nghaerdydd. Tra oedd ar ymweliad â Rhufain, yfodd ddŵr o Ffynnon Paul yr Apostol ond daliodd y teiffoid a bu farw o'r salwch.
- Hugh Williams, Cae'r Nant, Llanfaelog (1845-?). Fferyllydd yng Nghaergybi cyn symud i Lerpwl yn 1865 ac agor ei fferyllfa ei hun yn 1870. Yn 1875 ailgyfeiriodd i astudio meddygaeth a graddiodd yn feddyg yn 1878.
- John Williams, brawd Hugh (uchod) (?-26 Gorffennaf, 1904). Meddyg Ysbyty Stanley, Lerpwl tan 1879 ac yna ar ei liwt ei hun fel meddyg teulu yn Brickfield Road, Lerpwl. Cafodd ei gladdu ym Mynwent Anfield, Lerpwl.
- John Williams, Llanfair-mathafarn-eithaf (?-1908). Cafodd ei addysgu yn Ysgol Marianglas a Choleg Meddygol Glasgow. Partner

i Dr Watkin, Caernarfon. Bu John Williams yn faer tref y Cofis yn 1883 – 1884. Cafodd ei gladdu ym Mynwent Llanbeblig.

- Thomas R. Williams (1830-14 Ionawr, 1901), oedd yn feddyg esgyrn o fri. Roedd ei fam yn chwaer i Evan Thomas.
- John Lloyd, Bodedern – i'r hwn y lluniwyd cadwyn o naw englyn gan fardd dienw a ymddangosodd yng nghylchgrawn *Y Gwladgarwr* yn 1883. Dyfynnaf y gyntaf yn unig:

Nis gwelwyd er oes Galen – neb dynion
Y bu doniau amgen;
Ioan beunydd bydd yn ben
Grâff feddyg, ŵr hoff oddien.

- Mae dafad ddu ym mhob maes ac efallai mai Hugh Lewis o Llannerch-y-medd oedd y ddafad dduaf o fysg meddygon a meddygon esgyrn Môn. Yn 1779 derbyniodd y '*bone-setter*' wŷs i ymddangos o flaen ei well yn y Llys Chwarterol a chafodd orchymyn llym i gadw'r heddwch – yn arbennig felly tuag at ei wraig Margaret Hughes.

Meddygon Esgyrn

Y mae'r grefft o ailosod esgyrn wedi bodoli ers o leiaf dair mil o flynyddoedd ac fel pob agwedd arall o feddyginiaethu y mae iddi ei gwendidau a'i rhagoriaethau. Un peth sy'n sicr amdani yw na ellir anwybyddu'r hyn sydd wedi digwydd yn y gorffennol na'r galw sydd am feddygon esgyrn yn yr oes sydd ohoni.

Mae rhai sgerbydau o Oes y Cerrig yn dangos tystiolaeth o doresgyrn ac eraill yn dangos esgyrn wedi eu hailosod. Un o'r rhaniadau naturiol rhwng gwlad Awstria a'r Eidal yw rhes mynyddoedd yr Alpau Ötzal. Yn y rhew a'r eira ar fynydd Fineilspitze ym mis Medi 1991, daeth corff dynol i'r amlwg. Rhoddwyd iddo sawl enw gan gynnwys '*Iceman*', '*Ötzi the Iceman*', '*the Similaun Man*', '*the Man from Hauslabjoch*', '*Frozen Fritz*' (gan y wasg Brydeinig), '*Otzi*' a '*Homo tyrolensis*'. Ar gorff y gŵr 3,000 mlwydd oed gwelir cyfres o linellau a marciau wedi eu nodi ar ffurf tatŵs ar ei gorff a chredir bod y mwyafrif ohonynt yn cyfateb i linellau neu fannau aciwbigo. Mae llawysgrifau o'r Hen Frenhiniaeth yn yr Aifft yn crybwyll ailosod esgyrn ac yn profi fod crefft y meddyg esgyrn yn perthyn i wahanol rannau a chyfnodau yn hanes y byd.

Credir i'r term '*bonesetter*' gael ei defnyddio ym Mhrydain ers tua chanol y bymthegfed ganrif. Ar yr un pryd yr oedd y term '*Wundartze*' yn gyfarwydd i siaradwyr Almaeneg ag '*algebrista*' i Sbaenwyr a'r ddau yn tarddu o wreiddyn Arabeg yn golygu 'gostwng' (*reduce*) sydd â'r un tarddiad a'r gair '*algebra*'. Ym Mecsico y '*curanderos*' yw'r meddyg esgyrn hyd heddiw ac yn Japan '*hone-tzugi*' neu '*seifukujitsu-shi*' yw'r term; ym Mongolia maent yn cael eu hadnabod fel '*bariachi*'. Yn yr Alban, yr oedd y term 'llawfeddyg' a 'meddyg esgyrn' yn gyfystyr hyd at 1875 ac yn cael eu defnyddio mewn dogfennau cyfreithiol megis ewyllysiau.

Er mai yn 1470 yr ymddangosodd y term '*Boone Setter*' am y tro cyntaf yn yr iaith Saesneg ac i'r term '*bonesetter*' fod mewn defnydd cyson ymhen deugain mlynedd, yr oedd y fath beth â meddyg esgyrn yn bod ers canrifoedd. Cato yr Hynaf (234-149 CC), gwleidydd a meddyg esgyrn yn byw ac yn gweithio yn y Weriniaeth Rufeinig oedd arweinydd y gad, efallai.

Ymysg meddygon esgyrn cynnar Lloegr oedd Gilbertus Anglicanus (1170 -1230) a gredai y gallai drin rhywun oedd wedi torri ei wddw heb lawdriniaeth! Ei awgrym oedd gosod y claf ar ei gefn ar lawr, gosod rhwymyn dan ei ên fel bod y meddyg yn gallu rhoi ei draed ar ysgwyddau'r sawl oedd yn gorwedd a thynnu ar y rhwymyn fel bod disgiau'r asgwrn cefn yn mynd i'w lle.

Un o ddarganfyddiadau Hernando Cortez, milwr Sbaeneg a oresgynnodd Mecsico yn yr unfed ganrif ar bymtheg, oedd bod y gallu i drin a thrafod ac ailosod esgyrn yn rhan allweddol o gymwysterau meddygon yr Asteciaid.

Yr oedd dynion o'r un gallu i'w cael ym Môn hefyd, ar wahân i deulu Evan Thomas. Bu raid i Robert Bulkeley, Dronwy, Llanfachraeth, Môn fynd ar ofyn ei gymdogion am gymorth pan fu Theophilus, ei fab, yn ddigon anffodus â chael damwain. Anfonodd weddi fer at yr Hollalluog hefyd:

> 26 November 1634.
> About sunset the stacke of turves fell upon Theophilus & broke his thigh (god bless all.)
>
> 27 November 1634.
> Jon. Pue & morris Lloyd closed up his thigh.

24 December 1634.
The same two bone setters "dressed Theo. his thigh."

24 January 1635.
Morris Lloyd was paid 2/- for setting son Theo: bone.

Da oedd i Theophilus a William gael gwasanaeth y meddygon esgyrn lleol, er nad oedd eu cymwysterau i'r swydd yn golygu rhyw lawer. Yn yr ail ganrif ar bymtheg, yr oedd meddyg esgyrn yn berson heb gymwysterau a'i wybodaeth am y pwnc yn cael ei ystyried yn gyfyng, a'i driniaeth heb warant o lwyddiant.

Cyhoeddwyd llyfr o'r enw *The Compleat Bone-setter* yn 1656, wedi ei ysgrifennu gan y Brawd Moulton, un o ddilynwyr Awstin Sant. Camarweiniol yw'r teitl gan nad yw'n llyfr cynhwysfawr o gwbl. Pan gafodd ei ddiweddaru gan Robert Turner ymhen ychydig o flynyddoedd fe'i cyflwynwyd i Mrs Elizabeth Creswell o Heckfield, yn swydd Hampshire. Un yn cynnig gollyngdod o'u clwyfau i'w chymdogion cloff a thlawd oedd Mrs Creswell ac yn arbenigo mewn trin doluriau, esgyrn toredig, poen yn y clustiau, cur pen, ailosod esgyrn, poen yn y cefn, ysigiad yng nghymalau'r corff. Disgrifia yn fanwl sut i ailosod asgwrn, sut i osod sblint a rhwymo clwyfau fel bod y claf yn llonydd. Awgrymir pa rai o'r perlysiau i'w defnyddio i drin cur pen, poen cefn a phoen clust.

Un o deuluoedd enwog yr ail ganrif ar bymtheg oedd y teulu Sweet gan gynnwys y tad – James (1657-1724) a'i fab Job, 'Y Meddyg Esgyrn Mawr'. Un arall oedd y meddyg milwrol Benoni Sweet a anwyd yn 1663 a mab iddo yntau o'r un enw a adawodd Iwerddon yn 1760 i fynd i Nova Scotia, Canada. Yno daeth y teulu yn enwog fel meddygon esgyrn.

Graddiodd Edward Harrison mewn meddygaeth o Brifysgol Caeredin ond dioddefodd lawer am nad oedd ei gydweithwyr yn fodlon derbyn ei ddulliau o weithio â'i ddwylo. Bu bron pob un o deulu Evan Thomas hefyd dan y lach am eu dulliau gwahanol hyd nes i'w ŵyr fynnu fod ei feibion ef ei hun yn hyfforddi fel meddygon ac yn cofrestru eu henwau felly.

Fel ym mhob maes, mae rhai enwau wedi dod i'r brig ac yn cael eu cofio am eu gwaith, a llawer ohonynt wedi gweithio ymysg y tlawd a'r anghenus. Ymysg teuluoedd o feddygon esgyrn o Loegr roedd y teulu Taylor o swydd Gaerhirfryn, y teulu Maltby o swydd Nottingham, y teulu Mason o swydd Lincoln a'r enwog deulu Crowther o swydd Efrog. Daeth unigolion i'r amlwg yn ogystal, megis Syr William Osler, Dr Peter Hood, Mr Robert Hutton, Dr Iles, J. M. Jackson, George Mathews Bennett, John Atkinson a'i gefnder Herbert Atkinson Barker. Ymddengys mai dynion oedd y mwyafrif helaeth o'r meddygon hyn ond yr oedd ambell wraig yn cael sylw hefyd gan gynnwys P. M. Barrow oedd yn byw a gweithio yng Nghernyw mor ddiweddar â chanol yr ugeinfed ganrif, a'r enwog Sarah Mapp (gweler isod), oedd un o gymeriadau chwedlonol y ddeunawfed ganrif.

Mewn sawl ysbyty cynnar, yr oedd y gwaith o ailosod esgyrn yn gyfrifoldeb i wŷr crefyddol. Un gŵr o'r fath oedd y Brawd Moulton, un o ddilynwyr Awstin Sant, awdur y llawlyfr *Compleat Bonesetter* a gafodd ei ddiwygio a'i ddiweddaru yn 1656 gan Robert Turner. Yn ei gyflwyniad i'r argraffiad newydd mae Turner yn ei gyflwyno fel arweinlyfr ar gyfer:

> ... those Godly ladies and Gentlewomen, who are industrious for their talent God has given them, in helping their poor sick neighbors.

sydd yn awgrymu mai gwaith gwragedd oedd gosod esgyrn erbyn hynny.

Un o feddygon esgyrn enwocaf Prydain oedd Sarah Wallgof neu Sarah Mapp, merch i feddyg esgyrn, a deithiai o'i chartref yn Epsom i Lundain at ei chleifion. Merch i feddyg esgyrn o'r ddeunawfed ganrif oedd Sarah Wallin a anwyd tua 1706. Yr oedd yn hollol wahanol o ran cymeriad ac edrychiad i'w chwaer Lavina Fenton, oedd yn butain ac yn actores enwog ac a briododd i'r bendefigaeth. Un dew, efo llygad croes ac un hyll drybeilig oedd Sarah ond manteisiodd ar ei hedrychiad gan alw ei hun yn Sally Wallgo neu Sally Lygatcroes. Oherwydd ei hedrychiad cafodd gryn drafferth i gael ei derbyn fel meddyg esgyrn. Yr oedd y cleifion wedi arfer gweld dynion cryf yn ailosod esgyrn ac yr oeddynt yn wamalus iawn o Sarah a'i hymdrechion. Sefydlodd ei meddygfa yn Epsom yn 1735 a daeth yn enwog iawn fel un o'r tri '*cwac*' (o'r gair Is-almaenig '*quacksalver*', un sydd yn honni bod yn feddyg) pwysicaf yn Lloegr. Y ddau aelod arall o'r triawd yma oedd John Taylor a Joshua Ward. Honnai Taylor y gallai adfer golwg i'r dall tra oedd Ward yn gemegydd fyddai yn dyfeisio ffisig ar gyfer pob rhyw salwch.

Daeth Sarah yn destun baledi:

> You surgeons of London, who puzzle your pates,
> To ride in your coaches, and purchase estates,

Give over for shame, for pride has a fall,
And the Doctress of Epsom has outdone you all . . .

Dame Nature has given a doctor's degree –
She gets all the patients and pockets the fee;
So if you don't instantly prove her a cheat,
She'll loll in her carriage, whilst you walk the street.'

Teithiai o Epsom i Lundain ddwywaith yr wythnos mewn cerbyd yn cael ei dynnu gan bedwar o geffylau. Unwaith aeth y dyrfa yn wallgof wrth feddwl mai gordderch amhoblogaidd y brenin oedd yn teithio yn y cerbyd ond wedi i Sarah ddangos ei hun, cafodd rwydd hynt i gwblhau ei thaith. Gosododd ei stondin yn y Tŷ Coffi Groegaidd oedd ar agor yn Deverux Court, Stryd y Fflyd, Llundain. Bu'r tŷ yn fan cyfarfod i wleidyddion Rhyddfrydol, aelodau'r Gymdeithas Frenhinol ac ysgolheigion amlwg eu cyfnod. Yr oedd Sarah yn ei hanterth erbyn 1736 a chynigiwyd cyflog o gan punt y flwyddyn iddi gan gyngor tref Epsom ar yr amod ei bod yn aros yno i drin cleifion. Cymaint oedd enwogrwydd Mrs Mapp fel bod ei hanes yn ymweld â'r theatr yn ddigon i'w gynnwys ym mhapurau newydd y dydd. Cafodd ei hymweliad â'r Theatr Frenhinol yn Lincoln's Inn Field, Llundain i weld perfformiad o'r ddrama ddoniol *The Wife's Relief* a phantomeim *the Worm Doctor*, neu *Harlequin Female Bone-Setter* baragraff cyfan yn y *Daily Gazetteer* ar 18 Hydref, 1736. Yn yr un modd, byddai ei thriniaethau yn cael sylw amlwg yn y papur. Ar 20 Hydref, 1736 adroddir iddi lwyddo i ailosod nifer o esgyrn yng nghoes a phen-glin merch ifanc oedd wedi bod yn gloff er pan oedd yn ddwyflwydd oed ac iddi allu ailosod esgyrn pen-glin cigydd ym Marchnad Newgate fel ei fod, am y tro cyntaf yn ei fywyd, yn gallu cerdded heb i'w ddau ben-glin gnocio yn ei gilydd. Priododd Sarah â chymeriad digon amheus o'r enw Hill Mapp, ac ar ddydd ei phriodas llwyddodd i iacháu plentyn ag asgwrn ei gefn yn gam. Ymhen wythnos wedi'r briodas, diflannodd Hill Mapp, wedi dwyn can gini – sef holl arian ei briod.

Nid oedd Sarah yn un i boeni am bethau dibwys felly. Trefnodd ras geffylau a chynnig plât gwerth deg gini yn wobr. Yn anffodus, er i un o'r ceffylau gael ei enwi ar ei hôl, colli wnaeth y Mrs Mapp pedair coes. Symudodd Sarah i Lundain i fyw ac i weithio dan adain John Taylor. Syrthiodd i grafangau'r ddiod feddwol ac erbyn diwedd 1737 yr oedd wedi colli'r cyfan – ei harian, ei chwsmeriaid i gyd a hynny oedd ar ôl o'i henw da. Bu farw fis Rhagfyr 1737 ac fe'i claddwyd gan y plwyf. Fel seren wib, goleuodd y ffurfafen am ryw gymaint ond diflannodd ymhen byr amser.

Yr oedd teulu arall o Gymru yn cael eu hystyried ymysg y meddygon esgyrn amlycaf a mwyaf medrus oedd yn arfer y grefft. Y teulu Rocyn Jones oedd hwnnw. Ffermwr oedd Thomas Jones o Benalltgoch, Maenordeifi, Sir Benfro. Byddai galw am ei wasanaeth yn aml i drin clefydau anifeiliaid a buan y dysgodd ei fab ddirgelion y grefft wrth wylio'i dad. Ganwyd Thomas Rocyn Jones yn 1822 a daeth yntau yn enwog fel meddyg anifeiliaid, ond wrth fynd yn hŷn datblygodd arbenigedd mewn trin ac ailosod esgyrn, a chanolbwyntiodd ar y gwaith hwnnw hyd ei farw. Yr oedd Thomas Rocyn wedi symud o sir Benfro erbyn hynny i ardaloedd diwydiannol Morgannwg a Mynwy, a bu'n byw yn Rhymni efo'i briod Mary Rees. Sefydlodd ei hun fel meddyg esgyrn a deuai cleifion o dde Cymru ac o gyn belled ag ardaloedd o Loegr a'r Gororau ato. Dyfeisiodd sblintiau i esmwytho poen ei gleifion ac fe'i hystyriwyd yn ŵr o flaen ei amser gan na welwyd ei ddulliau ef o weithio ac iachau yn cael eu defnyddio gan feddygon trwyddedig am o leiaf hanner can mlynedd arall. Bu farw ar 2 Ebrill, 1877 yn hanner cant a phump oed a'i gladdu ym Mynwent Rhymni.

Yr oedd ei fab hynaf, David Rocyn Jones (1847-Chwefror 1915) yn feddyg esgyrn abl a'r un mor enwog â'i dad. Mab iddo yntau oedd David Thomas Rocyn Jones (16 Tachwedd, 1862-30 Ebrill, 1953). Graddiodd yn MB (Lladin: *Medicinae Baccalaureus* = gradd mewn meddygaeth – Baglor mewn Meddygaeth), o Brifysgol Caeredin yn 1897. Wedi cyfnod fel meddyg teulu, fe'i hapwyntiwyd yn brif lawfeddyg Gweithfeydd Glo Powell yn Abertyleri. Yn ddiweddarach yn ei yrfa, ef oedd swyddog iechyd cyntaf sir Fynwy.

Un o'r Cwrt, Penbre, sir Gaerfyrddin oedd David Thomas (1739-25 Mai 1788) ac yn aelod o deulu o feddygon esgyrn oedd yn enwog yn yr ardal. Fel llawer un arall yn y proffesiwn, yr oedd yn berchen gwybodaeth etifeddol yn hytrach na'i fod wedi derbyn unrhyw hyfforddiant, ond er gwaethaf ei ddiffyg cymwysterau ffurfiol, yr oedd gan bawb ffydd a hyder eithriadol ynddo ef a'i allu i'w gwella.

Yn ystod chwe degau'r ddeunawfed ganrif galwyd ar y meddyg Peter Hood i weinyddu ar Mr Robert Hutton, meddyg esgyrn amlwg o Lundain. Gwrthododd Hood dderbyn tâl am ei waith ond wedi i Mr Hutton wella cynigiodd addysgu Hood. Gwrthod y cynnig yma wnaeth ond mentrodd ofyn i'w fab Wharton Hood gael y fraint o eistedd wrth 'draed Gamaliel'. Wedi cwblhau ei brentisiaeth, cyhoeddodd Hood yr Ieuengaf lyfr cant pum deg chwech tudalen yn 1871 a'i deitl: *On Bone Setting (so called) and its Relationship to the Treatment of Joints Crippled by Injury, Rheumatism, Inflammation, &c, &c.*

Yr oedd lle i, a galw am waith y meddyg esgyrn o fewn cymdeithas yn barhaus ac yn y maes hwn y daeth Evan Thomas, y meddyg esgyrn *extrordinaire* o Fôn a'i ddisgynyddion i amlygrwydd.

Cyflwynodd Syr James Paget, llawfeddyg orthopaedig enwog o'r bedwaredd ganrif ar bymtheg, wirionedd i feddygon newydd y cyfnod hwnnw (1867) sydd, i raddau, yr un mor wir o hyd:

> Few of you are likely to practice without having a bonesetter for a rival; and if he can cure a case which you have failed to cure, his fortune may be made and yours marred. Learn then to imitate what is good and avoid what is bad in the practice of bonesetters.

Os yw dyn mewn poen, y mae yn barod i droi at unrhyw fodd i wella ei gyflwr. Yr ymateb sylfaenol i'r boen o daro'r bawd efo morthwyl yw i dyngu a rhegi neu i alw ar Dduw am ryddhad. Dyna pam y bu i bobl gyntefig roi cymaint o bwys ar yr hyn y gallai offeiriad neu ŵr hyddysg – meddyg enaid yn hytrach na meddyg esgyrn – ei gynnig iddynt. Dyna pam i feddygon esgyrn y gorffennol gael eu labelu fel cwacs. Heddiw, cânt eu hadnabod yn ôl eu cymwysterau ac mae lle'r ceiropractydd a'r osteopath yn ddiogel ym myd meddygaeth. Mewn cyfnod pan oedd meddygon yn brin a'u gwasanaeth mor ddrud fel ei fod tu hwnt i gyrraedd dyn cyffredin, hawdd oedd troi at rywun anghymwys ond a oedd yn berchen y gallu i drin esgyrn – felly yn cynnig rhyddhad o boen am bris rhesymol. Fel yn achos teulu Evan Thomas, Y Maes, yr oedd llawer o sgiliau trin esgyrn yn cael eu hetifeddu gan genhedlaeth ar ôl cenhedlaeth ac yr oedd pob un am warchod cyfrinachau eu crefft.

Yn 1745 aeth llawfeddygon yn llawer mwy agored eu hagwedd gan ymbellhau oddi wrth yr hen ddelwedd o farbwr a'i bostyn coch a gwyn a'r teitl o Masters and Surgeons of the Mystery and Commonalty of the Barber-Surgeons of London. Ffurfiwyd cymdeithas newydd: The Masters, Governors and Commonalty of the Art and Science of Surgeons of London a ddaeth yn ddiweddarach yn Goleg Brenhinol Llawfeddygon Lloegr.

Aros yn eu cymdeithas glos eu hunain wnaeth y meddygon esgyrn a pharhau i drin torasgwrn, dadleoliad esgyrn, ysigiad esgyrn a chamffurfiad cynhwynol (*congenital deformity*) pan nad oedd meddyg 'cyffredin' yn gallu cynnig iachâd. Ond erbyn diwedd y bedwaredd ganrif ar bymtheg yr oedd yr angen am gymwysterau cydnabyddedig ym myd meddygaeth yn fwy na allai'r meddygon esgyrn ei anwybyddu a heb y cymwysterau hynny anodd iawn fyddai iddynt allu parhau â'u crefft. Sylweddolodd Evan Thomas hynny a dyna pam iddo fynnu bod ei feibion yn cymhwyso eu hunain fel meddygon teulu.

Mentrodd Hugh Owen Thomas, mab Evan, y sylw:

> In the practice of bone-setting nothing is to be found that can be added to our present knowledge, yet discussing the matter will show our own ignorance. That some bone-setters, who practised in past times, were in some special matters superior to their qualified contemporaries I know to be a fact, but this assertion does not apply to their general knowledge or practice, and concerning disease of joints I have never met with the slightest evidence that any of them had any knowledge on the subject which was not entirely wrong.

Yr oedd ef a'i frodyr wedi croesi'r bont o un carfan i'r llall ond taith ddigon blin gafodd y meddygon esgyrn yn gyffredinol.

> **1907.**
> **North Wales Branch.**
> **North Caernarvonshire and Anglesey Division.**
> A MEETING of this division was held at the British Hotel, Bangor, on October 8th, Dr. GREY EDWARDS (Bangor) in the chair.
> CONSULTATIONS WITH BONE-SETTERS – A letter was read from the North Wales Branch Council reporting that complaints had been *made t*hat certain medical men in the county of Anglesey were in the habit of meeting a 'bonesetter' in consultation.
>
> The following resolution was unanimously carried:
> It having been brought to the attention of this Division that certain

practitioners in the county of Anglesey are in the habit of meeting a 'bonesetter' in consultation, or of attending cases in conjunction with him, it is unanimously resolved that such a practice, being contrary to the established custom of the medical profession, is unworthy of a member of the profession and ought to be avoided.

The division further resolves that if this conduct be persisted in, strong measures will be taken for its suppression.

Bu gagendor rhyngddynt a meddygon cofrestredig, a hyd yn oed mor gymharol ddiweddar â 1926 yr oedd yr anghydweld yn parhau ac adroddiad yn y wasg yn hyderus y byddai'r meddygon esgyrn, o'r diwedd, yn cael eu hystyried yn fwy nag alltudion o'r proffesiwn meddygol! Bu trafodaeth yn y senedd ym Mhalas Westminster am agwedd y Cyngor Meddygol Cyffredinol tuag at feddygon esgyrn a'u gwaith, a'u gobaith i ddatrys y broblem neu'r gwahaniaeth oedd yn bodoli rhwng y ddwy garfan. Mater a ymddangosai yn weddol hawdd i'w ddatrys oedd asgwrn y gynnen. Yr oedd mwyafrif helaeth y cleifion oedd yn mynd ar ofyn y meddyg esgyrn mewn poen ac yn dioddef yn arw yn ystod ambell driniaeth am na allai'r meddyg esgyrn ddefnyddio anaesthetig wrth ailosod esgyrn wedi eu dadleoli. Dim ond meddygon cymwys a chofrestredig gyda'r Cyngor Meddygol Cyffredinol oedd â'r hawl i ddefnyddio'r anaesthetig fyddai wedi esmwytho cymaint ar y claf. Pe baent yn gwneud hynny heb ganiatâd y Cyngor, gallant gael eu diarddel o'r proffesiwn a'u henw yn cael ei ddiddymu oddi ar restr y Cyngor, a hwythau felly yn colli'r hawl i ymarfer eu crefft. Ond rhaid oedd sefyll dros y gwirionedd, meddai Syr Herbert Barker (1869-1950), osteopath neu feddyg esgyrn o Lundain a arbenigodd mewn trin y ben-lin a chymalau eraill y corff ac a ddyrchafwyd yn farchog am ei wasanaeth i filwyr yn ystod y Rhyfel Byd Cyntaf. Yr oedd ef yn bendant ei farn bod angen a lle i feddygon esgyrn gael eu siarter a'u coleg hyfforddi eu hunain. Er yr holl broblemau oedd yn wynebu rhai yn ymarfer y grefft o ailosod esgyrn, yr oeddynt yn parhau â'r gwaith am eu bod yn ymwybodol fod y gwir yn gefn iddynt. Eu gwobr oedd diolch y sawl oedd yn glaf a gweld dioddefwyr wedi gwella.

Mewn erthygl yn dwyn y teitl 'Datblygiad Orthopedeg' yng nghylchgrawn Y Gymdeithas Feddygol (1989) mae Mel W. Jones yn rhoi disgrifiad o feddyg esgyrn ganrif a mwy yn ôl. Gan fod angen nerth i wneud y gwaith yr oedd angen i'r meddyg esgyrn fod yn 'ddyn mawr, cyhyrog, yn aml yn ôf neu'n ffermwr.' Cyfeiria at gwestiwn gogleisiol a ofynnwyd gan D. S. Barrett ac a ymddangosodd yn y *Cylchgrawn Meddygol Prydeinig* (1988) yn gofyn ai gorilau yw llawfeddygon orthopedig? Yr oedd ef o'r farn eu bod ychydig yn fwy yn gorfforol a chyda dwylo fel rhawiau yn gyffredinol. Nid oedd mwyafrif teulu Cilmaenan, Llanfaethlu yn ffitio'r disgrifiad yma ond yr oeddynt yn gewri yn eu gwaith.

ii
Gwreiddiau

Nid gormodiaeth yw disgrifio rhannau o arfordir Môn fel 'ardal wyllt' gan mai dyna'r union ansoddair a ddefnyddir gan drigolion ardal Llanfair-yng-Nghornwy ar droed Mynydd y Garn yng ngogledd-orllewin yr ynys, rhai ohonynt a'u teuluoedd wedi byw yno ers canrifoedd. Os bu 'ardal wyllt' erioed, dyma hi. Fedr rhywun fynd fawr pellach ym Môn cyn cael eich gorfodi i droi'n ôl, er y byddai ambell un yn ddigon haerllug i ofyn, 'Pam mynd yno o gwbl?' Ond os mentrwch i'r ardal hyfryd hon yng nghwmwd Talybolion, cantref Cemais (bellach Cemaes) fe gewch yno gyfoeth.

Cyfoeth o fath arbennig yw'r enwau a roddwyd i aelwydydd, ffermydd, creigiau, traethau ac ynysoedd yr ardal; rhai yn adlewyrchu hen, hen hanes yr ardal tra bod eraill yn perthyn i gyfnod mwy diweddar. Pwy fedr ond cael ei swyno gan enwau megis Carreg Bedmon, Taldrwst, Tŷ Wian, Bryn Goelcerth, Tyddyn Gesa, Tre Fadog, Carreg Diamond, Plas Tirion, Yr Orsedd Goch, Rhoscryman, Plas y Brain, Craig y Gwynt, Tyddyn Laurence, Merddyn Fadyn, Ysgubor Gader, Mynachdy, Aelwyd Uchaf, Waen Lych a'r Waen Lydan, Rhyd y Beddau, Bryn Llawenydd, Bod Rhonyn, Tŷ Mwdwal a Maes y Brethyn Brych.

Ar yr arfordir ceir enwau yr un mor hudolus:

- Porth Swtan – enw Cymreig ar y pysgodyn '*whiting*' yw swtan. Mae creigiau a chlogwyni Porth Swtan o liw melyn anghyffredin – lliw y graig Schits a'r grŵp creigiau Gwna;
- Porth y Bribys – cerrig bychan, diwerth yw bribys;
- Trwyn Crewyn – hen air arall am bentwr;
- Ogof Arian – deil traddodiad fod yr ogof wedi'i chysylltu â'r Mynachdy ym mhlwyf Llanrhwydrus. Cadwai'r mynaich eu trysorau mewn seler dan y tŷ ac mewn cyfnod o argyfwng gallasent ddianc oddi yno efo'u trysorau drwy dwnnel tanddaearol i'r ogof;
- Cader Mynachdy – cader = darn o fynydd yn debyg i eisteddle. Mynachdy = ffermdy lleol;

- Ynysoedd y Moelrhoniaid – clwstwr o ynysoedd a chreigiau ddwy filltir o Ben Bryn yr Eglwys yng ngogledd-orllewin Môn. Mae'r enw Saesneg, *The Skerries*, yn deillio o'r Hen Norwyeg. Ei ystyr yw ynys fechan, greigiog. Yn y Gymraeg, mae'r enw yn cyfeirio at y morloi llwyd penfoel sydd i'w gweld o amgylch y prif ynysoedd. Safle goleudy enwog;
- Main y Gaill – caill = *testicle*;
- Maen y Bugail – un o dair ynys fechan oddi ar arfordir gogleddol Môn. Yn ôl un hen chwedl, yr oedd bugail lleol yn cael ei boeni gan garreg yn ei esgid. Ni allai, oherwydd y boen, gario ymlaen â'i waith, felly tynnodd yr esgid a thaflu'r garreg i'r môr lle y'i gwelir fel ynys Maen y Bugail hyd heddiw. Cred arall mai enw sant yw Figel ac a goffeir yn enw plwyf Llanfugail. Ar Faen y Bugail y drylliwyd y llong Alert yn 1823. Collwyd 140 o fywydau. Achubwyd tri. Digwyddodd y trychineb ar ddiwrnod o dywydd tawel, di-wynt. Ymysg y rhai oedd yn llygad-dystion i'r trychineb oedd James a Frances Williams. Treuliodd y ddau weddill eu hoes yn codi arian ar gyfer cwch achub i'r ardal. Frances a'i gŵr, yn anad neb, fu'n gyfrifol am sefydlu gwasanaeth cwch achub ym Môn;
- Craig Ethel – llong oedd yr *Ethel*;
- Cerrig y Dylus Grin – math o wymon bwytadwy;
- Hen Borth – ar y traeth hwn y glaniodd Sant Rhwydrus, mab i un o frenhinoedd Connaught yn Iwerddon. Gwelir ei eglwys gerllaw;
- Porth yr Iwrch – carw ifanc (*roebuck*);
- Esgair Cemlyn – cefnen (*ridge*) o gerrig.

Efallai mai Mynachdy a'r Porth Newydd yw'r pwysicaf ohonynt i gyd yn hanes Meddygon Esgyrn Môn.

Ffermdy deulawr wedi'i adeiladu yn yr ail ganrif ar bymtheg yw Mynachdy yng Nghylch y Garn ac wedi'i gofrestru fel Adeilad Cofrestredig Gradd II er 1952. Mae'n bosibl iawn bod ei hanes yn hŷn o lawer na dyddiad yr adeilad presennol, ond yr hyn sy'n rhoi iddo arwyddocâd arbennig yw mai yma y treuliodd Evan Thomas ei flynyddoedd cynnar.

Un o nifer o draethau anghysbell sydd yn yr Ardal Wyllt yw Porth Newydd, wedi'i leoli i'r gogledd, gogledd-orllewin o Fynachdy, yng nghysgod Trwyn y Gader, ac efallai mai yma y dechreuodd stori ryfeddol Evan Thomas ym Môn.

Smyglwr lleol, nid anenwog, oedd Dannie Lukie; smyglwr enwocaf Ynys Môn yn ôl rhai. Mae'n bosibl iawn mai tyddynnwr wedi'i orfodi i arallgyfeirio oedd Dannie druan gan nad oedd amaethu'n talu'n rhy dda yn y 1740au fwy nag y gwna heddiw. Yr oedd yn sybsideiddio'i incwm prin drwy fentro smyglo nwyddau oedd â threth uchel i'w talu arnynt, pe caed gafael arnynt yn gyfreithlon. Ond nid oedd Dannie yn poeni am bethau felly. Gwyddai fod Porth Newydd yng nghysgod Mynydd y Garn a Thrwyn y Gader ac felly ni allai Gwŷr y Tollau o Gaergybi weld beth oedd yn digwydd yn y porth bychan, diarffordd. Yr oedd yr un mor sicr fod Cwch y Brenin, a gadwyd ym Mhorth Amlwch, yn ddigon pell i ffwrdd a phe bai honno a'i chriw yn mentro allan byddai raid iddi frwydro yn erbyn gwynt a thonnau i gyrraedd tu draw i Gemlyn cyn dechrau chwilio amdano. Gallai Dannie fod yn dawel ei feddwl ei fod yn ddiogel rhag yr awdurdodau wrth fentro allan yn ei gwch bach ei hun. Gwyddai am bob craig ac ogof, am bob twll a chornel ac am bob traeth y gellid glanio arno a lle i gael y pris gorau am ei nwyddau.

Yr oedd, ar un amser, enw drwg i ambell ardal ym Môn am smyglo ond cyn condemnio'r smyglwyr, efallai y dylid gofyn pam y bu i drigolion ardaloedd felly fod mor rhyfygus â gwneud y fath beth. Nid ym Môn yn unig y digwyddai smyglo a dryllio llongau yn fwriadol er mwyn cario'r cargo oddi arnynt. Yr oedd trigolion tlawd Cernyw ac Ynysoedd Scilly, Ynysoedd Heledd (*Hebrides*) gogledd yr Alban, arfordir Caint a Norfolk a de Cymru yn arfer:

> Ysbeilio'r Llong, a gwylltio'r Gwŷr,
> Yn dostur ar y Distyll.
>
> Lewis Morris

Un nodwedd o'r ardaloedd yma oedd eu bod, bob un, yn llefydd llwm a noeth, tlawd a digysur a chrafu byw oedd pawb a drigai yno. Disgrifiwyd ardal Crigyll, sef rhannau o blwyfi Llanfihangel-yn-Nhowyn, Llechylched a Llanfaelog ym Môn, fel ardal o dwyni tywod, corsydd a chreigiau. Aeth un awdur, Dafydd Wyn Wiliam, cyn belled â'i disgrifio yn ardal o 'eangderau o ddiffeithwch anghysbell'. Pa ryfedd felly i Ladron Crigyll orfod troi at dorcyfraith yng nghyfnod 1740-1867? Yr oedd tollau uchel yn cael eu gosod ar anghenion byw bob dydd. Y doll ar de oedd 119 y cant cyn i William Pitt yr Ieuengaf lwyddo i'w ostwng i 12.5 y cant! Ychydig iawn o'r werin gyffredin allai fforddio talu trethi mor uchel ar nwyddau fel canhwyllau, glo, gwin, gwirodydd, grawn, halen, lês a lliain main, lledr, sebon, sidan a thybaco. Yn wir, yr oedd amgylchiadau byw y cyfnod yn golygu fod mwy nag un o'r byddigion hyd yn oed yn meddu ar ddwylo blewog. Cwynai y dyddiadurwr William Bulkely, Brynddu, Llanfechell fod trethi uchel i'w talu ar sebon Gwyddelig ym mis Mai 1750. Un mlynedd ar ddeg ynghynt, cofnododd yn ei ddyddlyfr:

> Last night the Custom house Cuter took off Cemaes Bay a large boat coming from the Isle of Man with brandy etc. and carried them to Beaumaris; three of the crew were of this Neighbourhood, Owen Edwards of this parish, a very poor man and father of five small children, Rowland Morgan, son of the parson of Llanfairyngnghornwy and John Prichard Samuel a shoemaker of the same parish.

Cofnod arall gan y dyddiadurwr yw:

> Pd. a Flintshire smuggler that was come to Cemaes from the Isle of Man 25 shillings for five gallons of French brandy which I think right good.

Wrth gofnodi hanes ei ail daith drwy ogledd Cymru rhoddodd Thomas Pennant yr eglurhad:

> The improvement in husbandry has increased since the suppression of smuggling from the Isle of Man; before that time, every farmer was mounted on a promantory expecting the vessel with illicit trade.

Mewn llythyr dyddiedig 8 Ionawr, 1772, mae Edward Williams, Swyddog y Tollau yn Aberffraw yn disgrifio'i brofiad:

> Being in Company with a person of this island, he happened to talk about Smuggling business, hearing this I pumped him a great deal, so that he told me, that a large Smack about Two hundred tons, burthen having 16 men on board, and Arms accordingly had landed near £300 worth of Tea in Kemas and Kemlin but had not any Spirits on board. But that the captain promised to bring a cargo of Spiritous Liquors to that Coast in

> about six Weeks time or as soon as the Weather & conveniency permitted. The crew are Irish and Manxmen.

Y rheswm pam y byddai cymaint o nwyddau yn cael eu smyglo o Ynys Manaw oedd i'r ynys fod yn llaw un o deuluoedd bonedd yr Alban – teulu Dug Athol – hyd at 1765 yn hytrach nag yn eiddo i Goron Lloegr, felly ni ychwanegwyd treth ar bris y nwyddau dan sylw. Gwyddai pawb beth oedd yn digwydd ac roedd smyglo yn arfer cyffredin. Yr oedd William Morris wedi cyrraedd pen ei dennyn yng Nghaergybi ac mewn llythyr dyddiedig 5 Mawrth, 1762, meddai:

> ... vessels come and go around the island to receive orders from rich and poor, and their clerks come and collect the money just like the men of Chester do.

Does dim sicrwydd ar ba noson yn union yr aeth Dannie allan (credir mai rhywbryd rhwng 1735 a 1740 oedd y flwyddyn), na pha long oedd yn gobeithio ei chyfarfod. Wyddon ni ddim chwaith am ba fath o gargo yr oedd yn disgwyl. Yr hyn a wyddom yw iddo fynd i lawr i'r traeth ar noson stormus tu hwnt pan oedd y gwynt yn chwipio'r tonnau yn ewyn gwyn ac iddo weld ar frig y don gwch rhwyfo a gweddillion llong wedi'i dryllio yn nofio o'i hamgylch. Nid oes ym meddiant Swyddfa Hydrograffig y Deyrnas Unedig fanylion pendant o unrhyw longddrylliad o fewn cylch o bum milltir (tua 78 milltir sgwâr) o Ynysoedd y Moelrhoniaid yn y cyfnod ar wahân i ddau sydd yn crybwyll llong a ddisgrifir fel '*Barbadoes packet*' a ddrylliwyd yn 1743, ac un arall am long nad yw'n cael ei henwi ond a gredir iddi fod yn llong Sbaenaidd. Er iddi gael ei disgrifio felly, ni ellir cymryd hynny yn ganiataol gan y gallai'r term 'Sbaenwr' fod yn un digon cas neu ddicllon am ddieithriad bryd hynny. Yn nechrau'r ddeunawfed ganrif bu llawer o ymladd rhwng Prydain a Sbaen – Rhyfel yr Olyniaeth Sbaenaidd 1703-1713, Rhyfel 1717-1720, Rhyfel Clust Capten Jenkins 1739 a Rhyfel yr Olyniaeth Awstriaidd 1743-1748, ac yn sicr ni fyddai llawer o groeso i ddieithriaid amheus yr olwg yn unlle bryd hynny. Yn yr un modd, yn ddiweddarach defnyddiwyd 'Dytshman' fel term o sarhâd (*Dutchman's Bank* – banc o dywod peryglus a thwyllodrus yng ngheg ddwyreiniol y Fenai) a 'Gwyddel' (Banc yr Hen Wyddeles yw'r enw Cymraeg ar *Dutchman's Bank*) ac yn yr ugeinfed ganrif cyfeiriwyd yn sarhaus iawn at

Margaret Thatcher fel Yr Hen Wyddeles, pan oedd honno yn anterth ei hamhoblogrwydd.

Ymysg fersiynau eraill o'r hanes, crybwyllir mai llong yn dianc rhag Gwrthryfel y Jacobiniaid yn yr Alban ac ar ei ffordd i Ffrainc oedd wedi suddo'r noson honno ac mai Gaeleg oedd iaith y rhai oedd ar ei bwrdd.

Brwydrodd Dannie yn erbyn y tonnau i afael yn y cwch a'i lusgo i'r lan ac er mawr syndod iddo, gwelodd fod ynddo dri chorff. Yr oedd un o'r triawd wedi marw. Credir mai aelod o'r criw ydoedd. Yr oedd y ddau arall yn llawer ieuengach a hwythau hefyd yn ymladd am eu bywydau. Bechgyn ifanc oedd y ddau: dau frawd o bosib. Cariwyd hwy gan Dannie o'r traeth i'r Mynachdy gan y gwyddai fod yno un allai fod o gymorth iddynt a hwythau ar fin trengi.

Cartref y meddyg lleol, y Dr Lloyd y soniwyd amdano eisoes, oedd Mynachdy ond er ei allu meddygol ni lwyddodd i gadw un o'r bechgyn yn fyw. Rhoddwyd iddo'r enw Matthew – 'rhodd Duw'. Bu farw heb yngan gair ond bu'r llall yn llawer mwy ffodus. Llwyddodd Dr Lloyd i'w ddadebru a rhoddwyd iddo yr enw Thomas, sef 'efaill'.

Os oedd dechreuad Evan Thomas yn amwys, nid oes unrhyw ansicrwydd am ei fywyd a'i yrfa wedi hynny. Ef oedd gwreiddyn y goeden deulu braff o feddygon esgyrn fu'n gwasanaethu cleifion mewn sawl ardal yng Nghymru, Lloegr a chyn belled ag Unol Daleithiau America hyd yn oed.

Wedi ei gario i'r lan a'i ddadebru gan Dr Lloyd bu bywyd yn llawer mwy caredig ag Evan Thomas. Cafodd gartref cysurus a'i fagu ar aelwyd amaethyddol yn Gymro glân, gloyw. Dywed un hanesyn iddo gael ei fabwysiadu gan deulu lleol yn ardal Llanfair-yng-Nghornwy ac mai ganddynt hwy y derbyniodd yr enw Evan. Beth bynnag am hynny, fe'i magwyd ar aelwyd Maes y Merddyn Brych.

Y mae cryn ddryswch wedi bod ynglŷn ag enw'r tyddyn. Fe'i gelwid gan rai yn Faes y Brethyn Brych, gan anghofio am y cysylltiad oedd, fel y credai eraill, rhwng y lle â thywysog o Ynys Manaw o'r enw Merddyn Brych. Yr oedd tywysog arall yng Ngwynedd yn 825 o'r enw Merfyn Brych, un o linach Llywarch Hen ond ni ellir ei gysylltu â theulu'r Meddygon Esgyrn.

Yng nghofnodion Eglwys y Santes Fair, Llanfair-yng-Nghornwy am 1776, enwir un o gaeau'r ardal yn Llain y Brethyn Brith. Gwelir yr enw sawl gwaith – yn 1793, 1801 a 1817. Ar un o fapiau Degwm yr ardal, Maes Merddyn yw'r enw a cheir cymysgfa o wahanol enwau yn Adroddiad y Comisiynwyr Elusen. Gosodwyd y tyddyn a'r tir gan William Roberts, Caerau er lles tlodion yr ardal a'r rhent a dalwyd yn cael ei ddefnyddio i brynu dillad i'r rhai na allai fforddio gwneud hynny.

Yn 1889, yn ôl Cofnodion Wardeniaid yr Eglwys, talai Syr Richard Bulkeley gini o rent am y tir ond erbyn 1893 yr oedd wedi ei werthu ynghyd â Maes y Brethyn Brych i Mr Richard Evans, Pen-y-graig, Llanrhuddlad. Ar sawl dogfen amrywiol arall gwelir yr enwau Maes Merddyn Brych a Maes y Brethyn Brith (a oedd yn fath o ddefnydd a ddefnyddiwyd i wneud dillad i'r tlodion). Yn 1890 penderfynwyd bod Elusen Maes y Brethyn i'w rannu yn flynyddol gan Wardeniaid yr Eglwys a'r Arolygwyr i'r tlodion oedd yn derbyn cymorth a nawdd y plwyf.

Yn llyfr *Methodistiaeth Môn* (Y Parchedig John Pritchard, Amlwch 1888) cyfeirir at un o flaenoriaid neu arolygwr y capel yn Llanrhuddlad fel Evan Thomas, Maes-y-Brethyn-Bach (sef sefydlydd y teulu o feddygon esgyrn, a'r llanc a achubwyd o'r môr). Dywedir iddo fod yn un cul iawn ei feddwl yn ei henaint a byddai'n cuchio ei wyneb os gwelai unrhyw wraig yn gwisgo les i fynd i'r capel.

Treuliodd Evan Thomas lawer o amser ar fferm Mynachdy yng nghwmni Dr Lloyd pan oedd yn llanc ifanc gan sylwi arno wrth ei waith a dysgu wrth ei draed am ddyletswyddau meddyg lleol mewn ardal wledig. Dangosodd Evan ddiddordeb mawr mewn gosod a thrin esgyrn adar ac anifeiliaid. Dywedir mai'r hyn dynnodd sylw Dr Lloyd at ei allu cynhenid oedd ei weld yn ailosod coes cyw iâr. Aeth ambell un cyn belled ag awgrymu fod Evan yn torri ambell asgwrn yn fwriadol er mwyn cael y boddhad o'i ailosod yn berffaith. Cred arall yw i feddwl Evan gael ei droi at ailosod esgyrn yn dilyn breuddwyd neu weledigaeth a gafodd. Beth bynnag oedd y gwir, teithiai'r bachgen ar hyd a lled Môn efo'r meddyg a byddai yn ei gynorthwyo fel y byddai'r galw – ac yr oedd galw mawr am wasanaeth y bachgen ifanc. Cafodd enw da ymysg y Monwysion am ei waith yn trin anifeiliaid fferm ac, yn ddiweddarach, yn trin pobl.

Un a fanteisiodd ar ei wasanaeth oedd Arglwyddes Bulkeley o Baron Hill, Biwmares. Dioddefai'r fonesig o arthritis (o'r Groeg '*arthro*' – cymal yn y corff + '*itis*' – llid) yn ei llaw ac mewn un bys yn arbennig. Er talu am wasanaeth llawer meddyg, ni allai'r un gynnig gwellhad iddi. Cymerodd y fonesig ei pherswadio gan ei morwyn i alw am wasanaeth Evan Thomas. Ei gyngor ef oedd iddi wneud gymaint o ddefnydd ag y gallai o'i llaw a'r bys poenus. Fe'i rhwymwyd i'r bys agosaf ato ac fel yr oedd hwnnw'n plygu, rhaid oedd i'r llall wneud yr un modd, a thrwy hynny ystwytho. Credir mai mewn diolchgarwch i Evan am ei wasanaeth y cododd Y Gwir Anrhydeddus Thomas James Warren Bulkeley gofeb ddwyieithog yn Eglwys y Santes Fair, Llanfair-yng-Nghornwy:

ER COFFA
AM EVAN THOMAS O'R MAES, YN Y PLWYF YMA, YR HWN,
ER EI FOD O ISEL RADD, AC HEB DDYSGEIDIAETH NAG HY-
FFORDDIAD, OND TRWY DDAWN RHAGOROL
A WNAETH LES MAWR I LAWEROEDD,
WRTH AIL-OSOD ESGYRN DRYLLIEDIG;
EFE A FU FARW Y 24* O FIS CHWEFROR, 1814, YN Y 79 BLWYDDYN
O'I OED.
ER PARCH
I ŴR MOR LLESOL I'W GYDGREADURIAID FE OSODWYD Y
GARREG YMA GAN YR ANRHYDEDDUS THOMAS JAMES WARREN
BULKELEY, ARGLWYDD BULKELEY.

(* – y mae peth amheuaeth ynglŷn â'i ddyddiad geni a dyddiad ei farwolaeth. Yn ôl y wybodaeth sydd ar y gofeb yn eglwys y plwyf, bu Evan Thomas farw ar Chwefror 24ain. Ar dudalen 117 yn y llyfr *Meddygon Esgyrn Môn*, mae H. Hughes-Roberts yn nodi'r dyddiad Chwefror 2il yn 78 oed. Felly hefyd y manylion ar ei garreg fedd:

Underneath
Lieth the remains of
CATHERINE
the late wife of
Evan Thomas of Maes in this parish
who died on the 4th day of April 1775 aged 40 years
And of
the above mentioned
EVAN THOMAS,
a most skillful and renowned Bonesetter
who died on the 2nd day of Feb., 1814 aged 78 years.

Yng Nghofrestr Claddedigaethau yr eglwys nodir dyddiad ei gladdu fel Feb. 5, 1814 a'i oedran yn 79.)

Cadwodd Evan Thomas gyfeillgarwch â theulu'r Bwcleiaid ar hyd ei oes. Unwaith, fe'i gwahoddwyd i ddawns ym Maron Hill ond teimlai braidd allan ohoni ac yn anghyfforddus ymysg byddigion y sir oedd â'u bryd ar fwynhau ysgafnder y noson. Pan ofynnwyd iddo lenwi bwlch yn yr adloniant rhwng dwy ddawns, mentrodd ganu emyn i'w gynulleidfa a dyna fu diwedd y noson honno o sbri a rhialtwch.

Yr oedd yn gyfeillgar â theulu Treffos, Llansadwrn ac â James a Frances Williams o'r teulu hwnnw pan oedd James yn rheithor Llanfair-yng-Nghornwy. Cyfaill arall iddo oedd Y Parchedig John Elias, cymeriad allweddol yn hanes Methodistiaeth Galfinaidd Cymru. Os oedd Evan yn cymryd at bobl, yna fe gaent gyfaill triw am oes ond gwae'r sawl a'i pechai! Cyfarfu Edward Pugh, awdur *Cambria Depicta*, ag ef ar ei daith drwy ogledd Cymru a gwnaeth Evan argraff ddofn arno gan i Pugh gynnwys disgrifiad o'r meddyg esgyrn yn ei lyfr:

> In this part of the island (i.e. Holyhead) I heard much of the worth and extraordinary abilities of Evan Thomas, the self-taught bone-setter of Maes, in the parish of Llanfairynghornwy. He seems to have acquired a most consumate knowledge of Osteology; for cases, desperate in the extreme, have been treated by him with expedition and success. His reputation has not only spread through his native country, but has made its way into England, where some unfortunate sufferers have happily experienced his superlative skill. This very day, in which I have had the pleasure to notice this man, I have been informed that a messenger arrived at his house from Shropshire, with a tender for £300 for his immediate assistance, which he accepted. As such a mind must be alive to the praise that he deserves, he must have been much gratified by a translation of the following sonnet; for I find he has no other tongue than the legitimate language of his country:
>
> Where ere Misfortune swells the sudden sigh,
> The Muse beholds they healing presence nigh,

And follows, listens, by the footsteps led,
To hear the blessings heaped upon thy head.
No wonder, Evan, if thy worthy name
Should henceforth flutter on the wings of fame;
The Muse shall aid her, as she gives, devotes
To Virtue's humblest sons, her sweetest notes.
Yes, it shall vibrate on a native's voice,
Thou that canst bid even Misery rejoice;
With Nature's favour'd precepts only frought,
With titles, wealth, undeck'd by Art untaught;
The virtues love thee-live within thy heart,
Thy country's common blessing, as thou art.

(Cyfieithiad o gerdd Gymraeg a gyfansoddwyd gan Richard Lloyd, Biwmares (1752 – 1835) a oedd yn cael ei adnabod fel Bardd yr Wyddfa neu Fardd Eryri.)

Yn anffodus, yr oedd Edward Pugh ac Evan Thomas wedi marw cyn gweld cyhoeddi'r gyfrol.

Dyn bychan o gorffolaeth oedd Evan; un cryf, esgyrnog efo gwallt du a dau lygad glas yn rhoi iddo ryw wedd ddigon urddasol. Oherwydd ei edrychiad, yr oedd llawer yn grediniol fod gwaed Sbaenwr yn ei wythiennau. Ysgrifennodd H. Hughes-Roberts i Lysgenhadaeth Sbaen yn Llundain yn 1934 i holi ymhellach am bobl o'r un pryd a gwedd. Yr ateb a gafodd oedd bod disgrifiad o'r fath yn nodweddiadol o Sbaenwr Celtaidd yn hanu, efallai o Asturias, Galisia neu Castille ac i'r grefft o osod esgyrn fod yn un gyffredin iawn yn ardaloedd Celtaidd Sbaen. Ond nid oedd hynny yn ddigon o gadarnhad, a bu'n rhaid aros tan ail ddegawd yr unfed ganrif ar hugain i gael gwell goleuni ar y mater (gweler Pennod x).

Er mai fel meddyg esgyrn y cofir am Evan Thomas yn bennaf, amaethwr oedd o yn anad dim arall; gweithiwr caled ond un a oedd yn digwydd bod yn berchen ar dalent arbennig ac a ddaeth i amlygrwydd oherwydd hynny. Yr oedd yn enwog am ei dduwioldeb ac yr oedd iddo ddylanwad moesol ar y sawl fyddai'n cael triniaeth ganddo. Er cymaint y byddai'n mwynhau tipyn o hwyl, yr oedd, bob amser, yn rhoi dyledus barch i'r Sul a'r moddion gras, a gwyddai ei gleifion hynny'n iawn.

Teulu Maes-y-Merddyn Brych

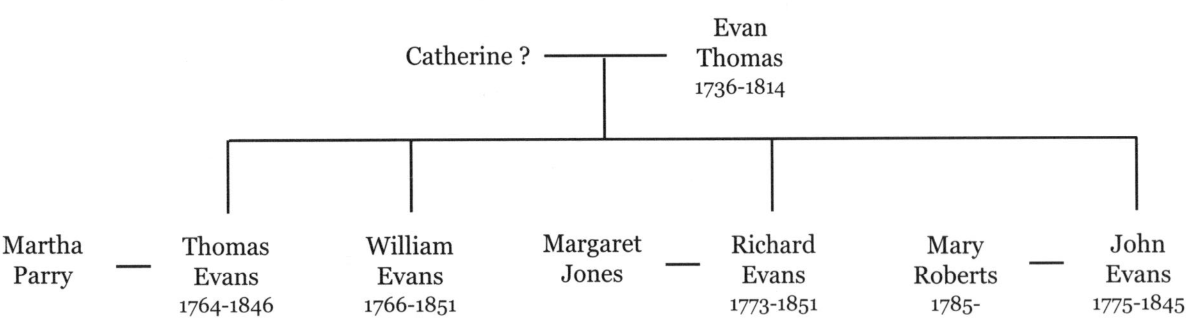

Teulu Thomas Evans, Hafod Las

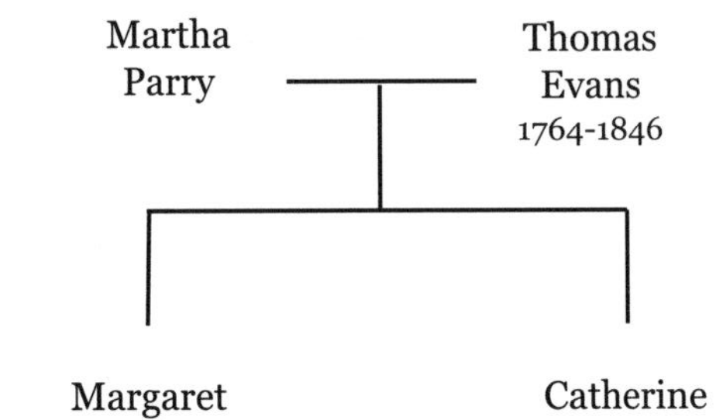

Un o arferion plant yr Ardal Wyllt fyddai neidio dros yr afon, heb wlychu eu traed. Un Sul, yr oedd bachgen dieithr yn yr ardal yn herio'r plant lleol ei fod ef yn well neidiwr na'r un ohonynt hwy. Yr oedd ei agwedd atgas yn gwneud pawb yn benderfynol o neidio ymhellach a'i guro. Methu wnaeth pawb ond Robin. Llwyddodd Robin i neidio'n glir i'r ochr arall ac yn llawer pellach na'r dieithryn, ond wrth lanio brifodd ei droed yn enbyd. Rhaid oedd mynd adref ond llwyddodd i guddio'r cloffni oddi wrth ei rieni gan y gwyddai y byddent yn ei ddwrdio am chwarae ar y Sul. Dioddefodd yn dawel ond yr oedd y boen yn ormod a'i droed wedi chwyddo'n fwy na llond ei esgid, a rhaid fu cyfaddef a mynd at Evan Thomas, y meddyg esgyrn. Wedi derbyn cerydd ei rieni, disgwyliai Robin gerydd arall gan y meddyg a oedd yn flaenor yn y capel. Edrychodd Evan i lawr ei drwyn ar Robin wrth wrando ar yr hanes. Hira'n y byd oedd y stori'n parhau, mwya'n y byd o ofn oedd gan Robin druan. Gafaelodd Evan Thomas yn y droed. Yr oedd ganddo afaeliad ysgafn ond yr oedd yn gryf iawn a gallai roi plwc sydyn i ailosod asgwrn ac nid oedd Robin yn siŵr pa un ai'r cerydd ynteu'r plwc fyddai'r gwaethaf.

'Neidiaist ti'n bellach na fo?' gofynnodd Evan

'Do, Mr Thomas.'

'Da machgen i,' meddai Evan, a chyda gwên ar ei wyneb a phlwc sydyn, ailosodwyd mân esgyrn y droed a thra rhyfeddodd Robin i'r broses for yn un mor ddi-boen, cafodd gerydd a rhybudd i beidio chwarae ar y Sul fyth wedyn. Y Sul dilynol yr oedd Robin ymysg y rhai cyntaf i'r capel ac mewn da bryd ar gyfer yr Ysgol Sul.

Nid plant yr ardal oedd yr unig rai i fwynhau gemau ar y Sul ac yr oedd yn arferiad gan oedolion o wahanol blwyfi gystadlu'n erbyn ei gilydd mewn cystadleuaeth bêl-droed o fath. Yr oedd y maes chwarae yn ymestyn o un pen i'r plwyf i'r llall a rhaid oedd rhedeg fel milgi i arbed gôl. Yn ystod un gêm glos iawn bu'n rhaid i dîm Llanfair-yng-Nghornwy amddiffyn eu mantais ac mewn sgarmes galed anafwyd prif amddiffynnwr Llanfair. Fe'i cariwyd at Evan Thomas, ond am i'r gêm gael ei chwarae ar y Sul, gwrthododd roi sylw i'r clwyfedig! Fel yr oedd yn mynd allan o'r ystafell, trodd at y gŵr, oedd erbyn hynny a'i droed yn ddu-las a chleisiog, a gofyn:

'Pwy enillodd?'

'Llanfair, siŵr iawn.' A gyda rhybudd chwyrn na ddylid chwarae ar y Sul gafaelodd Evan yn y droed a chan wenu'n braf, fe'i hailosododd fel ei bod fel newydd.

Un o fanteision mawr bywyd Evan Thomas oedd y cydweithrediad a fu rhwng Catherine, ei wraig, ag yntau. Cyfarfu'r ddau pan oedd Evan ar daith yn sir Gaernarfon. Fe'u priodwyd yn 1763 a chariodd Evan y wraig newydd yn ôl i Faes y Brethyn Brych ar gefn ei geffyl. Bu'r ddau'n ffyddlon iawn i'r naill a'r llall, ac i'r achos Methodistaidd yn Llanrhuddlad a Môn. Cafodd Evan ei godi'n flaenor yng Nghapel Mwd, Llanrhuddlad, y capel Methodistaidd cyntaf yn y pentref ac a adeiladwyd o glai a cherrig yn 1787, ac yn flaenor eto yn y Capel Mawr yn 1799.

Canodd Dafydd Ddu Eryri i 'batriarch Maes y Merddyn Brych – Evan Thomas, esgyrnwr':

Disgynnodd gynt, ar Gymru'n llawn
O Fyddfai ddawn ryfeddawr
Ond uwch na'r rhain y clywir sôn
Am ŵr o Fôn ar faenawr.
Bydd dagrau rhai, bid call, bid ffôl,
Yn llifo ôl ei elawr.

Llawer gŵr dan ofid blin
Ac anghyffredin artaith
Drwy fendith Iôr, yn bennaf un,
A dwylaw dyn o'r dalaith.
Er mawr lawenydd dan y rhod
A gadd ei aelod eilwaith.

Un arall a gyflyrwyd i ganu clodydd Evan Thomas oedd Hugh Prichard, Niwbwrch ym Môn. Yn anffodus, yr oedd Evan wedi marw erbyn i'r farwnad gael ei chyhoeddi ac ni chafodd ddarllen y campwaith deunaw pennill o ddeg llinell yr un a'r eglyn clo. Argraffwyd y gwaith yng Nghaernarfon gan Roberts a Williams a'i werthu am geiniog y copi.

Orthopaedia – eglurhad

Abdullah Wakil Arakash

Cerflun Rhys Gryg yng Nghadeirlan Tyddewi

Beddfaen meddygon olaf Myddfai

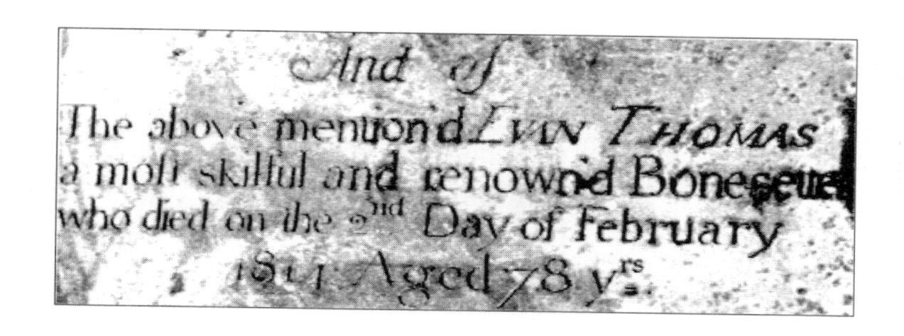

Beddfaen Evan Thomas

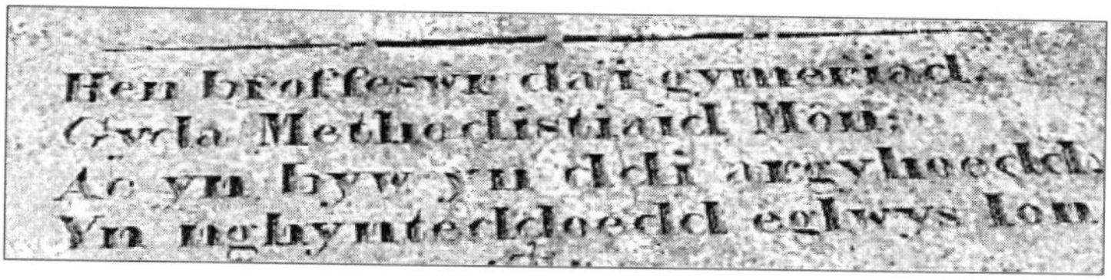

Hen broffeswr da'i gymeriad,
Gyda Methodistiaid Môn;
Ac yn byw yn ddi argyhoedd
Yn nghynteddoedd eglwys Iôn.

Teyrnged i Richard Evans

Carreg goffa Richard Evans, Cilmaenan, Llanfaethlu

Sarah Mapp

Mynachdy, Llanfair-yng-Nghornwy

Y Maes, Llanfair-yng-Nghornwy

Cilmaenan, Llanfaethlu

PALL MALL
'Little Wales'
By 1813, around 10% of Liverpool's
residents were Welsh.
the first Welsh chapel was built
in Pall Mall in 1787.
The Welsh population grew so large
that Pall Mall became known as
'Little Wales'

Pall Mall: 'Cymru Fach' Lerpwl

Evan Thomas, Lerpwl

Beddfaen Dr William Hywel Jones; awdur, dramodydd a meddyg; mynwent Eglwys Llanbadrig

Coflech Hugh Owen Thomas ym Modedern

'Y Doctor Bach': Hugh Owen Thomas

Ty'n Llan, Bodedern

DISEASES

OF THE

HIP, KNEE, AND ANKLE JOINTS

WITH THEIR DEFORMITIES.

TREATED

BY A NEW AND EFFICIENT METHOD.

(ENFORCED, UNINTERRUPTED, AND PROLONGED REST.)

BY

HUGH OWEN THOMAS.

(M.R.C.S.L.)

LIVERPOOL:

PUBLISHED BY T. DOBB & CO., 69, GILL STREET.

Clawr un o lyfrau Hugh Owen Thomas

11 Stryd Nelson, Lerpwl

Golygfa arall o Stryd Nelson

Beddrod Hugh Owen Thomas, mynwent Parc Toxteth, Lerpwl

Cofio tri meddyg

Ysgol Syr Thomas Jones, Amlwch

Twm Mynydd Adda

Dr a Mrs Thomas Jones

Mary, mam Syr Thomas Jones

Er Serchog Goffadwriaeth am

MARY JONES,

GWEDDW Y DIWEDDAR THOMAS JONES, MYNYDD ADDA,
LLANDDEUSANT, MON,

Yr hon a fu farw Rhagfyr 6ed, 1898,
Yn 62 mlwydd oed;
Ac a gladdwyd heddyw yn mynwent
Llanfaethlu,

"HYN A ALLODD HON, HI A'I GWNAETH."

Marc xiv., 8.

MYNYDD ADDA,
Rhagfyr 9fed.

Cerdyn coffa Mary Jones, Mynydd Adda

Crwys, cyfaill Dr Thomas Jones

Dr Thomas Jones a'i deulu

Dr Thomas Jones yn feddyg llong

Syr a'r Fonesig Thomas Jones a Dilys, eu merch

Beddfaen Syr Thomas Jones ym Mynwent Gyhoeddus Amlwch

Syr Robert Jones

Yr oedd y wyneb ddalen yn cynnwys y manylion pwysicaf:

MARWNAD
AR
FARWOLAETH
Ein
HANWYL FRAWD
EVAN THOMAS
MAES Y MERDDYN,
YM MHLWYF LLANFAIRYNGHORNWY,
SWYDD FON;
Yr hwn a fu Farw Chwefror 2, 1814;
Yn 73 mlwydd oed.
A'i gorph sy'n gorphwys oddiwrth ei lafur yn
Mynwent Llanfairynghornwy.
Yr oedd e yn aelod proffesedig yn Eglwys
Dduw er's ynghylch 40 neu ychwaneg
o flynyddoedd.

"Byw i mi yw Crist, a marw sydd elw."

Digon yw dyfynnu un bennill er mwyn cyfleu maint y golled a deimlai'r bardd:

Ffarwel addas iddo rhoddwn
Ei gael ym mhellach mwy nid allwn.
Does ini weithian ddim i wneuthur
Anniddan dylwyth dan ein dolur,
Ond mwynaidd ofyn Duw yn ddyfal,
    Roi ini'n ufudd,
Ym mhob cystudd un fo cystal.
A diolch iddo fel mae'n addas,
    Am ro'i i'n fenthyg
Gŵr o feddyg mo'r gyfaddas.

Y mae Evan Thomas wedi marw ers dwy ganrif ac yn y cyfnod hwnnw y mae teulu Meddygon Esgyrn Môn wedi lledu eu hadenydd a hedfan ymhell.

Yr Ail Genhedlaeth

Ganwyd saith o blant i Evan a Catherine, Y Maes, ac yn eu mysg oedd:
Thomas Evans – g. 1764. Bu'n byw yn Hafod Las, Llanfflewyn, Ynys Môn gyda'i briod Martha Parry. Bu Thomas farw 28 Chwefror, 1846 yn 82 mlwydd oed a'i gladdu efo'i briod ym Mynwent Eglwys y Santes Fair, Llanfair-yng-Nghornwy.

Er cof am
MARTHA PARRY,
priod Thomas Evans, Hafod Las, plwyf Llanfechell,
yr hon a fu farw Mai 14 yn y flwyddyn 1837
yn 63 mlwydd oed.
Hefyd
am y dywededig
THOMAS EVANS
yr hwn a fu farw Chwefror yr 28ain yn y flwyddyn 1846
yn 82 mlwydd oed.

'Y cyfiawn a obeithia pan fydd yn marw.'

Ffermwr oedd Thomas ac er iddo etifeddu'r gallu i ailosod esgyrn fel ei dad, ychydig iawn o sôn fu amdano yn gwneud gwaith felly. Gwell oedd ganddo ganolbwyntio ar drin y tir yn yr Hafod Las.

William Evans – g. 1766. 'Hen Lanc y Maes'. Aros gartref wnaeth William, yr ail fab, gan ganolbwyntio ar ei waith yn trin y tir a heb erioed gyboli â merched na byw yn ofer. Dywedwyd ei fod yn gymeriad 'agos iawn i'w le'. Gallai yntau drin ac ailosod esgyrn yn ddigon destlus ond nid oedd am i'w hanes fynd ar led. Yr oedd yn gymeriad tawel a meddylgar, yn hoff o'i gwmni ei hun. Fe'i claddwyd ym medd ei rieni yn Llanfair-yng-Nghornwy.

Here also lieth the body of
WILLIAM EVANS of Maes in this parish,
son of the above Evan Thomas,
who died on the
7th day of August 1851 aged 85 years.

Teulu Richard Evans, Cilmaenan

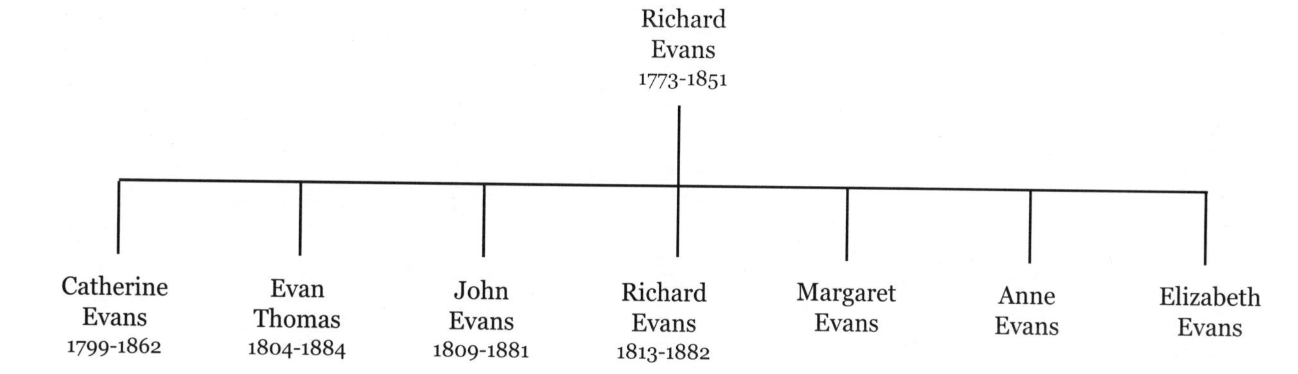

Richard Evans, Cilmaenan, Llanfaethlu (g. yn y Maes 1772). Bu farw 22 Awst, 1851 yn 78/9 mlwydd oed. O'r pedwar mab, Richard ab Ifan, yn ddiweddarach Richard Evans, etifeddodd y gyfran helaethaf o dalent, gallu a gwybodaeth ei dad. Fel ffermwr yr ystyriai yntau ei hun yn fwy na dim arall, ond bod iddo'r ddawn anhygoel a etifeddodd o allu ailosod esgyrn. Yr oedd Richard yn byw yng nghyfnod prysur gwaith copr Mynydd Parys a bu llawer o alw arno yno at rai oedd wedi eu niweidio yn y gwaith. Yng nghyfnod Richard hefyd yr oedd y goets fawr yn teithio o Lundain i Gaergybi. Un o'r gwestai lle byddai teithwyr yn aros i newid ceffylau oedd Gwyndy, Llandrygarn. Un tro, cyn iddo ailgychwyn ar gymal olaf y daith i Gaergybi, anafwyd un o'r teithwyr. Torrodd un o'i asennau a'i sigo fel bod honno'n pwyso yn drwm ar ei ysgyfaint. Galwyd am wasanaeth Richard Evans. Daeth yntau ar ei union, yn syth o'i waith amaethyddol, mewn siwt o frethyn cartref ac ar gefn ceffyl oedd wedi gweld ei ddyddiau gwell. Pan welodd y teithiwr feddyg mor flêr a gwledig ei edrychiad, gwrthododd adael iddo gyffwrdd pen ei fys ynddo. Dychwelodd Richard Evans i Gilmaenan er y gwyddai na fyddai'r teithiwr fyw'n hir oherwydd difrifoldeb ei anafiadau. Erfyniwyd ar i'r teithiwr ailystyried ac anfonwyd am y meddyg esgyrn yr eildro. Pe bai unrhyw un, hyd yn oed y brenin, yn sarhau Richard mewn unrhyw ffordd, byddai'n sicr o gael ei wrthod byth wedyn, a gwrthod gwneud yr ail daith o Lanfaethlu i Landrygarn wnaeth gan i'r teithiwr anffodus ei bechu'n anfaddeuol, a gwyddai'r meddyg nad oedd gobaith iddo wella. Bu farw'n fuan wedyn.

Priododd Richard Evans â Margaret Jones, Bodfardden Wen mewn priodas 'gefn ceffyl', sef priodas lle oedd y priodfab, y briodferch a'r gwesteion i gyd yn marchogaeth o'i chartref hi i'w chartref newydd yng Nghilmaenan, Llanfaethlu.

Adroddir hanes i'r ddau fentro o Lanfaethlu i ffair Llannerch-y-medd mewn trol a mul. Ar gyrraedd y ffair, fe'u hwynebwyd gan griw o laslanciau yn llawn hwyl a direidi. Gwawdiwyd y ddau am eu dull o deithio, ond eu hanwybyddu wnaeth Richard hyd nes i arweinydd y criw swnllyd gymryd arno ei fod wedi torri'i fraich neu daflu'i ysgwydd o'i lle. Gwaeddai mewn ffug boen er difyrrwch ei gyfeillion, ac er mwyn gwneud hwyl am ben Richard a Margaret. Camodd yntau i lawr o'r drol gan ymddangos fel petai'n cymryd rhan yn yr hwyl. Gafaelodd ym mraich y gŵr ifanc gyda gafaeliad ysgafn, arferol y teulu ond yn ddirybudd rhoddodd blwc sydyn a'i thynnu o'i lle! Distawodd y chwerthin a gwingodd y llanc mewn gwir boen. Ailosodwyd y fraich a chafodd Mr a Mrs Evans lonydd i grwydro'r ffair a mwynhau gweddill y diwrnod.

Talodd y gŵr ifanc am gam-drin Richard – ond nid gydag arian. Er y disgwyliai Richard Evans gydnabyddiaeth am ei wasanaeth, yr oedd yn ddigon ymwybodol o amgylchiadau ei gleifion ac felly nid oedd yn disgwyl i bawb dalu'r un faint, dim ond disgwyl i bawb dalu yn ôl eu gallu. Doedd o ddim yn ariangarwr ac mae lle i gredu nad oedd yn hollol ymwybodol o wir werth arian hyd yn oed.

Wedi cael rhyddhad o boen dychrynllyd yn dilyn cyfnod hir o ddioddef yr oedd un wraig mor ddiolchgar i Richard fel iddi ewyllysio fferm Tyddyn Barma yn y Burwen iddo fel arwydd o'i gwerthfawrogiad. Dro arall, galwyd ar Richard i deithio o Lanfaethlu i Alderley yn Sir Gaer at fab Arglwydd Stanley. Teithiodd yno ar gefn ei geffyl; taith a gymerodd o leiaf dridiau. Wedi gweinyddu'r driniaeth, gofynnwyd iddo faint oedd yn ddyledus iddo. Meddyliodd Richard am rai eiliadau a gofyn os oedd yr Arglwydd Stanley yn ystyried 10/- yn ormod!

Gadawodd Evan, mab hynaf Richard Evans, Cilmaenan, y cartref a mynd i Lerpwl i arfer yr un grefft â'i dad. Llythyrai'r tad â'r mab yn rheolaidd gan anfon cyngor iddo ar sut i drin a gwella'r cleifion dan ei ofal. Byddai hefyd yn cofio crybwyll y newyddion diweddaraf o Fôn. Gyda'r cwch o Lerpwl i Gemaes yr anfonai Evan ei lythyrau a thalu o leiaf ddeg ceiniog am wneud hynny, ond yr oedd ei dad yn ei sicrhau y byddent yn cyrraedd yn ddiogel ac yn gynt efo'r Post Brenhinol newydd.

Llythyr 1

Cilmaenan. Mawrth 17. 1832

Fy annwyl fab,
Derbyniais dy lythyr 12 o'r mis hwn a da iawn genym glywed dy fod yn iach fel ag yr ydym ninau yn bresennol oll. Yr oedd dy fam yn ofni dy fod'n sâl wrth dy fod heb yrru ateb i'r llythyr diweddaraf – nes i mi weled John Parry Tyddyngwasan yn ffair Llanerchmedd [gweler Nodyn 1 drosodd]. Dywedodd iddo dy weld ddydd Mawrth cyn y ffair.

Mae'n byr drafferthlyd arnom. Mae John yn Pontrypont'r wythnos yma eto. Ond am Mr Williams, dywed wrtho am wyliad rhoi pwysa ar ei goes heb ystyllen o achos ei bod yn gryfach o lawer efo'r ystyllen na hebddi. A oes llawer yn rhedeg o'r briwia? Pan un ai gôr gwyn ynte rhyw ddŵr llwyd neu loyw sy'n dyfod o honi? Gyr ateb. Yr wyf wedi gyrru o'r blaen pa fodd i wneud. Mae'n debyg ei fod yn tynu yr ystyllen y nos a'i rhoi y dydd. Fe eill [wneud] hynny.

Cofia fi at Mr Williams a'r teulu i gyd. Yr oedd Robert Hughes wedi cael ceffyl cyn i mi gael y llythyr-brynu yn ffair Llanerchmedd a Llangefni [gweler Nodyn 2 drosodd]. Bu Dafydd Hughes yn cynnig arni ar ei orau. Mi feddyliwn y rhoesai £15. Ei gweled yr oedd yn rhy isel a gâs ganddo ef – nid yw yn mendio yn dda nid oedd yn gofyn da. Yn y ffaith yma mi wna fy ngora iddi.

Mi wnaeth i mi wrth sôn amdano – ni wn i beth yw matter efo hi. Fe allai bysa yn well iddi fod yn gweithio ychydig na bod yn segur – mae rhai yn dywedyd hyny.

Mae Elizabeth Tŷ'n Coed wedi dyfod adra ar ddydd Mawrth. Dywedaf cawsom lythyr William Hughes a dau bâr o hosanna a trowsys. Da iawn genyf glywed dy fod yn dal sylw ar y pregetha a'r testyna hefyd. Gobeithio dy fod yn dal at wrando hyd y gelli beth bynnag yn ddigoll.

Mi wnaf ina fy ngalw dydd Iau at Mr Williams Traeth Coch oedd wedi tori ei fraich – y braich a dorodd ef o'r blaen ers blynyddoedd yn ôl a hwnnw heb fod yn ei le – yr oeddynt yn cofio atat Mrs Williams a Modlan yr hon a friwiodd ei glin – buom yno noswaith cefais fy nychryn. Mae dy fam yn gyru hosana i ti efo Margred Rowlands Tŷ Mawr yr wythnos nesaf – cei bâr eto yn fuan medd dy fam.

Yr ym yn gobeithio i ti gael y dillad efo W Parry Peniel. Pan y bum yn ffair Llangefni cefais fy ngalw i dŷ Daniel Owens at bachgen Henry Parry Llangwyllog wedi briwio ei fraich. Yr oeddynt yn cofio atat i gyd yn enwedig Sydna Owens. Yr oedd wedi cael yr anwyd medda hi. Yr oedd yn gryg iawn. Beth bynag oedd yr achos a golwg mawr ani – ni ddaeth a'i gwyneb byth yr un fath ar ôl yr haf diwethaf. Bu John Hughes ac Ann yma. Gofynodd i mi beth a ddywedaist am y bwrdd ei frawd Robert, yr hwn gyrasom attat amser yn ôl ei gylch – yr oedd Robert Hughes yn dywedyd gyrrai ef arian i ti yw geisio fel y gweli yn orau.

Mae dy fam eisiau i ti yru adref pa fodd yr wyt efo Mr Williams ai byrddio dy hun ynde talu'n wythnosol – pa un ai gwell a'i gwaeth yw arnat yna.

Bwrdd fel bwrdd Ann oedd ef eisiau. Gwnaeth William Parry Peniel gymwynas mor isel ag oedd modd iddo. 1s 6d gododd am gario'r bwrdd i John Hughes – Wrth ddyfod o'r Traeth Coch bum yn ymweld a Martha Jones merch Jane Bryn du yr hon a dorodd ei choes Mehefin 25 1831. Mae ei briwia heb gau eto. Yr oeddit yr amser hwnnw hefyd gartre. Mae yn agos i'r Tyddyn Mr Thomas Williams ti wyddost amdani. Mae'r esgyrn wedi asio er fod darn o asgwrn y grymog wedi ¼ dyfod ymaith – a bwlch ynddo ond mae yn cryfhau yn dda iawn ac yn debyg i ddwad heb gloffni hefyd – mae'r amser yn faith. Yr wyf yn gyru hyn at gysuro Mr Williams rhag iddo ddigaloni. Rhaid iddo yntau gael amser. Dywed wrtho – Drwg iawn genyf fy mod yn ysgrifenu mor ddrwg – gobeithio y medri di (ei) ddarllen. Nid wyf yn iach iawn gan'r anwyd a dolur ar fy mawd a'r grafal –nid wyf y tymor yma wrth farchogaeth neu os bydd hi'n oer gan fynd wedi briwio. Yr oeddem yn dda iawn cyn ffair Llangefni – nid oedd genyf ond dibynnu o'r hyn o bryd.

Bydd wyliadwrus bob amser ym mhob man y lle'r ei di hefyd. Hyn yn anrhefnus oddi wrth dy Ewyllysiwr da ymhob peth ysbrydol a thymhorol.

dy Dad Rich. Evans.

Nid oes genyf ddim newydd rhyfedd yn bersonol a'm dymuniad yw fy nghofio at bawb o'm cydnabod. Yr ym yma bawb yn cofio atat ag yn ganoliog o iach ond myfi. Mae dy fam yn well y gaeaf yma nag y bu ers talwm. Gyraf fwy o newyddion tro nesaf os byddwn byw. Gyr dithau rhyw newyddion i ninau Da iawn genym glywed oddi wrthyt bob amser.

Mr Evan Thomas
Bonsetar
Leeds Street corner of Upper Milk Street
Liverpool

Nodyn 1. Cynhaliwyd pum ffair yn Llannerch-y-medd yn ystod y flwyddyn: Mawrth 24, Ebrill 25, Awst 14, Medi 20, Tachwedd 2.

Nodyn 2. Cynhaliwyd chwe ffair yn Llangefni yn ystod y flwyddyn: Mawrth 14, Ebrill 17, Mehefin 10, Awst 17, Medi 15, Hydref 23.

Llythyr 2

Cilmaenan. Gorff. 14, 1832

Fy annwyl fab,

Yr oeddwn yn falch iawn o dderbyn dy lythyr a gwybod dy fod yn iach. Diolch fo i Dduw am hynny a ninnau ymysg epidemig a marwolaeth. Mae llawer wedi marw o'r heintiau y ffordd hyn. Bu farw capten yn Nhraeth Coch. Gad i ni wybod sut mae pethau yn Liverpool. Deallwn fod yr haint yn lliniaru. Yr oedd pob man ar gau yn Llanllyfni.

Gobeithio dy fod yn cymryd gofal bob amser. Os colli d'ysbryd, 'does wybod beth wnei di. Y mae dy chwaer Catherine wedi ail-osod braich gwraig fonheddig. Gobeithia dy fod tithau yn llwyddiannus fel ag y mae hithau. Gwnaeth yn dda iddi'i hun yn ennill ei bywoliaeth, rhywbeth na lwyddaist ti na mi ei wneud.

Llythyr 3

Cilmaenan. Medi 12, 1832

Fy annwyl fab,

Fe'm galwyd i'r Penrhyn at y saer maen oedd wedi anafu ei ysgwydd. Aflwyddiannus fu dau feddyg arall yn eu hymdrech i'w hail-osod. Bydd raid i mi ei weld ddwywaith eto. Ynglŷn â'r bachgen oedd wedi anafu ei benelin, oedd o wedi ei dorri neu wedi ei dynnu o'i le? Nid yw braich gam o ddefnydd i neb. Credaf i mi ddweud hyn wrthyt sawl gwaith.

Llythyr 4

Cilmaenan. Chwefror 26, 1833

Fy annwyl fab,

Cyfarfum â Mr Parry ac yr oedd yn dweud iddo fod gyda thi yn ail-osod penglin, wedi i'r meddygon ...

Llythyr 5

Cilmaenan. Ionawr 27, 1839

Fy annwyl fab,

Derbyniais dy lythyr fore Iau diwethaf o law William Lewis, Cychwr. Mae dy fam a minnau yn falch o glywed dy fod yn iach fel ag yr ydym ninnau i gyd ar hyn o bryd.

Paid a phoeni os clywi fod Hugh Edmunds [gweler Nodyn 1 isod] yn dy sarhau. Mae llawer i'w ddioddef a rhaid bod yn amyneddgar efo gŵr o'r fath. Gwna dy ddyletswydd a phaid malio ynddo o gwbl.

Neithiwr, bum yn Chwaen wen [gweler Nodyn 2 isod] am sgwrs â Mr Griffith, y meddyg. Edrychodd yn ei lyfrau ond ni wel fod angen caniatâd i godi arwydd neu blât ac ni chred y gwaherddir hynny.

Nodyn 1. Hugh Edmund, 45 mlwydd oed. Ffermwr Tyddyn Gors, Llanfwrog wedi ei eni ym Môn. Gŵr priod a thad i wyth o blant; yn cyflogi dau was a dwy forwyn.

Nodyn 2. Chwaen Wen-fferm ym mhlwyf Llantrisant a chartref i:
Owen Parry, 45 mlwydd oed. Ffermwr wedi ei eni ym Môn; Margret Parry, 45 mlwydd oed. Gwraig fferm wedi ei geni ym Môn; dau fab a dwy ferch. Cyflogwyd dau was a morwyn.)

Yr oeddwn yno yn edrych dros ei ysgwydd. Dywedodd ei fod wedi meddwl yn ddwys ar y pwnc a chredai na ddylet edrych am derfynau'r dref. Rhaid i ti ymholi ymhellach oherwydd fy anwybodaeth am faterion o'r fath. Dywed hefyd fod perygl pe bae unrhyw un yn marw a thithau heb alw Meddyg i'th gynorthwyo.

Yr oeddwn yn falch o ddeall fod Mrs Williams yn gwella – mae briwiau o'r fath angen amser – a gwell cymryd amser nag iddynt dorri allan yr eildro.

... rho ychydig dan y rhwymyn. Rhwyma'r cyfan oll a'r 'styllen ar y tu allan. Bydd yn cadw'r siap yn well o'r hanner ac yn ei gryfhau. Cofia fi at Mr W. a'i deulu oll ac at fy nghydnabod i gyd. Ti wyddost pwy ydynt.

Ion. 28. Heddiw, bum gyda Mr R. Meddyg i Shop Llanfaethlu i weld AR. Edrychai'n well na phan y'i gwelais o'r blaen.

Mae Mr R. a Mr G. yn dweud ei bod yn llawer mwy diogel i ti ddatgelu dy hun drwy Docyn.

Gwna dy hun yn adnabyddus drwy newyddiaduron Liverpool meddai Mr R. heddiw. Mewn anwybodaeth yr wyf fi ond gelli rannu'r gweddill (tocynnau).

Heddiw, bum yng Nghaergybi yng nghwmni Mr W. Dywedodd iddo fod wedi cysylltu â thi parthed y mater ac y byddai ef wedi cyflogi

R. Roberts, i argraffu rhai. Wyt ti wedi trefnu lle i ... Hyn y flêr ac yn frysiog oddi wrth dy ewyllysiwr da ym mhob peth ysbrydol a thymhorol.

Y mae pawb yma yn anfon eu cofion atat ac yr ydym yn ...
aros bellach? Dylet wneud hynny yn fuan.

Llythyr 6

Cilmaenan. Ebrill 1, 1834

Fy annwyl fab,
Yr wyf yn falch i ti dderbyn yr ystellenod. Pe bawn yn iach, fe wnawn rai gwell i ti. Cadw'r fagl yn dyn dan y penelin er mwyn cadw'r ysgwydd ar i fyny fel ag gwneir pan fo pont yr ysgwydd wedi'i thorri o'r ysgwydd i'r gesail. Ni welais erioed well dull i'w gadw yn ei le a'r aelod yn cryfhau yr un pryd.

Llythyr 7

Cilmaenan. Medi 28, 1848

Fy annwyl fab,
Mae arnaf ofn na allaf ddod i Liverpool am fy mod yn cael fy ngalw allan mor fynnych. Mae'r gwŷr a anafwyd yng ngwaith mwyn Paris yn fyw er fod un wedi torri ei goes a'i groen wedi rhwygo, a'i fraich wedi torri uwch y penelin. Byddaf yn ymweld ag ef bob wythnos. Dylwn fynd yn llawer mwy aml.

Yr wyf yn dyheu am dy weld. Gwna dithau ymdrech i ddod i wlad dy febyd.

Cawn fwy o hanes Evan, y mab, eto.

Fel un agos iawn i'w le y cofir am Richard Evans; gŵr ystyrlon – nes ei bechu! Yr oedd yn flaenor yng nghapel Methodistaidd Llanfaethlu. O ochr ei fam o'r teulu, yr oedd yn perthyn i Ebenezer Thomas (*Eben Fardd* 1802-1863). Arferai'r ddau gyfarfod yn aml a chanodd y bardd iddo ar ei farwolaeth yn Awst 1851:

Môn, mam Cymru, enwog ynys,
Un o'i fegys ef ni fâg

Teulu John Evans, Y Maes

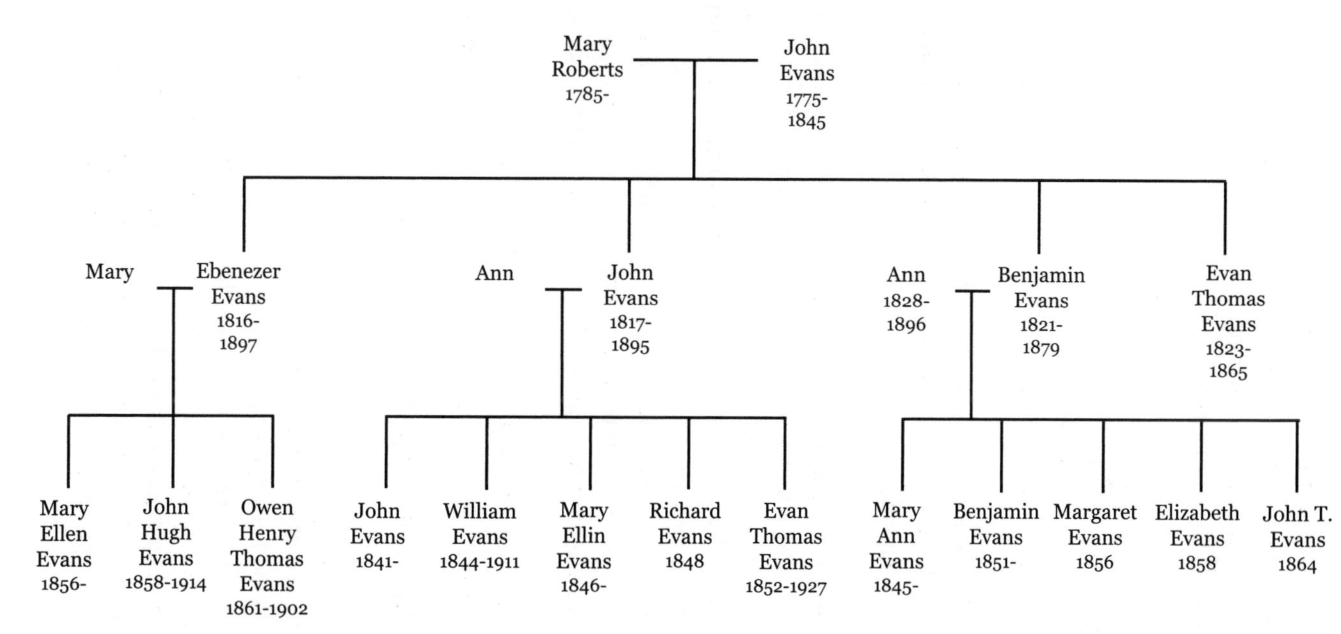

Gwyddai sut i drin pob asgwrn,
A phob migwrn, o bob maint,
Cael ei driniaeth, dan fawr ofid,
I un friwid oedd yn fraint.

Yn ei deulu etifeddol
Trig y wych feddygol ddawn;
Efe a'i dad, a'i blant fel yntau,
Yn y goleu'n wyn a gawn.

Gadawodd Richard Evans saith o blant – tri mab a phedair merch – a saith ar hugain o wyrion a wyresau. (Gweler isod.) Yr oedd canghennau'r goeden deulu yn prysur ymledu.

John Evans oedd y pedwerydd a'r ieuengaf o blant Evan a Catherine a anwyd yn 1775; gŵr tenau na chafodd fwynhau iechyd da drwy ei oes ac yn ei henaint bu'n dioddef llawer o anhwylder ar ei ysgyfaint ac yn ymladd am ei wynt. Dyna oedd yn gyfrifol am yr olwg gystuddiol oedd arno. Priododd â Mary Roberts o Fodedern.

Troi at grefydd wnaeth John ac fe'i codwyd yn flaenor gyda'r Hen Gorff yng Nghaergybi yn 1804. Yn 1808 dechreuodd bregethu ac yn ôl pob sôn fe allai, ar adegau, gynhyrfu ei gynulleidfa. Fel bron bawb arall yn y teulu, meddai'r ddawn i drin esgyrn.

Cyfarfu â damwain ddifrifol a bu farw o'i anafiadau ar 23 Ebrill, 1845. Fe'i claddwyd yn Llanfair-yng-Nghornwy. Gadawodd weddw a phedwar o blant.

Y Drydedd Genhedlaeth

Plant John Evans

Ebenezer – Plentyn hynaf John a Mary Evans. G. 9 Awst, 1816 ym Modedern. Cafodd ei fedyddio ar 22 Awst, 1816 yng Nghapel Methodistaidd Caergeiliog. Ffermwr a gweinidog a bregethodd am y tro cyntaf yng ngwylnos Hugh Jones, Einion Chwith. Cafodd ei ordeinio yng Nghymdeithasfa Llangefni yn 1857 a gweinidogaethu yng Nghapel Gilgal, Bodedern, yn ddigyflog o ddewis. Byddai'n arfer cyfansoddi ei bregeth ar nos Sadwrn ond nid oedd ymysg y pregethwyr mwyaf huawdl, yn ôl pob sôn. Priododd â Mary

Williams, merch Tan-lan, Trefdraeth, Môn yn 1854. Efallai nad oedd yn sefyll allan fel un o 'hoelion wyth' y cyrddau mawr ond yr oedd iddo rinweddau amlwg fel gweinidog ac ar ddydd ei angladd daeth cannoedd i dalu'r gymwynas olaf a phrofi bod un arall o'r teulu enwog efo'r un ymlyniad i'w bobl ag oedd gan rai fel Evan a Hugh Owen Thomas.

Bu farw Ebenezer Evans ar nos Wener, 5 Tachwedd, 1897 yn 82 mlwydd oed yn Ffordd Llundain, Bodedern. Yr oedd wedi pregethu i'r Methodistiaid Calfinaidd am drigain mlynedd. Fe'i claddwyd ym Mynwent Capel Hebron, Bryngwran ar 10 Tachwedd yn un o'r angladdau mwyaf a welwyd ym Môn ar wahân i un John Elias. Yr oedd yr orymdaith yn filltir o hyd ac yr oedd ynddi tua 150 o gerbydau. Ddiwrnod cyn ei farw roedd wedi anfon llythyr o ddiolch i'r Cyfarfod Misol am eu pryder amdano ef a'i wraig yn eu gwaeledd ac am eu dymuniadau da. Darllenwyd ei lythyr i'r Cyfarfod Misol a gynhaliwyd yn Aberffraw ar Dachwedd 8fed.

Oherwydd gwaeledd Mrs Mary Evans trefnwyd i gael gwasanaeth yn y tŷ ac yn y capel. Yn gwasanaethu yn y tŷ oedd y Parchedigion D. Rowlands, Bangor; Owen Hughes, Amlwch a William Jones, Niwbwrch a chanwyd 'Mae 'nghyfeillion wedi myned'. Agorwyd y gwasanaeth yn y capel gan y Parchedig John Williams, Llangefni a chanwyd yr emyn 'Mor ddedwydd yw y rhai drwy ffydd'; cafwyd darlleniad gan y Parchedig W. Pritchard, Pentraeth ac arweiniwyd y gynulleidfa mewn gweddi gan y Parchedig John Williams, Llanrhuddlad; cafwyd anerchiadau gan y Parchedigion James Donne, Llangefni; O. Parry, Cemaes; John Williams, Dwyran a Robert Thomas, Llannerch-y-medd. Terfynwyd gan y Parchedig David Rees, Capel Mawr. Arweiniwyd yr orymdaith o dair milltir o Fodedern i Fryngwran gan feddygon yn cael eu dilyn gan weinidogion, blaenoriaid, yr elor a cherbydau'r teulu a chyfeillion a'r dyrfa ar draed. Ymunodd llawer yn yr orymdaith ar hyd y ffordd.

Ar lan y bedd darllenwyd gan y Parchedig W. Roberts, Gorslwyd, Rhosybol; cafwyd anerchiad gan y Parchedig J. Williams, Caergybi ac offrymwyd gweddi gan y Parchedig Owen Williams, Bethel. Canwyd yr emyn 'Bydd myrdd o ryfeddodau' cyn i 'bawb droi eu cefnau, a gadael yr annwyl a'r caredig Barch. Ebenezer yn ei wely pridd' (*Y Goleuad*, 17 Tachwedd, 1897). Yr oedd cymaint yn yr angladd fel y bu raid i ohebydd *Y Goleuad* ymddiheuro am fethu enwi pawb. Cyhoeddwyd bod pregeth angladdol i'w thraddodi yng Nghapel Gilgal, Bodedern gan y Parchedig John Roberts, Tai Hen, Rhosgoch am 6 y noson honno.

> Nodedig enaid ydoedd,
> A gŵr i Dduw i'r gwraidd oedd.

Benjamin – ail fab John a Mary Evans, Y Maes. Gweinidog yng Nghonwy a seismon (*excise officer*) ym Mhenbedw.

John Hugh – trydydd mab John a Mary Evans. Ffermwr ym Mryngwran Farm, Bryngwran, Ynys Môn.

Dr Evan Thomas Evans – mab ieuengaf John a Mary. Graddiodd yn feddyg ac yr oedd yn aelod o Goleg Brenhinol Llawfeddygon Lloegr yn 1850; yr oedd yn Aelod Trwyddedig o Gymdeithas Llawfeddygon Dulyn yn 1853 ac yn llawfeddyg a llawfeddyg tŷ yn St Anne's Dispensary & Eye & Ear Institute yn ddiweddarach. Bu'n gweithio fel meddyg teulu yn 22 Rose Place, Lerpwl am gyfnod. Bu farw ar 19 Ebrill, 1865 yn bedwar deg un oed a'i gladdu ym Mynwent Anfield. Cafwyd adroddiad am ei angladd ym *Maner ac Amserau Cymru* dyddiedig 29 Ebrill, 1865. Cyfeiriwyd ato fel meddyg enwog ac uchel ei barch:

> Yr oedd wedi ennill safle uchel yn ei alwedigaeth ac mewn bri mawr gan rai o brif feddygon y dref. Daeth yma o ddeutu ddeuddeg mlynedd yn ôl, ac yr oedd mewn ychydig wedi cyrraedd cymeriad poblogaidd am ei fedrusrwydd meddygol. Rhoddai ei wasanaeth yn rhad i rai o brif sefydliadau dyngarol y dref, ac yr oedd bob amser a'i glust yn agored i wrando cri y claf a'r clwyfus anghenus a ddeuai ato.

Fel mab i weinidog a brawd i ddau weinidog arall bu crefydd yn rhan bwysig o'i oes fer. Yr oedd yn aelod gweithgar o Gapel Rose Place ac yn ddiweddarach Capel Stryd Clarence yn Lerpwl ac yn ei farwolaeth:

> cafwyd colled am Gristion llafurus, a defnyddiol ac am gyfaill caredig a chymwynasgar, a meddyg medrus a rhad.

Gwnaed y trefniadau ar gyfer ei angladd gan Mri. Morgan & Co., Scotland Road, Lerpwl a daeth tair o *mourning coaches*, tua deg ar hugain o *private carriages* a thua pum cant o alarwyr i'w hebrwng ar ei daith olaf. Yn eu mysg oedd y Parchedigion H. Rees; J. Hughes, D. Saunders, E. Thomas, Llansamlet; D. Williams; J. Lamb; A. Green; Mr D. Lewis a lliaws o ddiaconiaid ac eraill gan gynnwys y meddygon Nottingham, Harries, Prydderch, Thomas ac yn cynrychioli'r teulu Evan Thomas, Ysw. Cymerwyd y rhan agoriadol yng nghapel y fynwent gan y Parchedig D. Saunders yn Saesneg. Anerchwyd y dyrfa ar lan y bedd gan y Parchedig H. Rees a diweddwyd y gwasanaeth drwy weddi gan y Parchedig J. Hughes.

Plant Ebenezer Evans: Y Bedwaredd Genhedlaeth

Owen Henry Evans: mab hynaf Ebenezer a Mary Evans. Graddiodd yn drwyddedig mewn Bydwreigiaeth (*Licenciate of Midwifery*) yn 1882 o Goleg Physegwyr Iwerddon yn Nulyn. Tra oedd yn Nulyn daeth i adnabod mab Bodnolwyn Wen, Llantrisant, Môn a phan fyddai'r ddau gartref o'r coleg byddent yn cyfarfod ym Mhendref, Tregwehelydd, cartref Ebenezer Evans, i gyd-astudio a pharatoi am eu harholiadau. Cafodd Owen Henry ei dderbyn yn aelod o Goleg Brenhinol Llawfeddygon Lloegr yn 1883. Priododd â Caroline a fu farw yn 1899 a'i chladdu ym Mynwent Eglwys Llanidan, Môn. Bu Owen Henry farw ar 16 Medi, 1902 yn bedwar deg un oed.

In loving memory of
OWEN HENRY EVANS
of Bryngwyn all in this parish.
Physician and Surgeon
who died 16th Sept. 1902 aged 41.
Also of CAROLINE, wife of the above
who died 3rd October 1899 aged 38.
'At Rest.'

John Hugh Evans, Bodedern: ail fab Ebenezer a Mary Evans.

Mary Ellen, unig ferch Ebenezer a Mary Evans. Priod David Owen, cyfreithiwr o Fangor ac a wasanaethodd fel Maer y Ddinas am gyfnod.

Plant John Evans (gor-ŵyr y John Evans gwreiddiol)

William Evans, Elm Bank, Lerpwl a anwyd ym Modedern yn 1844. Cafodd ei addysgu yn Ysgol Brydeinig Caergybi a phrentisiodd fel fferyllydd yn Neuadd Feddygol, Caergybi cyn mynd i weithio fel fferyllydd llawn amser yn Stryd Great Homer, Lerpwl. Nid oedd yn feddyg esgyrn adnabyddus ond yr oedd yn fasnachwr llwyddiannus iawn. Yr oedd hefyd yn flaenor yng Nghapel Ffordd Anfield, Lerpwl. Cofir amdano fel gŵr cyhoeddus fu'n gwasanaethu ar bwyllgorau addysgol a dyngarol y ddinas. Cafodd ei apwyntio yn Ynad Heddwch yn 1908. Bu farw yn ei gartref yn 2 Newsham Drive ar 18 Rhagfyr, 1911 a'i gladdu ym Mynwent Anfield.
Richard Evans oedd ail blentyn John a Mary Evans, apothecari, a ymfudodd efo'i deulu i Awstralia yn yr 1880au hwyr mewn gobaith o gael bywyd gwell. Buont yn byw yn Cooma, New South Wales. Yn diweddarach, apwyntiwyd Richard i swydd golygydd y Monaro Mercury – papur newydd a gyhoeddwyd yn Cooma, New South Wales rhwng 1861 a Rhagfyr 1931.

Mab ieuengaf John a Mary Evans oedd Evan Thomas, un arall fu'n ffermwr yn Mryngwran.

Plant William Evans, Elm Bank (Y Bumed Genhedlaeth)

Mab hynaf William, Elm Bank oedd **John Evans** (g. Mawrth 1869; m. 13 Chwefror, 1930). Cafodd ei addysgu yn Lerpwl ac ar awgrym Hugh Owen Thomas aeth i Goleg Prifysgol Llundain. Graddiodd yn MB (Llundain) yn 1892 a'i dderbyn yn MRCS a LRCP yn yr un flwyddyn. Yn 1893 graddiodd yn MD. Bu'n gweithio fel meddyg tŷ (*house physician*), cofrestrydd (*registrar*) a thiwtor meddygol yn yr Inffyrmari Frenhinol yn Lerpwl gan arbenigo mewn trin twbercwlosis cyn symud i Gaernarfon fel meddyg teulu ym Mryn Menai mewn partneriaeth efo'r Dr Robert Parry, ac ymddeol o'r swydd yn 1920 i fod yn swyddog i'r Weinyddiaeth Iechyd yng ngogledd Cymru.

Yn 1900 ymunodd â'r 3rd VB Royal Welch Fusiliers ac, yn ddiweddarach, y 6ed Bataliwn o'r RWF yn y Fyddin Diriogaethol gyda gofal am Gwmni A. Cafodd ei ddyrchafu yn gapten ac yn 1914 bu'n bennaf gyfrifol am baratoi'r 6ed Bataliwn ar gyfer dyletswyddau tramor. Er iddo fod yn ddall mewn un llygad (gwybodaeth a oedd wedi ei gilio oddi wrth yr awdurdodau) listiodd efo'r fyddin ac yn fuan fe'i dyrchafwyd yn Uwchgapten ac yn Is-gyrnol.

Glaniodd gyda'r bataliwn ar Fae Suvla, Gallipoli ar 6 Awst, 1915 a bu gyda hwy yn yr Aifft. Dyfarnwyd iddo'r Distinguished Service Order yn 1919.

Cafodd ei ddisgrifio fel:

> ... un o feddygon galluocaf Gogledd Cymru ond hefyd un o'r rhai mwyaf gofalus a charedig. Yr oedd yn graff iawn i adnabod afiechyd.

Chwiorydd i John Evans oedd **Mrs Griffith**, Yr Hafod, Cemaes a **Mrs S. D. Pritchard**, Caergybi. Meddai S. D. Pritchard am ei theulu:

> Members of my family have not actually practised the medical art except Dr John Evans, though in some members (the females) there were certainly gifts in this direction. The study of Physiology and its kindred sciences come easily and without study, almost to several women members of my family. There was undoubtedly an apptitude for it, and several would have been women doctors only the facilities for women to enter the Medical Schools were not accessible to them.

Plentyn Richard Evans

Mab i'r uchod oedd **Wilfred Evans** (g.10 Medi, 1889. m. 20 Rhagfyr, 1957). Ganwyd Wilfred yn Cooma, y pedwerydd o bump o blant, a derbyniodd ei addysg yn lleol ac ym Mhrifysgol Sydney o'r lle graddiodd yn 1914 gyda gradd Dosbarth Cyntyaf yn MB. Ymunodd â'r fyddin yn 1915 a'i anfon i Gallipoli efo 3ydd Brigâd y Ceffylau Ysgafn (*Light Horse Brigade*). Yn ddiweddarach bu yn y Dwyrain Canol fel Is-reolwr (dros dro) Gwasnaethau Meddygol Awstralia yn yr Aifft. Nodwyd ei ddewrder bedair gwaith ac fe'i anrhydeddwyd â'r Groes Filwrol. Tra bu yn yr Aifft, cyfarfu â'i gefnder, John Evans (gweler uchod). Pan adawodd y fyddin yn 1920 yr oedd wedi dringo i reng uwchgapten. O 1920 ymlaen bu'n gweithio fel meddyg yn Waverley ac yn Ysbty Sydney. Yn 1928 cafodd ei dderbyn yn aelod o Goleg Brenhinol Llawfeddygon Llundain; symudodd i Vienna a Sefydliad Mayo, UDA i astudio ac i ymchwilio. Dychwelodd i Awstralia i arbenigo yn nhriniaeth clefyd y galon. Yn 1937 cafodd ei apwyntio yn llawfeddyg anrydeddus Ysbyty Sydney. Yr oedd hefyd yn un o sylfaenwyr Coleg Brenhinol Llawfeddygon Awstralasia yn 1938.

Ailymunodd â Chorfflu Meddygol Byddin Awstralia yn 1940 ond gwrthodwyd iddo fynd dramor. Yn hytrach bu'n gweithio fel trefnydd meddygol ym Melbourne gyda chyfrifoldeb am safonau meddygol, trafnidiaeth, byrddau meddygol a.y.y.b. Fe'i rhyddhawyd o'r gwasanaeth yn 1945 a dychwelodd i'w waith fel llawfeddyg ymgynghorol.

Gŵr o faint canolig oedd Wilfred, yn cerdded yn gyflym iawn i bob man. Yr oedd yn athro penigamp ac yn trin pawb, pwy bynnag oeddynt, yn gyfartal ag ef ei hun. Ymddeolodd yn 1934 i chwarae golff a thenis. Yr oedd yn arddwr medrus. Priododd â Heather Ross yn 1931 a chawsant dri o blant – un ferch oedd yn gyfreithwraig a dau fab yn feddygon. Bu farw Wilfred yn Ysbyty Sydney lle treuliodd gyfran helaeth o'i yrfa.

iii
Prifddinas gogledd Cymru

Mae'r cysylltiad rhwng dinas Lerpwl a'i phorthladd â gogledd Cymru yn un enwog ac yn aml iawn cyfeirir at Lerpwl fel 'prifddinas gogledd Cymru' – term a ddefnyddiwyd gyntaf mewn cyfarfod cyhoeddus a gadeiriwyd gan Owen Elias o Garreglefn ym Môn ac a ynganwyd gan John Bright, gŵr o Rochdale ond â chysylltiad efo Llandudno; areithiwr grymus, Crynwr a gwleidydd Rhyddfrydol, oedd yn siarad yn gyhoeddus am y tro cyntaf yn ei fywyd yn Lerpwl – gan fod cymaint o drigolion siroedd Môn, Arfon, Meirion, Dinbych a Fflint a'u teuluoedd wedi ail-gartrefu yno yn ystod y ddeunawfed a'r bedwaredd ganrif ar bymtheg.

Pwll o ddŵr budur, llanwol oedd dechreuad Lerpwl. O'i gwmpas datblygodd pentref bychan ond araf fu ei dyfiant, ac ni chrybwyllwyd ei enw yn Llyfr Dydd y Farn (*Domesday Book*) a orchmynnwyd ei gynhyrchu gan Gwilym Goncwerwr yn 1086, er i Walton (Walton-on-the-Hill – cartref yr hen Geltiaid yn yr ardal), sydd erbyn hyn yn un o ranbarthau gogleddol y ddinas, gael ei enwi yn y llyfr.

Tyfodd y pentref a'i borthladd i fod yn dref sylweddol ac yn ddinas, ac etholwyd ambell Gymro blaengar i swydd y maer – Dafydd ap Gruffydd yn 1503 a 1515; John Hughes yn 1727; Owen Pritchard yn 1744 a D. J. Lewis yn 1962.

Yn hwyr yn yr ail ganrif ar bymtheg daeth llwyddiant a llewyrch sylweddol i borthladd Lerpwl gyda thyfiant y trefedigaethau yng ngogledd America ac India'r Gorllewin. Yr oedd ei safle cysgodol ar lannau'r Ferswy yn hwylus iawn i longau oedd am hwylio ar draws gogledd Cefnfor Iwerydd. Yr oedd gwaith ar gael i fewnfudwyr i adeiladu dociau newydd. Adeiladwyd y cyntaf – yr Hen Ddoc – yn 1715. Codwyd pedwar arall yn ystod y ganrif: Doc Salthouse yn 1753, Doc George yn 1771, Doc y Brenin yn 1788 a Doc y Frenhines yn 1796 a thyfodd Lerpwl i fod y trydydd porthladd prysuraf ym Mhrydain ar ôl Llundain a Bryste.

Ffactor arall fu'n gyfrifol am lewyrch porthladd a thref Lerpwl oedd y Farchnad Gaethweision. Rhwng 1730 a 1807 yr oedd rhwng 120 a 130 o longau Lerpwl y flwyddyn yn ymwneud â'r farchnad atgas hon. Datblygodd llawer o weithfeydd yn y dref yn sgil y ffaith y gellid allforio a mewnforio cynnyrch drwy'r porthladd. Yr oedd angen gweithwyr ar gyfer pob math o waith a chrefft. Yn 1821 yr oedd y boblogaeth yn 118,000; yn 1851 yr oedd cymaint â 376,000 a llawer ohonynt yn Gymry. Rhaid oedd gosod strydoedd a chodi adeiladau cyhoeddus a olygai fod y diwydiant adeiladu angen gweithwyr a chrefftwyr. Yr oedd yno gyfleoedd am waith ac eto, yr oedd yno dlodi am fod teuluoedd yn fawr eu maint a'r rhan fwyaf o'r dosbarth gweithiol (o bob cenedl) yn byw mewn tlodi mawr; y plant yn cael eu hesgeuluso, yn droednoeth, yn brin o ddillad, yn y gwter ymhlith sbwriel yn pydru a budreddi annisgrifiadwy. Codwyd mwy fyth o ddociau a'r rheini yn ymestyn am chwe milltir ar ochr ddwyreiniol yr afon. Cwblhawyd adeiladu Camlas Manceinion yn 1894. Sefydlwyd llawer o weithfeydd yn y dref ond yr oedd amgylchiadau byw i lawer yn parhau i fod yn anaddas iawn a bu sawl achos o haint y Geri Marwol.

Efo'r porthladd yn fan cychwyn teithio ar draws Môr Iwerydd a'r rheilffordd gyhoeddus gyntaf yn y byd wedi ei hagor yno yn 1830 yr oedd Lerpwl yn lle byrlymus i fyw ac i weithio, ond yr oedd diffyg darpariaethau meddygol a'r dicáu yn salwch difrifol yn amlygu ei hun yn aml. Yr oedd diffyg adnoddau meddygol yn broblem gyson a chyda cymaint o weithfeydd trwm, yr oedd damweiniau yn digwydd yn aml a'r cleifion a'r dioddefwyr yn methu talu am wasanaeth meddyg nag ysbyty. Ceisiwyd gwella amgylchiadau byw drwy gael cyflenwad dŵr glân ond ni allai'r tlodion fforddio talu amdano. Yn 1880 rhoddwyd statws dinas i Lerpwl ac yn y flwyddyn 1881 yr oedd ei phoblogaeth yn 611,000. (Erbyn heddiw mae'r boblogaeth wedi sefydlogi tua 450,000.) Er mor anodd oedd amgylchiadau byw i lawer yr oedd bywyd fymryn yn haws nag yng nghefn gwlad a gwelwyd llawer o chwarelwyr, glowyr, gweision ffermydd a llafurwyr di-grefft yn tyrru i'r ddinas yn y gobaith o gael gwaith a gwneud eu ffortiwn.

Yr oedd cyswllt cyson a rhwydd rhwng y porthladd a Môr Iwerddon a gogledd Cymru gyda llongau o Fangor, Caernarfon a Chonwy yn cario llechi; llongau o Amlwch, Moelfre a Biwmares yn hwylio'n gyson i lawr yr afon efo'u cargo o flawd, calch, cerrig i balmantu strydoedd newydd y ddinas, copr, tatws a phobl i Lerpwl, a glo o Runcorn a Lerpwl yn ôl i Gymru. Nid oedd y can milltir o Fôn i Lerpwl yn rhwystr a byddai ambell un yn cerdded yr holl ffordd fel y gwnaeth Evan Thomas, mab Cilmaenan, Llanfaethlu, tua 1831.

Tueddu i aros yn agos at ei gilydd oedd y mewnfudwyr hyn a charfanau o Gymry yn byw o fewn pellter hwylus i'w capeli a'u heglwysi eu hunain lle ceid y bywyd crefyddol a diwylliannol yr oeddynt yn gyfarwydd ag o. Ffynnodd addysg, capeli, eisteddfodau (cynhaliwyd Eisteddfod Genedlaethol Cymru yn Lerpwl bum gwaith rhwng 1840 a 1929), masnach a'r diwylliant Cymreig mewn dinas Seisnig.

Y mae rhannau o'r ddinas, hyd heddiw, yn enwog am ei strydoedd Cymreig. Un ffactor a gadwodd y Cymry yn llawer mwy clos oedd y capeli; i'r Cymro yr oedd y capel yn ganolbwynt ei fywyd. Y mae hen goel yn bodoli yn Lerpwl ynglŷn â sut y gellid gwahaniaethu rhwng Cymro capelgar a Phabydd o Wyddel. Arferai cerflun mawr o ddyn noeth ar flaen llong sefyll uwchben drws ffrynt siop Lewis's. Credid bod y Gwyddelod yn edrych i fyny er mwyn gweld y cerflun a'i holl fanylion yn eu gogoniant tra byddai'r Cymry yn troi eu llygaid tua'r palmant i osgoi edrych arno!

Enw ar un ardal Gymreig ei naws yn y ddinas oedd *Little Wales* ac yno, yn ardal Vauxhall, y codwyd Capel Pall Mall, y capel Methodist Calfinaidd Cymreig cyntaf yn Lerpwl, yn 1787. Dengys cofnodion y capel o'r cyfnod fod mwy o'r aelodaeth â'u gwreiddiau ym Môn nag yn unrhyw sir arall yng Nghymru. Yn ôl Adroddiad 1813 y *Welsh Charity*, yr oedd 8,000 o Gymry yn byw yn Lerpwl; amcangyfrifwyd bod tua 20,000 yno erbyn 1815 ac un o bob deg o'r boblogaeth yn siarad Cymraeg – a llawer ohonynt yn Gymry uniaith. Erbyn y 1870au yr oedd hanner can mil o Gymry yn byw yno. Gweithiai llawer yn adeiladau'r dociau newydd neu'r gamlas a'r rhai mwyaf llewyrchus wedi sefydlu eu hunain yn ardaloedd Anfield, Bootle, Everton, Parliament Fields a Prince's Park gan gyflogi crefftwyr fel gosodwyr brics, plastrwyr, seiri coed a seiri maen. Tyfai'r ddinas yn flynyddol ac ardaloedd fel Aigburth, Cabbage Hall, Calderstones, Childwall, Crosby, Fazakerley, Litherland, Linacre, Smithdown Road, Walton, Waterloo a Waverley yn rhwydwaith o strydoedd ac yn fôr o dai annedd.

Cafodd llawer o feddygygon eu denu i Lerpwl i wasanaethu'r boblogaeth. Erbyn y ddeunawfed ganrif gwelwyd ysbytai â'u fferyllfeydd eu hunain yn agor ac yn sgil hynny ysgolion arbenigol i hyfforddi meddygon. Rhain oedd rhagflaenwyr colegau a phrifysgolion y bedwaredd ganrif ar bymtheg. Yn 1825 yr oedd un meddyg ar gyfer pob dwy fil o boblogaeth Lerpwl ac yn 1885 yr oedd un meddyg ar gyfer pob mil o boblogaeth yno. Dim ond dau neu dri o feddygon Cymreig oedd yno yn 1835 ond erbyn 1885 yr oedd o leiaf ugain ohonynt yn Gymry.

Bu dylanwad y Cymry ym maes meddygaeth yn Lerpwl dros y blynyddoedd yn un clodwiw iawn ac mae'n ddiogel dweud fod hyn yn un o'r rhesymau pam i rai o deulu Evan Thomas, Y Maes, Llanfair-yng-Nghornwy ymsefydlu a gweithio yno. Yng nghanol bwrlwm byw dinas Lerpwl yn y bedwaredd ganrif ar bymtheg y lledodd coeden deulu'r Evan Thomas gwreiddiol ei changhennau ac yno y daeth Evan (ei ŵyr) a'i feibion i amlygrwydd.

vi
Mân frigau

Tri mab a phedair merch oedd cyfanswm plant Richard Evans, Cilmaenan: Evan, John, Richard, Catherine, Anne, Elizabeth a Margaret; ac yn eu ffordd eu hunain gwnaeth pob un ei farc ar y byd ond fod ambell un efallai yn haeddu mwy o sylw na'r lleill.

Evan oedd yr hynaf; Evan Thomas a enwyd ar ôl ei daid. Ef oedd y cyntaf o'r teulu i fyw a gweithio yn Lerpwl ac ef sy'n haeddu'r sylw – ond yn y bennod nesaf y ceir hwnnw. Manylir ar hanes **Catherine**, **Anne** a **Richard** yn ddiweddarach gan fod eu hanes hwythau hefyd yn haeddu sylw mwy penodol.

Yr ail blentyn oedd **John Evans**. Symudodd John i'r Maes i fyw a gweithio efo'i ewythr William – 'Hen Lanc y Maes' ac i John yr ewyllysiwyd y fferm ar farwolaeth William. Fel yr Hen Lanc, un tawel a diymhongar oedd John. Yr oedd hefyd yn gymydog gwerth ei adnabod ac yn amaethwr da a'r caeau a'r gwrychoedd yn batrwm o daclusrwydd ganddo bob amser. Gŵr crefyddol, agos i'w le yn tynnu ar ôl ei dad a'i daid ac fel hwythau yn feddyg esgyrn heb ei ail, a chan fod ei amgylchiadau yn gyfforddus iawn ni fyddai yn codi tâl ar y sawl oedd yn galw am ei wasanaeth.

Byddai gan dlodion yr ardal bob amser air da iddo a meddygon trwyddedig y sir yn aml yn argymell i'w cleifion hwythau fynd ato. Os oedd claf wedi bod yn orweddol am amser, am John fyddai'r alwad yn aml. Ei wraig oedd Elizabeth Thomas, Merddyn Fadog, Llanfair-yng-Nghornwy a chawsant dri o blant.

Wedi damwain ddifrifol yn Chwarel Llanfflewyn, Mynydd Mechell, galwyd ar John at un o'r gweithwyr a llwyddodd i achub coes y claf er bod y meddyg lleol am ei thorri i ffwrdd. At John y byddai ei frawd, Evan yn troi am gyngor, ac os oedd ganddo broblem nas gallai ei datrys at John yr elai i drafod cyn gweithredu.

Yr oedd John yn gymwynaswr da a phan gafodd un o'i gymdogion ei gyhuddo o drosedd ddifrifol a neb i'w amddiffyn yn y llys, ddim hyd yn oed aelod o'i deulu ei hun, fe drefnodd John i gael cyfreithiwr am y credai fod y cyfaill wedi ei gyhuddo ar gam. Eisteddodd John yn y llys yn gwrando'r achos a chafodd y diffynnydd ei ryddhau, er i Gadeirydd y Fainc amau yn gyhoeddus ei ddieuogrwydd. Mynnodd John fod yr achos yn cael ail wrandawiad mewn llys uwch a bu'n rhaid i'r Cadeirydd ailystyried ei eiriau oherwydd didwylledd a phenderfyniad John Evans. Yn dilyn yr ail achos, rhyddhawyd y diffynnydd heb staen ar ei gymeriad a darganfu'r awdurdodau mai un arall o'r teulu oedd yn euog o'r drosedd.

Bu farw John ar 29 Awst, 1881 yn saith deg dau mlwydd oed a chafodd ei gladdu ym Mynwent Eglwys Llanfaethlu. Yr oedd yr orymdaith angladdol yn ymestyn yr holl ffordd o Lanfair-yng-Nghornwy i Lanfaethlu.

Plant John ac Elizabeth

Merch i John ac Elizabeth oedd **Catherine**, priod Richard Jones Owen, Garn, Llanfair-yng-Nghornwy a'u plant hwy oedd Y Parchedig John Owen, ficer Bryncroes, sir Gaernarfon; Mary, Richard Owen, William Owen, Elizabeth, Owen Owen, Arabella, Hugh Owen, Robert Owen, Evan Jones, Lamia, Bodedern, oedd yn feddyg esgyrn, a Thomas Owen.

Mab John ac Elizabeth oedd **William** – dynwaredwr da yn efelychu pregethwyr enwog ei gyfnod, a'i frawd **Richard** neu Richard Evans, Penygraig i'w gydnabod, gŵr Mary Thomas, Tŷ Newydd, Swtan, Llanfaethlu. Fel ei gyndeidiau, yr oedd Richard yn ffermwr llewyrchus; yn gymydog da ac yn ŵr crefyddol. Er mai Methodist ydoedd yn y bôn, i Gapel Bedyddwyr Rhydwyn oedd Richard yn mynd am mai Bedyddwraig oedd ei wraig ac yn y capel hwnnw y'i codwyd yn flaenor. Fel eraill o'r teulu yr oedd yn berchen y ddawn i ailosod esgyrn. Bu farw ar 4 Mai, 1929 yn saith deg pedwar mlwydd oed.

* * *

Ail ferch Richard Evans, Cilmaenan oedd **Elizabeth**, priod Richard Williams, ac aelod arall o'r teulu oedd yn feddyges adnabyddus. Galwyd arni i lys barn i roi tystiolaeth mewn achos lle'r oedd merch wedi torri ei braich ond bod gallu Elizabeth yn cael ei amau. Safodd o flaen y llys a gofyn i bawb oedd yn bresennol a oedd yno rywun yr oedd hi wedi methu â'u gwella. Bu'n rhaid i bawb gydnabod ei gallu anhygoel.

Fe fu Elizabeth, ar un adeg, yn ddyweddi i feddyg lleol ond torrwyd y cytundeb i briodi ganddi hi, yn ôl pob sôn. Os oedd yn cael ei digio a'i thramgwyddo, nid oedd yn gallu gweld y ffordd yn glir i faddau – nodwedd

Teulu Margaret Evans, Cilmaenan

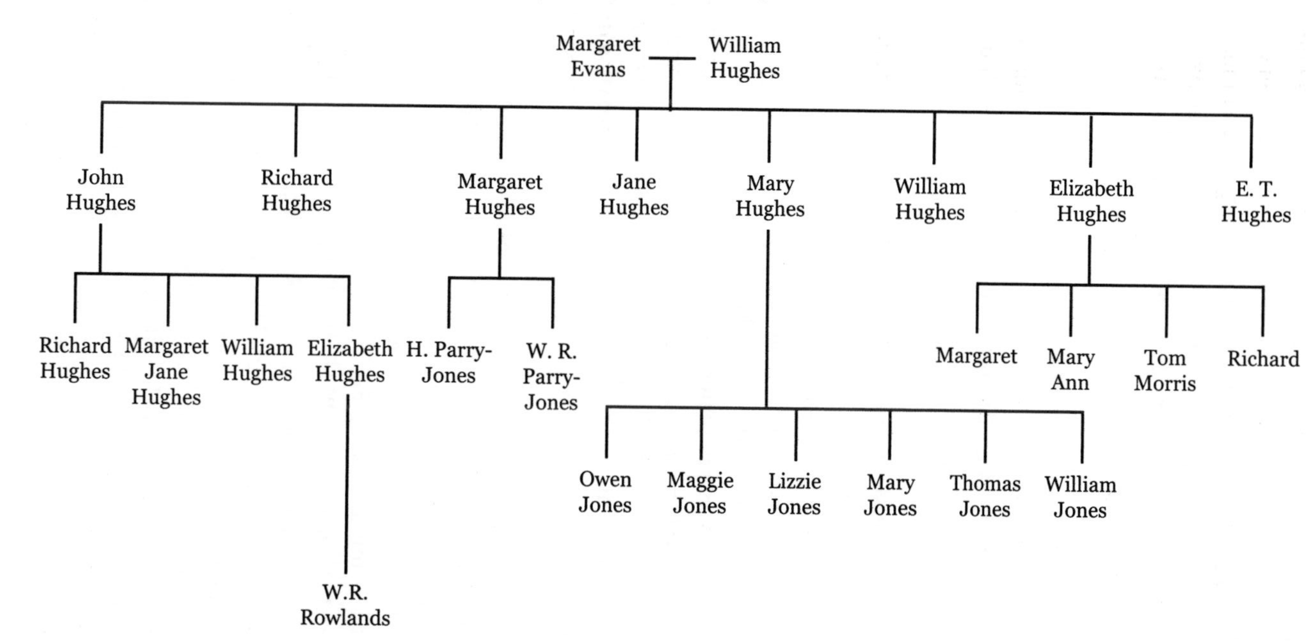

gyffredin yn ei theulu. Priododd Richard Williams, mab Cae Llwyd. Buont yn byw yn Llawr Tyddyn a magu pedwar o blant. Un o'r genethod oedd Elizabeth a ddysgodd sgiliau meddyg esgyrn wrth wylio'i nain, drwy dwll ym mhared y gegin, yn ymarfer y grefft. Ei phriod hi oedd John Bulkeley Owen, Fron Deg, Caergeiliog. Buont yn byw yn Trygarn House, Llanfachraeth a chawsant chwech o blant – Bessie, Emma, Margaret, Teddy, John a Mary.

Pedwaredd merch Cilmaenan oedd **Margaret**, priod William Hughes, Tan'rallt, Llanfachraeth. Yr oedd hithau yn enwog fel meddyges esgyrn ac ar ei marwolaeth ar 13 Mawrth, 1866 yn chwe deg pump mlwydd oed, ysgrifennodd y bardd Glan Alaw deyrnged iddi:

> Yma y gorwedd gwraig ddoeth rinweddol,
> A fu yn addurn fel mam ddefnyddiol, –
> Ddygai ddiysgog sêl Gristnogol:
> Ow! Fe ddygwyd gem feddygol
> I rai ysig oedd o werth amhrisiol –
> Oesau hir Meistres Hughes o'i hôl-a-gofir,
> Â'i henw unir bri anwahanol.

Magodd wyth o blant ac yn y Beibl Teuluol cofnodwyd dyddiadau a digwyddiadau pwysig y teulu:

> Amser y bu Wm. Hughes, Tan'rallt farw Meh. 17, 1860 yn 59 oed.
> Margaret Hughes, ei wraig, a fu farw Mawrth 13, 1866, yn 65 oed.
> Amser genedigaeth plant William a Margaret Hughes, Tan'rallt.
> John Hughes, a aned Chwefror 19, 1828, ac a fu farw Ion. 28, 1913.
> Richard E Hughes, a aned Ebrill 10, 1829, ac a fu farw Gorff. 13, 1860.
> Margaret Hughes, a aned Rhag. 16, 1830, ac a fu farw yn fis oed.
> Margaret Hughes, a aned Ebrill 22, 1832, a'i chladdu yn Rhiwabon.
> Jane Hughes, Mynydd Adda, a aned Hyd. 18, 1834, ac a fu farw Ion. 21, 1856.
> May Hughes, Mynydd Adda, a aned Medi 3, 1836.
> William Hughes, a aned Meh. 20, 1838.
> Elizabeth Hughes, a aned Meh. 10, 1840, ac a fu farw Rhag. 30, 1913.
> Evan Thomas Hughes, a aned Mawrth 30, 1843, ac a fu farw Ion. 21, 1902.

Heb drysor o'r fath byddai llawer o fanylion y teulu wedi eu colli.

Teulu Ewyrth Sam

Os oedd y dynfa i Lerpwl yn un gryf, yr oedd y dynfa i ogledd America yn gryfach i rai. Yno y byddai Evan Thomas, mab hynaf Cilmaenan, wedi diweddu ei oes oni bai fod ei arian yn brin ac na allai fforddio prynu tocyn ac felly bu'n rhaid iddo aros yn Lerpwl; ond fe aeth rhai o'r teulu un cam ymhellach a chroesi'r Iwerydd i dalaith Wisconsin, UDA.

Talaith yn y Canol Gorllewinol, UDA yw Wisconsin, yn ardal y Llynnoedd Mawr. O'i chwmpas mae taleithiau Minnesota, Iowa ac Illinois. I'r dwyrain mae Llyn Michigan, a Llyn Superior i'r gogledd. Y brifddinas yw Madison a'r fwyaf o ran maint yw Milwaukee. Daw enw'r dalaith o iaith frodorol llwyth yr Algonquin.

Cafodd llawer o ymfudwyr Ewropeaidd eu denu i'r dalaith oherwydd ansawdd da'r tir ac yn ôl rhai llythyrwyr, Wisconsin oedd y lle delfrydol. Yr oedd y manteision o fyw yno yn cynnwys talaith iach, digon o ddŵr glân, aer pur a hinsawdd gymedrol; gweithfeydd copr a phlwm; gellid prynu tir am ddoler a hanner yr acer, gallai dyn yn hawdd gadw cant o fuchod gan fod digonedd o wair a phorfa ar eu cyfer ac nid oedd angen talu rhent am dir y paith (glaswelltir a gweundir); cyfraith a threfn (doedd y gosb am ladd Gwyddel ddim yn drom iawn!); parch i'r Sul; llawer o grefftwyr, teuluoedd gweithgar; cyflog o 2/3 y dydd i labrwyr a bwyd a llety am hanner hynny; neb yn cardota a rhyddid crefyddol.

Yr anfanteision oedd fod arian yn brin a llawer o fanciau yn mynd yn fethdalwyr yn aml; ffyrdd gwael a'r gred bod y Mormoniaid yn warth ar ddynoliaeth am eu bod yn credu mewn amlwreiciaeth!

Yn yr ardaloedd gwledig y byddai'r Cymry yn ymsefydlu, yn ddigon pell oddi wrth y Gwyddelod, y Saeson ac Americanwyr yr arfordir dwyreiniol. Y blynyddoedd rhwng 1840 a 1890 oedd cyfnod yr 'Ymfudo Mawr' i'r Cymry a'r niferoedd mwyaf yn cyrraedd rhwng 1850 a 1860. Ardal Genessee yn sir Waukesha, yn ne-ddwyrain y dalaith oedd y brif atynfa am mai yno oedd y tir amaeth gorau. Ond erbyn diwedd y bedwaredd ganrif ar bymtheg yr oedd amaethu dwys wedi difetha ffrwythlondeb y pridd a'r coedwigoedd wedi'u diddymu yn llwyr fel y bu'n rhaid troi at ddulliau eraill o amaethu. O'r 1890au ymlaen bu newid o dyfu gwenith a grawn i gadw gwartheg a chynhyrchu llaeth, menyn a chaws.

Un o siroedd de-ddwyrain Wisconsin yw Waukesha ac yno yr aeth

Teulu America

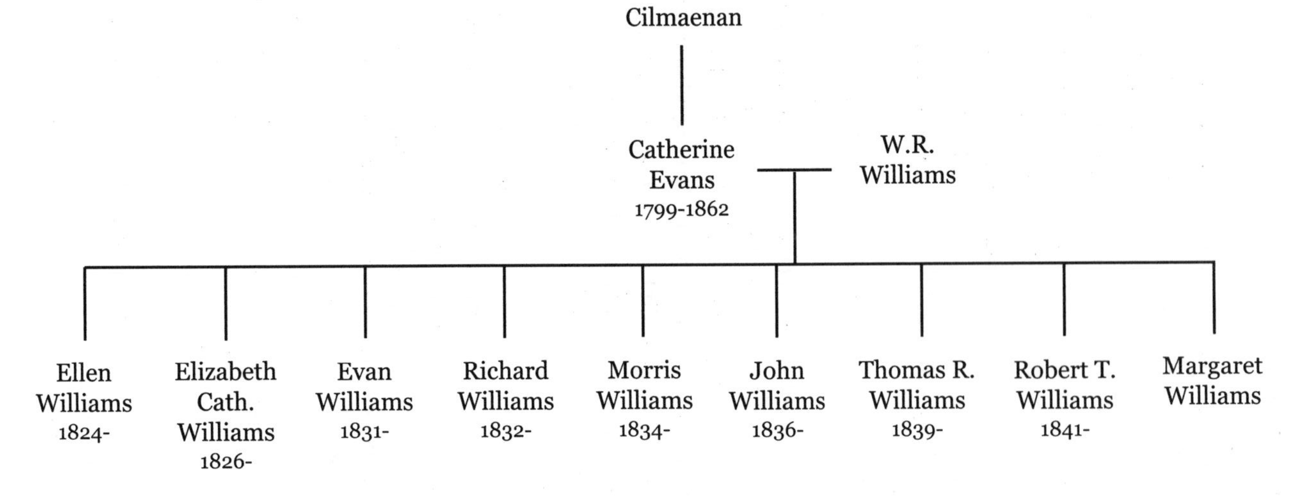

Catherine, trydydd plentyn Cilmaenan a merch hyna'r teulu. Yr oedd yn briod â William Robert Williams, Hen Ysgol, Llanfaethlu. Wedi cyfnod yn ffermio Ysguborleinw, ar 24 Hydref, 1821 cododd y ddau eu pac am Waukesha yn Wisconsin. Mae'n siŵr iddynt ddilyn yr un llwybr â llaweroedd a wnaeth y daith o'u blaen drwy ddal llong o Lerpwl i Efrog Newydd, yna cwch i fyny'r Afon Hudson i Albany; ar Gamlas Erie cyn belled â Buffalo cyn mynd ymlaen i ardal y Llynnoedd Mawrion a Milwaukee a chwblhau'r cymal olaf mewn gwagen yn cael ei thynnu gan ychen i Praireville, a ailenwyd yn Waukesha.

Ganwyd iddynt naw o blant, rhai yn Waukesha, eraill yn Winnebago, gan milltir i'r gogledd i le y symudodd y teulu yn 1846. Mesurydd tir oedd William a phan welodd ddarn da o dir yn Oshkosh ar werth symudodd y teulu yno i fferm 160 erw.

Bu farw Catherine ar 12 Medi, 1862 yn chwe deg tri mlwydd oed. Codwyd carreg iddi ym Mynwent Eglwys Llanfaethlu.

Ffarweliodd, ni ddaw yma,
Mwy fyth o blith y byw,
Ffarwel iddi, cysged ronyn,
Oni chano utgorn Duw.

Aros yn UDA wnaeth rhai o blant Catherine a William Williams:
Elizabeth Catherine (g. 26 Medi, 1826) a gladdwyd yn Wales, Wisconsin;
Evan (g. 13 Tachwedd, 1839) priod Anna C. Roberts. Bu'r ddau'n byw yn St Paul, Minesota lle magwyd teulu o bump yn cynnwys athrawon a meddygon.
Robert Thomas Williams (g.10 Medi, 1841) oedd yr ieuengaf a'r unig un o blant Catherine a William Robert i droi at feddygaeth i ennill ei damaid. Graddiodd o Brifysgol Randolph, Wisconsin fel meddyg trwyddedig. Gallai ailosod esgyrn hefyd. Priododd â Jane Edwards, Bryngolau, Oshkosh, Wisconsin a bu farw yn 1891 yn hanner cant oed. Gadawodd dair merch a mab: Catherine, Beth, Ervadud, Mollie a Jennie.
Deuddeg oed oedd **Thomas Robert Williams** (g. 16 Mai, 1839) pan aeth i'r môr fel *cabin boy*. Cafodd ei ddyrchafu'n fêt ymhen amser cyn ei apwyntio yn brif amserydd (*time-keeper*) yng Ngorsaf Reilffordd Caergybi yn sir enedigol ei rieni, Catherine a William Williams. Yn chwech ar hugain oed, cafodd swydd ar gychod y Llynnoedd Mawr ac yn 1868 gweithiai fel clerc i Gwmni Rheilffordd Milwaukee & St Paul, swydd y bu ynddi hyd ei farwolaeth.

Yr oedd Thomas Robert yn feddyg esgyrn hefyd ac roedd gan ei gymuned fwy o ffydd yn ei allu ef nag yn y meddygon trwyddedig. Galwyd am ei wasanaeth gan ŵr cyfoethog wedi iddo syrthio o ben coeden a thaflu ei ysgwydd o'i lle. Methiant fu ymgais pob meddyg i'w hailosod ond llwyddodd Thomas Robert i wneud hynny'n hollol ddidrafferth. Cynigiwyd arian mawr iddo am ei gymwynas ond gwrthododd. Gwell oedd ganddo ganolbwyntio ar ei swydd bob dydd a phlesera ym myd cerddoriaeth. Yr oedd yn berchen ar lais tenor da ac yn arfer canu efo'r plant mewn cyfarfodydd cyhoeddus. Bu farw ar 14 Ionawr, 1910 yng nghartref Mrs Daniel Davies yn Milwaukee a'i gladdu ym Mynwent y Mound yn Racine.

Yr oedd pump arall yn y teulu:
Richard, Margaret, Ellen, Morris a John.

Plant Evan Williams
Ganwyd pump o blant i Evan Williams (mab Catherine) a'i wraig:
Dr William R., Jennie, Thomas, Laura a Catherine.

Yr oedd gallu cynhenid y teulu yn amlygu ei hun i raddau ym mhob cenhedlaeth o deulu'r Maes. Efallai nad oedd pawb yn defnyddio'r doniau hynny i'r un graddau ond mewn cyfnod pan oedd addysg feddygol a chymhwyso fel meddyg teulu yn ddewis galwedigaethol i lawer mwy, yr oedd sawl un â diddordeb ym maes meddygaeth a dyna fu dewis **William Robert**, trydydd mab a phedwerydd plentyn Thomas.

Ganwyd William Robert Williams yn Watertown, Wisconsin yn 1867. Cafodd ei addysgu yn y Public High School, St Paul, Minesota cyn graddio yn BA yn 1889 a MA yn 1892 o Goleg William, Williamstown, Massachusetts. Yn 1895 graddiodd o Goleg y Physegwyr a Llawfeddygon, Adran Feddygaeth, Coleg Columbus, Efrog Newydd a'i dderbyn yn gymrawd o Gymdeithas Feddygol America. Gweithiodd fel meddyg arbenigol ond nid oedd yn galw'i hun yn feddyg esgyrn:

> As for me I bear the same name as my grandfather and practise internal medicine. I fear that the talent [o fod yn feddyg esgyrn] has lapsed in this country. My grandfather was William Robert Williams. He left Holyhead about 1820. I had an uncle named Rob who was a regular physician in general practice. Alexander L. Williams, my cousin, is a regular physician and lives in Racine, Wisconsin.

Teulu Anne Evans, Cilmaenan

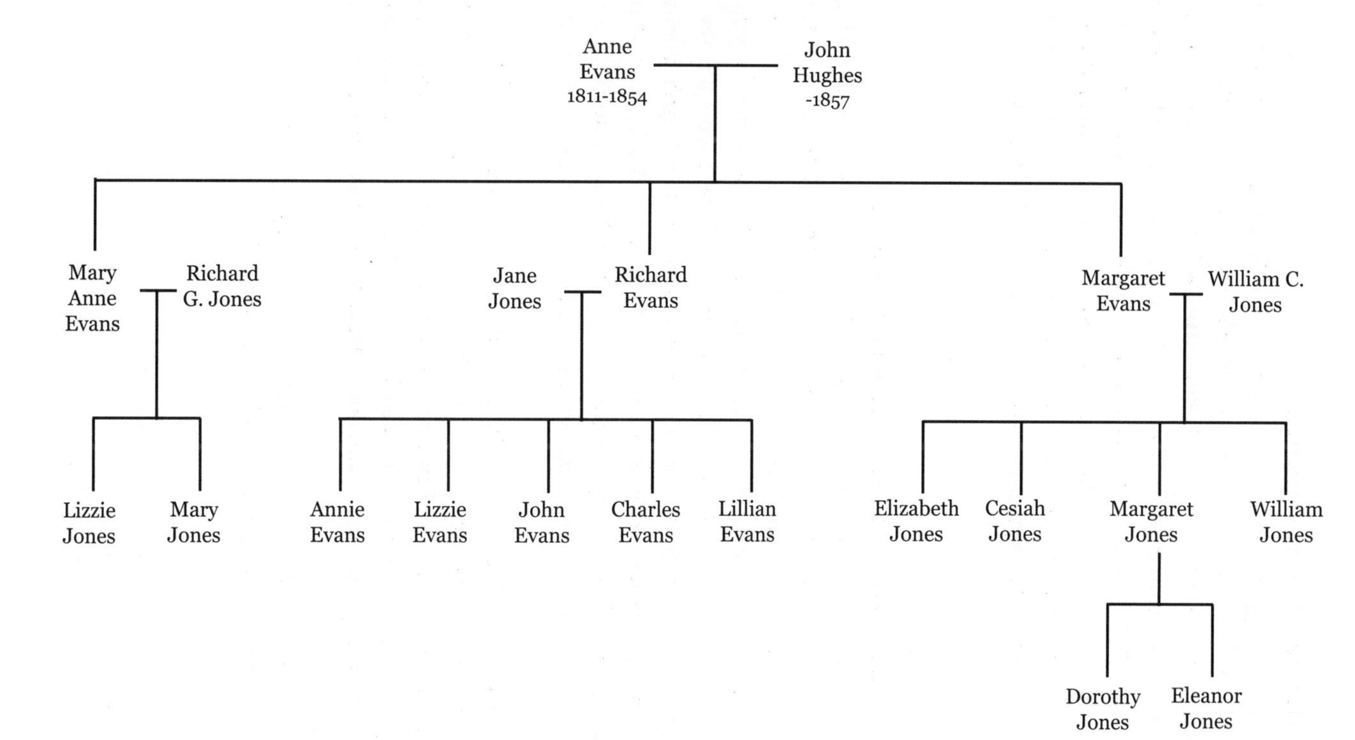

Plant Thomas Robert Williams

Yn enwau plant teulu Thomas Robert Williams gwelir y dylanwad Americanaidd yn dod i'r amlwg ac ambell enw bedydd dieithr i'r glust Gymreig yn cael eu rhoi ar y plant: **Priscilla**; **William Robert** – oedd yn ganwr da; **Alexander** – meddyg trwyddedig efo gradd MD o Brifysgol Racine ac a fu'n Swyddog Iechyd yn y dref. (Yr oedd i Alexander ddau o blant: **Boyce** oedd yn athro coleg yn Delava, Wisconsin, a **Catherine**); **Janette; Elon** – gweithiwr i'r *American Railway Clearing Association* yn Chicago; **Edna** ac **Elizabeth** – athrawes ysgol yn Plainsfield, Wisconsin.

* * *

Anne Evans, ail ferch Richard Evans, Cilmaenan

I Anne y syrthiodd y fraint o fod y gyntaf i'w bedyddio yng Nghapel Methodistaidd Llanrhuddlad gan John Elias ym Mehefin 1811. Tyfodd i fod yn feddyges dda. Priododd John Hughes, Tŷ'n Cae, Llanfwrog a chroesi'r Iwerydd yn 1844. Buont yn byw yn Tan'rallt, Wales, Wisconsin cyn prynu tir yn Genesee, Bethesda, Wisconsin. Codwyd tŷ newydd yno a'i alw yn Cilmaenan. Yno sefydlodd Anne a John Ysgol Sul. Yng Nghilmaenan y sefydlwyd capel cyntaf yr ardal ac yno ar ddydd Sul, 3 Gorffennaf, 1846 y clywyd y bregeth Gymraeg gyntaf gan y Parchedig William Jones.

Bu farw Anne yn 1854 a John yn 1867. Gadawsant ddwy ferch a mab o'u hôl:

Mary Anne, priod Richard G. Jones o Ddyffryn Ceiriog yn wreiddiol ond wedi ymfudo i Oshkosh yn 1854. Yr oedd Mary Anne yn feddyges hunanfeddiannol iawn yng ngwyneb damweiniau difrifol ac yr oedd yn dda gan y gymuned ei phresenoldeb i dendio'r cleifion ar sawl achlysur ac am ei gallu i ailosod esgyrn plant. Bu farw ar 7 Mawrth, 1894 a gadael dwy ferch – Lizzie a Mary.

Margaret – priod William C. Jones, saer coed, yn byw yn Chicago.

Richard – priod Jane Jones ac yn byw yn North Dakota.

V

Boncyff

Dilyn eu tad a'u taid fel meddygon esgyrn wnaeth plant Cilmaenan, Llanfaethlu i wahanol raddau. Aeth dwy chwaer i UDA fel y soniwyd yn y bennod flaenorol; aeth un o'r brodyr (Evan Thomas) i Lerpwl ac aeth y cyfan â'r teulu gam yn agosach i enwogrwydd. Ohonynt i gyd, efallai mai'r enwocaf fu Evan Thomas, mab Richard Evans, Cilmaenan, Llanfaethlu a phan grybwyllir 'Meddygon Esgyrn Môn', ei enw ef sydd ar y brig.

Mab hynaf Cilmaenan oedd Evan a aned yn 1804 ac a fedyddiwyd â'r un enw a'i daid ar 27 Gorffennaf y flwyddyn honno. Fe'i prentisiwyd yn feddyg esgyrn efo'i dad a gwnaeth enw da iddo'i hun ym Môn fel meddyg esgyrn, ond yr oedd cenfigen yn bwyta ambell feddyg trwyddedig yn fyw a bu ei lwyddiant yn achos helbulon iddo gydol ei yrfa. Daeth mab fferm o Lannerch-y-medd ato a briw mor fawr ar ei droed fel na allai wisgo esgid ond llwyddodd Evan i'w wella mewn byr amser. Efallai mai oherwydd achos o'r fath y derbyniodd lythyr dienw cas (credir mai meddyg lleol oedd yr awdur):

> Sir,
> I am requested to inform you that your certificate will not answer and the man will lose his Club money if he will not get a certificate from a qualified man. Hoping that you can make a better case of him than you did of John Williams' child and Wm. Roberts and many more I can tell you. But the list will be published soon as a monument of surgical ignorance ... it is quite a folly for you to try and make a fool of us.

Nid oedd Evan yn ymddangos fel petai'n malio am eiriau o'r fath – ymddengys ei fod yn gwybod pwy oedd yr awdur – ac ysgrifennodd mewn llythrennau breision ar draws y dudalen:

> This puppy was an assistant with Jones who was no doubt the inspirer of it, but as he can hardly write his name some other blunderer helped him.

Cafodd Evan ambell helbul carwriaethol, a grybwyllwyd gan ei dad mewn llythyrau o Gilmaenan i Lerpwl:

> Cilmaenan. Medi 12, 1832
>
> Mae d'ewythr yn holi a wyt a dy fryd ar briodi eto? Nid yw am i ti syrthio mewn cariad a gormodedd o ferched.
>
> Cilmaenan. Ionawr 31, 1833
>
> Fy annwyl fab,
> Bu d'ewythr yma heddiw. Gobeithia dy fod a'th fryd ar briodi merch Hugh Owen. Oes yna ddealltwriaeth rhyngddoch? Os oes, paid â thorri'r dyweddiad. Teimlad d'ewyrth yw fod dwy neu dair gennyt ar dy ddwylo. Gobeithio yn arw nad yw hyn yn wir ond yr wyt yn ein cadw yn y dirgel. Mae d'ewythr yn ffafrio'r ferch leol. Efo hi y treuliaist bob nos pan oeddyt gartref. Gobeithio y gwnei yn iawn â hi a pheidio creu drwg deimlad. Ti yn unig sy'n gwybod sut mae pethau rhyngddoch. Rhyngot ti a dy gydwybod, a Duw.
>
> ... Dywedodd rhywun wrth dy frawd ei bod wedi diflasu am nad wyt yn driw iddi. Unwaith eto, dywedaf wrthyt am gadw gwmpeini ag un yn unig a dyna air Duw hefyd. Dal at y pethau hyn ac astudia'r Beibl hefyd – ynddo y cei gyngor ar bopeth.

Priododd Evan â Jane Ellis, merch Hugh Owen, Tŷ'n Llan, Bodedern yn 1833. Ganwyd iddynt bum mab a dwy ferch. Bu farw Jane yn 1848 a'i chladdu ym Mynwent Wallasey.

Fel ei fywyd carwriaethol cyn priodi, digon helbulus fu bywyd Evan Thomas wedyn hefyd. Yn 1851, bu farw ei dad a phrynodd Evan Blas Llynnon, Llanddeusant efo'r bwriad o ailsefydlu ei wreiddiau ym Môn ond bu iddo ffraeo â rhai o'i gymdogion. Ceisiodd godi tŷ ar Gomin Tywyn y Llyn yn Llanfaelog ond yr oedd y boblogaeth leol yn wrthwynebus iawn i'w gynlluniau (gweler isod).

Pan oedd yn ifanc, yr oedd Evan a'i fryd ar ddilyn ei chwaer Catherine dros yr Iwerydd i UDA ac yn 1831 cerddodd y can milltir o Lanfaethlu i Lerpwl, ond wedi cyrraedd yno, sylweddolodd nad oedd ganddo ddigon o arian i brynu tocyn iddo'i hun. Gorfu iddo droi ei law at waith yn ffowndri haearn y Brodyr Forrester & Co. yn Vauxhall, ar y gyffordd rhwng Stryd Banastre a Stryd Midghall, lle cynhyrchwyd casiau pres i ffrwydron ar gyfer y fyddin. Oherwydd natur y gwaith, yr oedd damweiniau yn digwydd yn aml a chafodd Evan sawl cyfle i amlygu ei ddawn fel meddyg esgyrn. Un bychan o gorffolaeth oedd Evan a cheisiodd sawl un gymryd mantais ohono yn y ffowndri ond cymerodd un Gwyddel ofal tadol o Evan a'i amddiffyn a'i arbed rhag cam. Talodd Evan y gymwynas yn ôl drwy roi gofal meddygol i'r Gwyddelod ac anaml y byddai'n mynd i un o'r cartrefi heb ryw anrheg fechan i'r teulu a byddent hwythau, er eu tlodi, yn siŵr o roi cildwrn iddo yntau. Yr oedd y ffaith fod ei gydweithwyr wedi ymddiried cymaint ynddo yn galondid mawr i Evan a mentrodd agor meddygfa iddo'i hun fel Meddyg Esgyrn. Symudodd allan o dŷ Mali Bach yn Stryd Fazackerley i 82 Stryd Crosshall, lle yr adeiladodd feddygfa newydd. Sefydlodd ail feddygfa yn 3 Stryd Crosshall hefyd a chan fod y ddinas yn prysur dyfu a datblygu, yr oedd damweiniau lu angen sylw ac am gymorth Evan y gofynnwyd ran amlaf. Teithiai cleifion o bell ac agos i chwilio am feddyginiaethau ganddo ac nid oedd gweld deugain, trigain neu hyd yn oed bedwar ugain yn y feddygfa mewn diwrnod yn olygfa ddieithr.

Yr oedd ei dad yn bur bryderus amdano yn y ddinas ac anfonai ambell gyngor i Evan mewn llythyrau o Gilmaenan.

Cilmaenan. Ionawr 30, 1832

Fy annwyl fab,

Buddiol fyddai i ti holi os yw yn angenrheidiol i fynd at y Maer a'i peidio. Os yn ryddfreiniwr o'r ddinas, yna fydd dim raid ond efallai y caniateir i ti roi arwydd i fyny tu allan i derfynau'r dref.

Y claf cyntaf iddo'i drin oedd bachgen ifanc oedd wedi taflu pelen ei ben-glin o'i le. Ar awgrym morwyn y cartref aed ag ef at fab Richard Evans, gan y gwyddai y byddai Evan yn sicr o allu gwella'r bachgen mewn byr amser ac felly y bu. Derbyniodd Evan dri swllt a chwe cheiniog am ei waith a chadwodd yr arian yn ofalus gan nad oedd ganddo fawr i'w enw ei hun a digon 'chydig o gynhaliaeth oedd yn ei dderbyn o law ei dad. Nid oedd yn rhan o natur Evan i ofyn am ychwaneg. Byddai'n codi tâl ar y sawl oedd yn gallu fforddio talu ond byddai'r tlodion yn cael rhoi o fewn eu gallu. Unwaith, daeth aelod o deulu Dug Westminster, a pherthynas i W. E. Gladstone, at Evan am driniaeth mewn dillad mor flêr fel na sylweddolodd y meddyg pwy ydoedd. Cododd 10/- ar y claf am y driniaeth ond gwnaeth gymaint o argraff ar hwnnw fel iddo ddychwelyd ymhen tridiau efo £3 ychwanegol.

Cafwyd sawl disgrifiad gwahanol o Evan ac anodd yw llunio darlun cyflawn ohono yn y meddwl. I ambell un yr oedd yn ymddangos yn gymeriad llawn direidi. I eraill roedd yn gymeriad distaw, cyndyn, heb arlliw o hiwmor yn perthyn iddo. Yr oedd ei feistrolaeth o Saesneg yn wan ac o'r herwydd ymddangosai yn sychlyd am na fyddai'n cynnal sgwrs â'i gleifion di-Gymraeg. Rhyfeddol yw meddwl fod un oedd yn bwyllog, yn drefnus tu hwnt, braidd yn drwynsur a thawel – heb wên ar ei wyneb, a'i feddygfa yn adeilad diaddurn a dilewyrch, wedi bod mor llwyddiannus. Yr oedd Evan yn ddigon ymwybodol o'i ffaeleddau ond rhag ofn i'r cyhoedd fod dan gamargraff amdano, credai mewn hysbysebu ei hun a'i wasanaeth a rhoi cyfarwyddyd manwl ar y daflen ynglŷn â sut i ddarganfod ei feddygfa:

Evan Thomas
Bone-setter.
No. 3 Great Crosshall Street,
(Third door from Chapel.)
LIVERPOOL
Respectfully informs his friends and the Public,
that from the extensive practical experience
he has had for about twenty years,
he can refer to a number of persons,
both in this town and the Principality,
who have experienced his successful treatment
of several desperate cases of Fractured and dislocated bones;
and begs to assure those who may require his services,
that they shall meet with the utmost care and attention.
Evan Thomas has had the advantage of the instructions
of his Father, Mr Richard E. Thomas, of Cilmaenan, Anglesey
who is well known in the Principality as an eminent Bone Setter
as was his late Grand-father, Mr Evan Thomas of Maes.

Yn ystod ei gyfnod yn gweithio yn Ffowndri Vauxhall yr oedd Evan wedi caledu a gwydnu ac fel gweddill ei deulu nid oedd yn teimlo poen. I rai wedi arfer ag aml gnoc, mae'r lefel uchaf o boen a allent ei oddef yn uwch nag ydyw i rywun sydd heb gael yr un profiadau. Efallai i Evan weld hynny yn nodwedd hollol naturiol ynddo'i hun a disgwyliai i bawb arall fod yr un fath, ond nid pawb allai wrthsefyll poen fel ag y gwnâi o ac felly, i dynnu sylw'r cleifion pan fyddent dan driniaeth, byddai yn defnyddio sŵn swynol y *music box* i dynnu eu sylw. Y gwas fyddai wedi weindio'r bocs fel ei fod yn canu pan oedd y driniaeth ar fin dechrau. Yn anffodus, nid oedd hyn yn gweithio bob amser a phan fyddai'n rhaid troi at gynllun arall i dynnu sylw yr oedd gan Evan barot neu ddau yn sgrechian i foddi sŵn gwingo'r cleifion!

Deuai pobl o bob cyfeiriad at Evan a thyfodd y gofrestr cleifion yn un drwchus iawn. Rhyfeddu at hyn oedd ei gyd-feddygon cofrestredig yn Lerpwl ond gydag amser gwelwyd cenfigen yn amlygu ei hun. Yn 1858 daeth y Gofrestr Feddygol i fodolaeth pryd oedd rheidrwydd i bob meddyg gofrestru, ond gan nad oedd Evan yn berchen ar y cymwysterau angenrheidiol, nid oedd ei enw ef ymysg y rhai oedd ar y rhestr. Parhau â'i waith wnaeth Evan a'r galw am ei wasanaeth yn cynyddu bob wythnos. Dechreuodd meddygon eraill ei fychanu a'i alw yn gwac. Perswadiwyd rhai o'i gleifion i ddwyn achos llys yn ei erbyn ar gyhuddiadau o gamymddygiad a gorfu iddo ymddangos o flaen ei well i amddiffyn ei hun sawl gwaith. 'Dieuog' fu'r dyfarniad bob tro. Credai Syr Robert Jones fod hyn yn arwydd o'i dalent fel meddyg esgyrn ac o'i ofal o'r cleifion:

> Evan Thomas was conservative and never attempted to bring about a motion by forcible manipulation. His cases consisted largley of recent accidents, such as fractures and dislocations, and of chronic diseases of the joints and bone. He was very skilful in reducing dislocations and rarely used anaesthetic, and that his treatment of Pott's fracture was much in advance of that of his contemporaries. He was mechanical and ingenious, with an accurate eye for form.
>
> Sprains and painful joints he treated by a moderate degree of rest effected by successive layers of pitch plaster which assumed the rigidity of cardboard. He did not hesitate to use pulleys for the reduction of fractures, which he treated, when length and symmetry had been restored, by well padded splints. His reputation was from time to time enhanced by his success in saving limbs, usually compound fractures which had been condemned to amputation.

Phoenodd Evan nemor ddim amdano'i hun na'r criw meddygon oedd i'w gweld yn milwriaethu yn ei erbyn ond yr oedd yn ymwybodol iawn o'r ffaith fod ei feibion wedi etifeddu ei ddoniau ac y gallent hwy ddioddef oherwydd ymddygiad meddygon cofrestredig pe baent am ddilyn yr un yrfa â'u tad. Mynnodd fod y pump ohonynt yn hyfforddi fel meddygon fel na fyddent yn gorfod dioddef dirmyg a darostyngiadau fel ag y bu raid iddo ef eu dioddef.

Yr oedd ei gonsyrn am ddyfodol ei feibion yn fawr, yn arbennig pan ymddangosodd yn y llys ar gyhuddiad difrifol o ddynladdiad. 'Dieuog' oedd y dyfarniad unwaith yn rhagor, a phan gyrhaeddodd yn ôl i'w gartref yn Seacombe ar y fferi, yr oedd tyrfa fawr yn aros amdano a band pres yn chwarae '*See the Conquering Hero Comes*', a chafodd ei gario ar ysgwyddau'r dorf i'w goets.

Bu Evan Thomas yn arwr i lawer un o dlodion Lerpwl. Yr oedd ganddynt feddwl y byd ohono a phleser iddynt oedd darllen adroddiad yn y *Liverpool Mercury*, mewn dwy golofn hir, am gyfarfod a gynhaliwyd yn Nhafarn y Bull, Stryd Dale, Lerpwl ar nos Fawrth, 22 Awst, 1854 i dalu teyrnged ac i anrhegu Evan am ei wasanaeth. Eisteddodd bron i hanner cant o bwysigion i ginio ac yn eu mysg Evan a'i feibion Hugh, Richard ac Evan yr ieuengaf. Wedi'r wledd cafwyd llwncdestun i'r Frenhines, y Tywysog Albert, y Fyddin a'r Llynges. Atgoffwyd pawb gan gadeirydd y noson – Mr W. B. Jones, fod miloedd o'u cydwladwyr wedi gadael am y Crimea a chafwyd llwncdestun arall i'r Lluoedd Arfog ac un i faer a Chyngor Tref Lerpwl. Cyflwynwyd prif westai'r noson a'i anrhegu â thysteb am ei allu fel meddyg esgyrn. Cyfeiriwyd at sawl achos o gleifion, rai ohonynt ar farw, oedd wedi eu hadfer i lawn iechyd gan Evan Thomas.

Cyflwynwyd tysteb iddo, wedi ei hysgrifennu ar felwm – gwaith Mr Phipps, ac wedi ei fframio mewn ffrâm wedi ei goreuro:

> *TO MR EVAN THOMAS*
>
> We beg with unfeigned pleasure to congratulate you on the high professional position that you have attained in the town of Liverpool. During the long period of 23 years you have practised in the town, you have deservedly merited and secured the good wishes of a large number of the inhabitants, not only for skill unparalleled in your profession, but also for uniform kindness and urbanity to patients. When, on a recent

occasion, an attempt was made to impugn your professional reputation, we saw with good satisfaction the failure of the attempt and rejoiced at the triumphant manner in which your great attainments were vindicated and placed upon a still firmer and more satisfied basis.

Permit then, dear sir, your friends, amongst whom are many who have received the advantage of your skill, to offer to you our acceptance, as a token of the high esteem in which you are held, the accompanying portrait of yourself, service of plate and gold watch, a gift of slight value in comparison with the great service you have rendered to mankind. That every blessing which this world can afford you may be vouchsafed to you and that you may long be spared to enjoy them, is the fervent hope of your sincere friends and admirers.

Liverpool 22nd August, 1854

Gwaith Mr F. Smith, gof arian, oedd y llestri a gwaith yr arlunydd Richard Woodfall o Kirkdale oedd y portread a gyflwynwyd iddo.

Cafwyd llwncdestun i Evan Thomas, banllefau swnllyd ac eitemau cerddorol i ddilyn. Cyfarchwyd y gŵr gwadd ar gân o waith Mr Lewis Edwards (Llywelyn Twrog):

Dedwydd fraint yw cael dydd o fri
Gŵr enwog i'w goroni!
Evan Thomas addas yw
Nodedig un-daid ydyw.
Galluog feddyg llawen
Mawr iawn barch i Gymru'n ben.
I dynnu loes doniawl yw,
Ag adnebydd coesau ydyw;
Cu ŵr ffel i graff ei olwg,
A wna drefn ar esgyrn drwg.
Hardd a phur dda offeryn
A gallu doeth yn gwellau dyn:
O dan ei ofid un afiach
Ddwg yn ôl yn ddigon iach.

I'w alluoedd gwell Awen – i'n hen oesau
Iddo gweinyddon yn ddigon addlen;
A chludai'r wlad ei chlodydd
I'r gŵr da tra gwawria dydd.

Wedi cymeradwyaeth uchel am rai munudau, cododd y gŵr gwadd ar ei draed i ymateb ac meddai:

> Mr Chairman, vice-chairman, and gentlemen, I beg to return you my most grateful thanks for the very handsome manner in which you have shown, on this occasion, your approval of my poor service.

A chyda hynny o eiriau, eisteddodd i lawr. Wedi rhagor o ganmoliaeth daeth Llywelyn Twrog ymlaen i gyflwyno englyn:

I'r gwron yn hael o gariad – y rhoddwn
Arwyddion o'n teimlad;
Mor addas ei ymarweddiad
Gorenwog Lyw yn goron gwlad.

Cafwyd sawl araith a llwncdestun arall cyn i Hugh Owen Thomas sefyll ar ei draed i dalu diolchiadau ar ran ei dad a'i frodyr.

Penderfynodd Evan ymddeol yn 1863 a chyflwynwyd iddo bortread arall mewn olew ohono'i hun, set o lestri te a choffi mewn arian a chyfarchiad wedi ei oreuro:

> Presented to Mr Evan Thomas in token of the high esteem in which he was held by the citizens of Liverpool and for the valuable services rendered to society.

Dychwelodd i Fôn. Yr oedd y newyddion yn ddigon cyffrous i'w gynnwys ym *Maner ac Amserau Cymru*:

> Yr ydym yn deall fod Mr Evan Thomas, y meddyg esgyrn enwog o Liverpool, ar ddyfod i dreulio gweddill ei oes i'w hen ardal, sef Llynon, ym mhlwyf Llanddeusant.

Ym Môn y treuliodd yr ugain mlynedd oedd yn weddill o'i fywyd er na fu'r cyfnod heb sawl problem. Treuliodd y naw mlynedd cyntaf yn Llynnon, Llanddeusant; yna cododd Bryn Eglwys yn Llanfwrog lle bu am weddill ei ddyddiau. Yr oedd yn Llanfaelog ddarn o dir comin a alwyd yn Dywyn y Llyn. Prynodd Evan Thomas, gan y Llywodraeth, yr hawl i'r moresg oedd yn tyfu ar y comin. Nid oedd y plwyfolion yn fodlon o gwbl â'r sefyllfa gan iddynt hwy lwyr gredu mai eu hawl hwy oedd torri a chasglu'r tyfiant. Ym mis Awst 1862, aeth dau o'r trigolion lleol i'r comin i barhau â'u harfer. Aeth Evan â hwy i'r llys gan ofyn am bum swllt i ddigolledu ei hun. Yr oedd wedi arfer sefyll o flaen yr awdurdodau a siawns na theimlai yn ddigon hyderus i ennill ei achos ac felly y bu. Methu wnaeth y brodorion lleol am fod prawf ysgrifenedig ar gael mai Evan oedd berchen y tir. Yr oedd adroddiad i'r perwyl hwnnw wedi ymddangos yn y *Liverpool Mercury* ar ddydd Gwener, 6 Chwefror, 1864. Ond ni chafodd Evan ei bum swllt. Bu raid iddo fodloni ar chwe cheiniog yn unig.

Ers cyn cof, yr oedd y trigolion lleol wedi arfer troi eu hanifeiliaid i'r comin i bori. Yr oedd rhai wedi codi bythynnod ar gwr y tir a thalu rhent amdanynt i Esgob Bangor. Dyma'r math o fywyd gwledig oedd yn apelio at Evan ac fel hyn yr oedd wedi breuddwydio byw ar ddychwelyd i'r fam ynys. Yr oedd ganddo ddarlun ohono'i hun yn byw yno a mwynhau ei bleserau oedd yn cynnwys canu – yr oedd yn berchen ar lais canu clir – marchogaeth, pysgota a rhwyfo. Daeth i gytundeb â chwmni Woods & Forrests o Lundain i godi tŷ ar y comin ond chwalwyd y freuddwyd honno hefyd pan gafwyd gwrthwynebiad chwyrn o du'r boblogaeth leol. Yr oeddynt am wadu hawl Evan i godi tŷ ar y comin am nad oedd yn ŵr lleol, ac am mai newydd symud i'r ardal ydoedd. Aethant cyn belled â chael cyngor cyfreithiol ar y mater ac aeth tyrfa swnllyd o tua thri chant o bobl i dynnu'r tŷ i lawr:

> ... in an evil hour, entered in considerable numbers on the premises, and with crowbars, beams, and gunpoweder, razed it to its foundations and blew them up.

Fe'i chwalwyd yn yfflon mewn munudau. Ar ddydd Llun, 9 Tachwedd, 1863, ymddangosodd dau ar bymtheg o drigolion ardal Llanfaelog yn y llys yn y Fali i ateb gwŷs gan Evan yn eu cyhuddo o godi terfysg ac aflonyddu ar heddwch y wlad.

Yn ymddangos ar ran Evan oedd Mr Littler o Lerpwl, a Mr Powell o Gaernarfon yn achub cam y criw lleol. Gwnaed sylw annheg gan Littler pan awgrymodd fod cysylltiad rhwng y terfysg a rhyw symudiad Methodistaidd a bu raid i'r Fainc Ustusiaid ei dawelu cyn iddo gynhyrfu mwy ar y dyfroedd. Eglurodd Mr Powell mai dim ond arfer eu hawliau oedd y trigolion lleol ond fe'u hanfonwyd i'r llys ym Miwmares. Carcharwyd pedwar ar ddeg gan gynnwys John Prydderch, Glan-y-llyn (dau fis o garchar), George Prydderch, David Hughes, John Lewis (chwech wythnos o garchar) a Jane Hughes (pedwar diwrnod ar ddeg o garchar) am eu rhan yn y dinistr. Carcharwyd Richard Owen, Siop Maelog a phawb arall o'r criw am fis.

Wedi i bethau dawelu, prynodd Evan nifer o ffermydd cyfagos yn cynnwys Tyddyn y Waen, Tan'rallt, Mynydd Adda a Maelog fel bod fferm ac eiddo ar gyfer y plant wedi ei farwolaeth ef. Tua'r diwedd gofalwyd am Evan gan ei ferch Anne Jane Thomas ym Mryn Eglwys. Yr oedd bellach yn hen ŵr digon anodd ei drin. Byddai yn cael ei ddigio'n hawdd a chwerylodd â llawer un gan gynnwys Capel Llanfwrog a throsglwyddodd ei deyrngarwch i eglwys y plwyf.

Achos arall a greodd helbul i Evan a pheri iddo ffraeo ag eraill o'i gymdogion oedd yr un parthed Jones vs. Bulkeley yn Llys Biwmares.

Yn ymddangos dros yr achwynydd oedd Mr MacIntyre a Mr Morgan Lloyd (yn cael eu cyfarwyddo gan Mr R. D. Williams, Caernarfon); a Mr Horatio Lloyd (yn cael ei gyfarwyddo gan Mr J. R. Roberts, Llangefni) dros y diffynyddion. Eglurodd Mr Morgan Lloyd mai Mr Griffith Jones oedd yr achwynydd ac mai Mrs Barbara a Mr John Bulkeley oedd y diffynyddion.

Agorwyd yr achos gan Mr MacIntyre a eglurodd mai deiliad fferm Tan'rallt oedd Griffith Jones, ond mai Evan Thomas oedd y perchennog. Deiliaid Tan-yr-argae, fferm gysylltiol, oedd Barbara a John Bulkeley, mam a mab. Beth bynnag oedd John yn, neu wedi, ei wneud, fe'i gwnâi ar gyfarwyddyd ei fam.

Yr oedd yn perthyn i Tan'rallt gae o'r enw Y Waen, drwy ganol yr hwn oedd ffordd blwyfol. Ar un amser, yr oedd y cae yn hollol agored hyd at y ffordd ar bob ochr, heb na chlawdd na gwrych. Llifai nant fechan ar yr ochr ogleddol i'r cae a honno wedi ei defnyddio fel rhaniad pendant rhwng tir Mrs Bulkeley a thir yr achwynydd ac ar ei dir ei hun yr arferai'r achwynydd ollwng defaid a gwartheg i bori. Nid oedd yr un ddadl wedi bod rhyngddynt ac arferai pawb fod ar delerau da i'r graddau fod un yn arfer cadw llygad ar eiddo'r llall.

Ond yn ddiweddar, yr oedd achosion o dresbasu rheolaidd ar dir Tan'rallt wedi digwydd a hynny oedd poen perchennog Y Waen. Yn ôl y gweithredoedd oedd gan Evan yn ymwneud â'r eiddo, fo a neb arall oedd efo'r hawl ar Y Waen a chan ei fod yn gymeriad digon pengaled (er nad felly yr eglurwyd pethau yn y llys) yr oedd am fynnu gwarchod ei hawliau.

Gosododd y tir i Griffith Jones yn y flwyddyn 1868-1869 a chodi clawdd ar yr ochr ogleddol rhwng y nant a'r cae. Unwaith oedd y clawdd wedi ei godi, mynnodd Mrs Bulkeley ei hawl i fynd ar draws y cae. Holwyd llawer o dystion gan y cyfreithwyr, yn eu mysg Evan Thomas ei hun. Dewisodd gael ei holi yn ac ymateb yn Gymraeg. Gwrthwynebodd Mr Horatio Lloyd i hyn am y credai fod Evan yn ddigon cyfarwydd â'r iaith Saesneg am iddo fyw a gweithio yn Lerpwl am flynyddoedd lawer. Meddai MacIntyre, 'Efallai mai yn Gymraeg oedd Mr Thomas yn asio esgyrn'. Nid oedd sylw o'r fath gan un o'i gyfreithwyr ef ei hun yn plesio Evan ond torrodd y barnwr ar y ddadl a dweud fod perffaith hawl gan unrhyw Gymro i gael ei holi yn ei iaith ei hun ac os mai dyna oedd dymuniad Mr Thomas, fod yr hawl a'r rhyddid iddo i ateb yn y Gymraeg. Parhaodd yr achos drwy ddydd Sadwrn a'r Llun canlynol. Ni fu'r rheithgor yn hir cyn dod i benderfyniad fod y diffynwyr wedi sefydlu 'hawl ffordd' dros Y Waen i'r afon. Bu'n rhaid i Evan fynd adref a'i gynffon rhwng ei goesau.

Yr argraff a geir o Evan yw iddo, wedi dychwelyd i Fôn, dynnu blewyn o drwyn sawl un. Pam hynny tybed? Oedd yr holl achosion cyfreithiol yn ei erbyn yn Lerpwl wedi ei suro? Oedd o yn mynnu cael ei ffordd ei hun? Oedd o'n meddwl y gallai brynu hawliau efo arian? Oedd o wedi dechrau credu'r holl ganmoliaeth a bentyrrwyd arno a chredu ei fod yn well na neb arall? Beth bynnag oedd y rhesymau am ei ymddygiad digon haerllug, fu'r cyfnod wedi ei ddychweliad ddim yr hapusaf yn ystod ei oes hir.

Yr oedd iddo wrthwynebwyr os nad gelynion, ond dylid cofio fod iddo'i gefnogwyr hefyd. Fwy nag unwaith gwelwyd canmoliaeth iddo mewn print megis yr hyn a welwyd yn *Y Genedl Gymreig* ar ddydd Iau, 26 Gorffennaf, 1877. 'Gŵr o Fôn a Garai'i Fawl' oedd awdur pedwar englyn yn canmol Evan Thomas ond dim ond un ymddangosodd yn y papur:

Dyn di-siom yw Evan Thomas – yn llawen
Fel llywydd cymdeithas;
A dyn llon heb galon gas
Diwyrni yn y deyrnas.

Bu Evan Thomas, y meddyg esgyrn eithriadol, farw ym Mryn Eglwys ar 21 Mehefin, 1884 yn bedwar ugain oed a'i gladdu ym Mynwent Sant Hillary yn Wallasey efo'i ail wraig, ei fab Richard a'i ferch ieuengaf.

Byr a chwta oedd y cyhoeddiad yn *Y Faner*:

> Dydd Sadwrn diweddaf, bu Mr Evan Thomas, y meddyg esgyrn enwog, farw yn Bryn Eglwys, Llanfwrog – ei gartref, wedi iddo ymadael o Liverpool. Cyrhaeddodd oedran teg.

Yr oedd cymeriad o'i fath yn haeddu llawer mwy o sylw, hyd yn oed yn ei farwolaeth. Cafodd goffadwriaeth dipyn mwy sylweddol gan un o bapurau ei ddinas fabwysiedig, er iddo fod wedi ei gadael ers ugain mlynedd:

> The death is announced of Mr Evan Thomas, well known in the city in past years. He acquired fame as a bone setter, and enjoyed great popularity in this special branch of surgical work. Celebrated as his father and grandfather were, the late Evan Thomas practised with still greater success, and his name became known over the world. Two sons, Mr Evan Thomas of 72 Great Crosshall Street and Mr Hugh Thomas of Nelson Street are well known in Liverpool as practising surgeons &c., so that the speciality of bone-setting has remained in the one family for four generations.

Dymuniad Evan Thomas oedd i'w arch gael ei chario heibio ei hen gartref yn Stryd Crosshall am y tro olaf a chôr Cymreig i ganu emynau yn y fynwent, ond gan mai ei ddewis oedd cael ei gladdu gyda'i ail wraig, ni allai'r côr gael mynediad i dir cysegredig yr eglwys a hwythau yn anghydffurfwyr rhonc! Bu dadlau brwd cyn cael y caniatâd angenrheidiol.

Efallai fod y deyrnged orau iddo wedi ei chyfansoddi cyn ei farw:

> Pedwar Englyn i Mr E Thomas, Bryneglwys
> Buddugol yn Eisteddfod Llanfachraeth, Llun y Pasg, 1877
>
> Diwyg iawn feddyg o Fôn, – yw'n hyfawl
> Evan Thomas dirion;
> Duwiol ei fryd, hael ei fron
> At alwadau tylodion.

Yn rhad, ei wasanaeth a rydd – iddynt
Cyhoeddir ei glodydd;
Ei hanes ef yn hynaws fydd
Ym Môn, tra y môr a'r mynydd.

Esgyrn toredig a wasgo – yn nghyd
Angaeu ar ffo yra;
Ein heinif gawr yn hyn yna,
Ar feddygon y goron ga'.

Hanu o wych deulu Cilmaenan – mae'n
Myg foneddwr gwiwlan;
Mawr ei glod yw'r Cymro glan,
Mae yn hydref mewn oedran.

Hywel, Llangefni

Yn Lerpwl ac ym Môn, ymddengys i Evan fod wedi sathru traed llawer un ac efallai mai dyna pam i un o'r meddygon esgyrn mwyaf anhygoel a welwyd erioed gael cyn lleied o sylw wedi ei farw. Heddiw, gellir gwneud yn iawn am hynny.

Y Gyfraith vs. Evan Thomas

Un effaith ar lwyddiant a phoblogrwydd Evan Thomas fel meddyg esgyrn yn Lerpwl oedd yr elyniaeth annymunol rhyngddo a mwyafrif y meddygon trwyddedig oedd yn gweithio yno. Cyn gweld bai arnynt dylid cofio nad oedd cymwysterau gan Evan, dim ond profiad, ac er mor werthfawr yw hynny nid yw'n gymhwyster proffesiynol; ac nid oedd wedi ei drwyddedu. Daeth y Ddeddf Cofrestru Meddygol i rym yn 1858 a'r proffesiwn wedyn yn rheoli'r hawl i ymarfer. Yr oedd Evan, wrth gwrs, y tu allan i'r criw cofrestredig ond yr oedd cymaint o alw am ei wasanaeth fel bod pwysau eithriadol arno i ddal ati. Sylweddolai ei fod yn gweithio mewn cyfnod o newidiadau enfawr yn y byd meddygol a chan iddo gael ei ddwyn o flaen ei well sawl gwaith dan gyhuddiadau o gamymddygiad, pwysodd ar ei feibion i dderbyn addysg prifysgol a chymhwyso eu hunain fel meddygon.

Ar 8 Chwefror, 1854 ymddangosodd Evan o flaen y llys yn y *Court of*

Passage yn Lerpwl. Mewn llys o'r fath roedd maer y ddinas (y barnwr) a dau feili yn pwyso a mesur achosion lle gofynnwyd am iawndal o fwy na deugain swllt. Diddymwyd y math hwn o lys yn 1971. Mr Edward James oedd yn eistedd fel barnwr yn achos Crowley vs. Thomas. Gwnaeth Daniel Crowley, cigydd, gais am iawndal am yr honnai iddo golli ei goes wedi triniaeth amhriodol gan Evan Thomas. Gwadu'r cyhuddiad wnaeth Evan. Yr oedd Mr Aspinall, cynrychiolydd cyfreithiol Crowley, yn cydnabod enw da Evan Thomas fel meddyg esgyrn ond iddo, yn yr achos dan sylw, argymell triniaeth hollol anghywir. Eglurwyd i'r llys fod coes Crowley wedi bod yn eithriadol boenus ac iddo fynd at feddyg o'r enw Dr Thornbury yn gyntaf ac wedyn at Evan Thomas a chael ganddo driniaeth hollol wahanol i'r hyn yr oedd Thornbury wedi argymell. O ganlyniad aeth y goes yn hollol ddiffrwyth. Er i Evan alw ar Dr Roose ac eraill o'i gydnabod i'w gefnogi yn yr achos yr oedd Thornbury yn mynnu fod rhwymo'r goes, fel y gwnaeth Evan, a'i golchi mewn dŵr oer yn hollol anaddas.

Yn un o dri yn amddiffyn Evan oedd Mr Sergeant Wilkins. Bu'n annerch y llys yn hir ac adroddwyd bron bob gair o'i sylwadau yn y wasg leol:

> I have been looking to see whether there was any case made out. The jury must have discovered the miserable difficulty in which these medical men had involved themselves by coming forward to give evidence against a man, to whom a larger amount of gratitude was due from hundreds of the poorer inhabitants of this town than to any man who walked up and down the streets. It was not the first time by a great many that he had felt called upon, though not with any pleasure to oppose the conduct of the medical profession.
>
> The Medical Profession would not leave him alone. Mr Thomas had rectified cases after which Medical men had failed; he had peformed cures and if his opponents and himself were weighed in the balance of truth and justice, he knew who would touch the beam, carriage, and all, if they had fair play. Mr Thomas does not profess to be a pathologist or a physiologist, but he simply professes to be a bonesetter and curer of bruises and sprains.

Safodd Evan o flaen y llys gan gyflwyno'i hun a dweud iddo fod wrth ei waith yn Lerpwl ers tair blynedd ar hugain ac iddo ddilyn ei dad a'i daid yn y proffesiwn. Eglurodd fod Crowley wedi mynd ato wedi iddo rwygo cyhyr yn ei goes:

> I asked him who had ordered leeches to be put on his leg and he said he had put them on. I told him he had not done very right. He complained of pain in his ankle. I examined it very particularly and found nothing wrong there. I also examined his leg and found it ruptured in the sinews. I made the best examination I could and then put a wet bandage on, from the toe to the knee. I did it moderately tight. I used no splint. I ordered hot bran poultice to be applied on Saturday, because the foot was rather cold. I never had any difficulty before.

Wedi gwrando ar y dystiolaeth ac ystyried yn ofalus, eglurodd Mr James pam iddo ddyfarnu o blaid Evan Thomas:

> I have paid a great deal of attention to the evidence, and it seems to me that it would have been a most dangerous conclusion to have come to an adverse verdict to Mr Thomas.

Chafwyd dim mwy o eglurhad ac ni ddyfarnwyd iawndal i Crowley.

Yr oedd rhywrai, byth a beunydd, a'u cyllyll allan am Evan a'i deulu. Ymddangosodd llythyr dan yr enw 'Æesculapius' (duw meddyginiaeth a iachâu yn yr hen grefydd Roegaidd) yn y wasg Gymreig ar ddydd Sadwrn, 20 Awst, 1853 yn condemnio pobl Môn ('ynyswyr tywyll' yn ôl y llythyrwr) a Chymru ben baladr am roi coel a chred ym medrusrwydd rhai a alwai'r ysgrifennwr yn 'gwacyddion di-fedr a di-awdurdod, ac anheilwng'. Gweld bai a wnâi am i Gymry fod mor barod i roi eu hunain yn nwylo rhai heb gymwysterau a derbyn powltis mewn sercloth a phapur llwyd fel y feddyginiaeth orau!

Atebwyd yr un a alwai ei hun yn Æesculapius gan ohebydd *Baner ac Amserau Cymru*. Enwyd gan y gohebydd rai fel 'teulu Cilmaenan', oedd yn cynnwys Evan Thomas, Dr Owen Thomas, Lerpwl a Dr Jones, Plas Hen neu Doctor Caergeiliog fel arwyr yn y maes ond yr oedd eraill nad oeddynt 'wedi treulio blynyddoedd i astudio, a gwario cannoedd o bunnau er ennill gwybodaeth mewn esgyrnyddiaeth, yn gystal â changhenau eraill o feddygaeth.'

Ond pwy bynnag oedd gohebydd y *Faner*, yr oedd yn berffaith hapus i ganu clodydd a rhoi ei ymddiried yn y meddygon esgyrn. Nid felly Æesculapius. Yr oedd o am i bawb gael gwasanaeth meddyg trwyddedig mewn achos o ddamwain neu salwch gan na fyddai neb yn mynd â pheiriant oedd angen ei drwsio at beiriannydd digymhwyster!

Mewn achos arall yn y llys yn Lerpwl, gwnaed gorchymyn i feddyg trwyddedig o'r enw Mr Houseley dalu £250 i deulu claf a fu farw dan ei ofal. Yr oedd dau feddyg arall wedi tystio yn erbyn Houseley er na welodd un o'r rheini y claf (Mr Seaward) tan bedwar diwrnod ar bymtheg wedi i Houseley ei weld yn gyntaf. Erbyn i'r ail feddyg (Mr Paget) weld y claf, yr oedd madredd (*gangrene*) wedi ymosod ar y goes a gollwyd. Anfonodd Mr W. Eddowes, o West Derby, lythyr i'r wasg ar 14 Chwefror, 1854 yn amau tybed oedd Houseley wedi cael gwrandawiad teg. Bwriodd sen ar Mr Sergeant Wilkins, oedd yn ymddangos eto ar ran Evan Thomas, am iddo ymosod ar y proffesiwn meddygol yn ei amddiffyniad.

> Although some of his 'learned friends' have compared him to a rhinoscerous rioting in a jungle, I shall make no unpleasant comparisons.

Ond yr oedd yr awgrym yn ddigon.

Aeth golygyddion yr *Associated Medical Journal* ymhellach:

> Mr Wilkins is not a favourable specimen of a profession which, with all its drawbacks, is both useful and honourable.

Yr awgrym oedd i Evan dderbyn ffafriaeth er iddo fod yn ddidrwydded yn y maes meddygol ac y dylai'r ddau – Houseley a Thomas – fod wedi derbyn yr un ddedfryd. Yr oedd yn amlwg fod y cyllyll yn barod i'w taflu i gefn Evan.

> It would almost appear that the laws of our land and the voices of our countrymen declare that the man of education shall pay heavy damages, while under similar circumstances the 'bone-setter', without education and without qualification not only escapes punishment, but as is reported, is about to have a substantial testimonial from very honourable, exceedingly generous, and highly influential body of men – the merchant princes of Liverpool.

Yr oedd cenfigen, mae'n amlwg, yn bwyta rhywun yn fyw; roedd rhwyg o fewn cymdeithas yn Lerpwl a drwgdeimlad yn drwm yn yr aer. Galwyd meddygfa Evan yn 'gell hudol' gan y llythyrwr Eddowes, fe'i bychanwyd a'i sarhau. Ond gwyddai Evan yn iawn mai 'calla dewi'. Heddiw, does neb yn cofio Eddowes tra mae'r cof am Evan yn dal yn fyw.

Yn anffodus nid oedd tawelu ar ragfarnau meddygon Lerpwl ac yn y *North Wales Chronicle* (Dydd Sadwrn, 12 Rhagfyr, 1857) gwelwyd y pennawd bras:

> SERIOUS INVESTIGATION – ALLEGED IMPROPER SURGICAL TREATMENT

Hanes achos yn erbyn Evan Thomas oedd cynnwys y ddwy golofn a ddilynai'r pennawd. Yr oedd rheithgor wedi ei alw i lys i drafod marwolaeth Peter Davies, cowper, o ên-glo (*lock jaw*). Cyhuddwyd Evan Thomas gan Mr Whittle, a'i galwai ei hun yn llawfeddyg proffesiynol, o fod yn gyfrifol am y farwolaeth drwy osod rhwymau yn rhy dynn am archoll ar fys Davies ac i'r driniaeth a gawsai fod yn anaddas. Yr oedd Whittle o'r farn y byddai Davies wedi byw pe byddai wedi derbyn triniaeth fwy addas gan Evan Thomas. Ni chredai Whittle fod y rhwymyn ar fys Davies y math cywir i'w ddefnyddio ac er iddo fod yn amheus o effeithiolrwydd yr eli gwyrdd roddwyd ar yr archoll, ni allai fod yn bendant ei farn am na wyddai ei gynnwys.

Safodd Evan o flaen y llys i egluro'i gefndir fel meddyg esgyrn ac iddo fod yn gweithio efo dau o'i feibion – Dr Hugh Owen Thomas a Dr Richard Thomas oedd yn feddygon trwyddedig – ac i'r ddau fod yn y feddygfa ar y nos Iau y galwodd Peter Davies i'w weld. Y ddau fab, mewn gwirionedd, oedd wedi awgrymu pa driniaeth i'w defnyddio. Gofynnwyd i Davies ddychwelyd i'w gweld y diwrnod canlynol. Bryd hynny rhoddwyd rhwymyn gwlyb ac eli ar yr archoll a gosodwyd sblint i ddal y bys yn ei le. Dychwelodd Davies i'r feddygfa ar y Sadwrn hefyd ac ar gyngor ei fab, rhoddodd Evan Thomas rwymyn gwlyb, glân am y bys. Yr oedd y rhwymyn wedi ei wlychu â chymysgedd o olew olewydd, olew palmwydd ac ychydig o resin. Gorchmynnwyd i Davies ddychwelyd am ddau o'r gloch brynhawn Sul, ond welwyd mohono.

Daeth Dr Richard Thomas ymlaen i gadarnhau popeth oedd ei dad wedi ei ddweud ac i Richard ei hun dderbyn galwad ar y dydd Llun i ymweld â Peter Davies yn ei gartref am ei fod yn wael yn ei wely. Eglurodd Davies fod

Teulu Evan Thomas, Great Crosshall Street

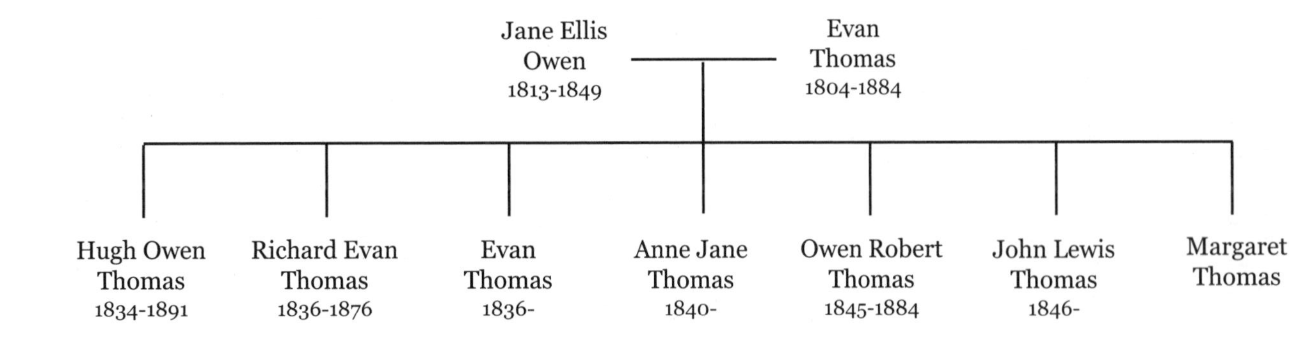

Mr Costine yn ei drin am y cwinsi (dolur gwddw drwg iawn) ac iddo gael ffisig ganddo at y salwch hwnnw. Cytunodd Dr R. Thomas i drin y bys a rhoddwyd sylffad o gopr arno, ffaith a gadarnhawyd gan Dr Hugh Owen Thomas. Cadarnhaodd Dr Richard Thomas fod triniaeth o'r fath yn gwbwl addas i'r salwch dan sylw.

Dyfarniad y fainc oedd mai 'trwy ddamwain' y bu farw Peter Davies ac i Mr Whittle fod ar fai yn awgrymu fod yr eli gwyrdd y math anghywir i'w ddefnyddio gan na wyddai i sicrwydd pa gynhwysion a ddefnyddiwyd yn ei wneuthuriad.

Galwyd Evan Thomas o flaen ei well eto ym mis Hydref 1860 ar gyhuddiad o ddynladdiad. Fe'i cyhuddwyd o fod yn gyfrifol am farwolaeth Francis Timlin, bachgen wyth mlwydd ac wyth mis oed yn byw yn Byron Place, Penbedw. Yr oedd Francis, yn ôl pob tebyg, wedi cael cic yn ei glun gan ei frawd ac wedi ei gario i'r tŷ. Yn ôl Patrick, y tad, bu'n cwyno fod ei ben-glin yn boenus er nad oedd chwydd na gwres ynddo. Ar ddydd Gwener, galwodd Dr Lambert i weld y plentyn ac awgrymu fod rhuddion llin yn cael eu rhoi ar y ben-glin a bod Francis i gael digon i'w fwyta ac ychydig win i'w yfed. Rhoddodd Ann, mam Francis, bowltis ar y ben-glin a'i gadw yn ei le tan ddydd Sadwrn. Erbyn y nos Sadwrn yr oedd cyflwr Francis yn gwaethygu ac awgrymodd un o'r cymdogion mai gwell fyddai mynd ag ef at Evan Thomas. Pan welodd Evan y claf, dywedodd yn syth fod y glun wedi ei thorri ac y byddai'r gost o'i hailosod yn ddeg swllt. Dim ond coron (pum swllt) oedd gan Patrick Timlin yn ei boced ar y pryd a chan nad oedd Evan yn fodlon derbyn ei air y byddai'n talu'r gweddill wedi'r driniaeth, cychwynnodd y tad yn ôl am adref efo Francis ar ei gefn. Daeth cymydog o'r enw Garraghty i'r adwy a chynnig benthyg y pum swllt ychwanegol oedd ei angen. Ailosododd Evan yr asgwrn ac ar yr eiliad pan aeth i'w lle, clywodd Garraghty yr asgwrn yn rhoi clec. Gorchymynnodd Evan i'r glun gael ei chadw'n wlyb efo dŵr a finegr.

Erbyn y Sul yr oedd cyflwr Francis yn gwaethygu. Anfonwyd am Dr Lambert ar y prynhawn Llun. Dwrdiodd yntau'r fam am beidio â galw arno ynghynt. Nid oedd y glun wedi ei thorri meddai Lambert a thynnodd y rhwymau a osodwyd gan Evan. Gyda'r nos Lun, galwodd un o feibion Evan i weld Francis gan adael presgripsiwn iddo gael moddion, ond yr oedd Francis yn rhy wael i'w llyncu. Bu farw am hanner awr wedi pump fore Mawrth, 9 Hydref, 1860.

Mynnodd Ann mai trin cornwydydd ar y ben-glin oedd Lambert wedi ei wneud yn ystod ei ymweliadau â'r tŷ. Galwyd ar bump o feddygon oedd yn yr archwiliad *post-mortem* i roi gwybodaeth i'r llys ond yr oedd barn y pump yn groes i'w gilydd a rhai ohonynt yn gwadu fod clun Francis wedi torri. Daeth Dr Hugh Owen Thomas ymlaen i dystio am yr hyn a welodd yn y feddygfa ond mynnodd nad oedd wedi arsylwi ar y broses o ailosod asgwrn y glun. Yr oedd y cymydog Garraghty yno i dystio iddo yntau glywed yr asgwrn yn clecian wrth iddo syrthio yn ôl i'w le. Galwyd ar Dr Owen Roberts o Lanelwy, brawd-yng-nghyfraith Evan Thomas. Ei farn ef oedd nad triniaeth Evan oedd yn gyfrifol am farwolaeth Francis a chredai ei fod wedi dioddef o oerfel wrth fynd yn ôl ac ymlaen o Benbedw i Lerpwl ac mai hynny oedd yn gyfrifol am ei farw. Yr oedd J. J. Popet a Dr Lodge o'r farn fod Evan yn rhydd o unrhyw fai a bu prif amddiffynnydd Evan – Mr Aspinall – yn annerch y llys gan ddweud mai anfon yr achos i'r brawdlys fyddai orau gan fod cymaint o anghydweld ymysg yr arbenigwyr. Caniatawyd mechnïaeth i Evan Thomas.

Yn *Y Faner* cafwyd paragraff yn amddiffyn Evan. Meddai'r gohebydd:

> Yr wyf yn hyderus y daw ein cydwladwr defnyddiol allan o'r prawf hwn eto yn fuddugol, fel y daeth allan o helbulon blaenorol cyffelyb. Y mae yn bur eglur fod gan feddygon y gymdogaeth hon lid mawr i Mr Evan Thomas; ond y mae rhaid addef nad yw pob peth yn edrych yn dda, mor bell ag y mae yr amgylchiadau wedi eu gwneud yn hysbys hyd yma. Dichon y gall Mr Thomas roddi eglurhad cwbl foddhaol arnynt er hynny.

Ni fu raid aros yn hir i'r achos ymddangos ym Mrawdlys Caer. Yn y *Liverpool Mercury* (11 Rhagfyr, 1860) cafwyd adroddiad manwl. Y newyddion cyntaf oedd fod Evan Thomas druan yn rhy wael i sefyll o flaen y barnwr – yr Anrhydeddus Syr Colin Blackburn – a bu'n rhaid iddo gael cadair i eistedd arni drwy gydol yr achos. Yn erlyn oedd Mr Gifford a Mr Horatio Lloyd. Yn amddiffyn oedd Sarjant Parry, Mr Webb, Mr J. P. Aspinall a Mr MacIntyre. Ailadrodd y ffeithiau a wnaed mewn gwirionedd heb gyflwyno nemor ddim tystiolaeth newydd. Eglurodd Dr O'Donnell fod *pyaemia* (gwenwyn gwaed) yng nghorff Francis pan aethpwyd ag ef at Evan am y tro cyntaf, ac mai eithriad prin oedd i salwch felly ladd mewn byr amser. Fel arfer, byddai'n cymryd rhwng chwech a phedwar diwrnod ar ddeg i wenwyno'r corff yn llwyr ond yn ei farn bendant ef, dyna oedd achos y farwolaeth.

Bu mab a brawd-yng-nghyfraith Evan yn tystio drosto a phum llawfeddyg arall. Dim ond tri munud a gymerodd y rheithgor i'w gael yn ddieuog ac er i'r ddedfryd gael derbyniad gwresog a chymeradwyaeth estynedig yn y llys, yr oedd hynny yn siom i rywrai dienw oedd wedi paratoi ffug-dudalen flaen papur newydd a alwyd ganddynt y *Chester Daily Mail*, efo'r pennawd – '*Trial and Sentence of Evan Thomas, the bonesetter, for manslaughter*'. Mynnodd Sarjant Parry fod yr awdur yn euog o ddirmygu'r llys ond awgrym y barnwr oedd na ddylid ystyried achos felly a rhoi i'r ffug-bapur y dirmyg amlwg a haeddai gwaith o'r fath.

Yr oedd tôn adroddiad gohebydd *Baner ac Amserau Cymru* yn un fuddugoliaethus iawn:

> Yr oedd y llys wedi ei orlenwi pan alwyd ar y prawf hwn, gan fod dyddordeb anghyffredin yn cael ei deimlo drwy Liverpool a Birkenhead a llawer o fannau eraill, am fod y Cymro enwog hwn wedi ennill ffafr y cyhoedd yn gyffredinol trwy ei fedrusrwydd anghymharol fel meddyg esgyrn, ac wedi ennyn eiddigedd a gwrthwynebiad gelynol y meddygon oherwydd ei lwyddiant, ac o herwydd y rheswm nad oedd ef yn un o'r frawdoliaeth broffesedig.

Cadwodd helyntion Evan golofnau'r papurau newydd yn llawn sawl tro wedi hynny. Ar 8 Mai, 1862 cafwyd hanes achos yn erbyn y crwner yn achos marwolaeth Francis Timlin. Aethpwyd ag ef o flaen ei well am iddo siarad mewn modd '*false and malicious*' efo'r rheithgor a mynegi barn sarhaus am Evan Thomas gan ddweud iddo dwyllo tad tlawd allan o ddeg swllt wrth gymryd arno fod coes Francis wedi ei thorri ac iddo dderbyn yr arian drwy anonestrwydd. Dadl y crwner oedd bod ganddo'r hawl i ddweud y fath beth mewn llys ac na ellid dwyn achos yn ei erbyn am ei fod yn swyddog y gyfraith ac i'r hyn a ddywedodd gael ei ddweud tra oedd wrth ei waith. Barn y llys oedd na ddylai crwner fod wedi dweud dim o'r fath.

Pennawd y papurau ar ddydd Mawrth, 27 Ionawr, 1863 oedd '*THE EXTRAORDINARY REVELATIONS AT MANCHESTER*'. Cyhuddwyd Evan Thomas o anudoniaeth (*perjury*) a chamarwain y crwner yn achos marwolaeth annisgwyl Mrs Bell o Dŷ Capel Bassenthwaite, ger Keswick yn Ardal y Llynnoedd. Darganfuwyd ei chorff yng ngwesty'r Cathedral, Manceinion wedi iddi deithio yno i gyfarfod Evan Thomas i drefnu erthyliad.

Cyflwynwyd tri llythyr i'r crwner wedi eu hysgrifennu gan y dywededig Evan Thomas ond heb eu harwyddo.

Pennawd arall a welwyd oedd bod Evan Thomas, '*a surgeon of Manchester*' yn euog o ddweud celwydd mewn llys ac iddo gael ei ddedfrydu i dri mis o garchar. Ond y cwestiwn pwysig yw – ai Evan Thomas y meddyg esgyrn oedd y gŵr dan sylw? Chyfeiriwyd erioed at Evan fel un o Fanceinion. Lerpwl oedd ei dref fabwysiedig. Tybed oedd y papurau newydd wedi bachu yn y stori anghywir yn eu brys i gael sgandal?

Bu degawd y 1860au yn un anodd i Evan Thomas: cafodd ei enwi sawl gwaith yng ngholofnau'r wasg; bu o flaen ei well fwy nag unwaith; fe'i gorfodwyd i wadu straeon ffug amdano'i hun.

> 82 Great Crosshall Street,
> Liverpool.
> As it has been reported in the papers that it was my intention to leave Liverpool. I beg to intimate that there is not the slightest foundation fo such a report, and that my professional services can be secured at the above address as before.
> September 1864.
>
> Evan Thomas

> Yn gymaint a'i fod wedi ei gyhoeddi yn rhai o'r newyddiaduron fy mod yn bwriadu gadael Liverpool, yr wyf yn dymuno hysbysu nad oes y sail lleiaf i'r fath adroddiad, ac y bydd yn bosibl sicrhau fy ngwasanaeth yma fel o'r blaen.
> Medi 1864.
>
> Evan Thomas

Efallai fod cefnogwyr Evan yn falch o ddarllen y fath lythyr ond yr oedd eraill yn siomedig mae'n siŵr. Pe baent yn gwybod i'r llythyr gael ei ysgrifennu ddeufis cyn iddo ymddangos yn *Y Faner* ar 9 Tachwedd, 1864, efallai y byddai hynny wedi rhoi llygedyn bach o obaith iddynt. Tybed oedd Evan yn gwangalonni yng ngwyneb yr achosion llys a'r cyhuddiadau yn ei erbyn?

Yn yr achos Pryce a'i wraig vs. Bowen, gwraig Edward Pryce o Benbedw oedd wedi dioddef, yn ôl y cyhuddiad, yn dilyn camdriniaeth gan Mr Essex Bowen

(1830-1890), yn wreiddiol o sir Benfro ond yn llawfeddyg ym Mhenbedw ers 1861. Yr oedd yn llawfeddyg profiadol iawn ac yn berchen profiad ymarferol gan iddo dreulio cyfnod yn y Crimea fel llawfeddyg efo'r Artileri Brenhinol ac yr oedd yn bresennol yn ystod Gwarchae Sevastopol.

Yr oedd y cyhuddiadau yn ei erbyn yn cynnwys un o ddiffyg gofal ac un arall o ddiffyg medrusrwydd tra bu'n trin braich Mrs Pryce.

Torrwyd y fraich tua un ar ddeg o'r gloch y bore ar 16 Rhagfyr, 1863 pan syrthiodd Mrs Pryce i lawr grisiau tra oedd yn cario pwced lo. Galwyd ar Mr Bowen ac yr oedd efo'r claf ymhen tri chwarter awr. Ailosododd yr esgyrn. Erbyn 26 Ionawr, 1864 yr oedd y boen yn annioddefol ac am na chredai i Mr Bowen roi sylw dyladwy iddi hi na'i braich, aeth at Mr Martin, llawfeddyg yn Stryd Rodney, Lerpwl a awgrymodd mai'r peth gorau i'w wneud oedd iddi fynd i feddygfa Evan Thomas lle cafodd sylw teilwng gan Evan a'i fab Evan. Gwelsant fod y fraich wedi ei thorri ond i'r ddau asgwrn fod wedi asio yn y cyfamser. Ni allai Mrs Pryce symud ei braich o'r penelin i lawr; ni allai droi ei harddwrn ac yr oedd wedi colli defnydd o'i bysedd yn llwyr. Cyn y ddamwain, yr oedd wedi bod mewn iechyd ardderchog.

Nid oedd Mrs Pryce y rhwyddaf i'w pherswadio i orffwys a gwrthododd bob cynnig ac awgrym gan ei meddyg teuluol.

Galwyd ar Evan, y mab, i roi tystiolaeth yn y llys ac eglurodd iddo fod yn berchen ar ddiploma o Goleg Brenhinol y Llawfeddygon yn Llundain er 1863. Yr oedd ar y pryd yn chwech ar hugain mlwydd oed ac wedi ei brentisio fel meddyg efo'i dad a Mr Roose, llawfeddyg, cyn treulio cyfnod o dri mis mewn Ysgol Feddygaeth cyn dychwelyd i weithio efo Mr Roose am bum mlynedd. Cofiai Evan mai ei dad oedd wedi ailosod y fraich dan sylw ac mai ef oedd wedi llunio'r sblint i'w roi am y fraich. Credai i'w dad fod wedi ailosod cannoedd, os nad miloedd, o esgyrn braich. Efallai na fu pob un yn llwyddiant ond ar y cyfan, yr oedd y cleifion wedi gwella yn foddhaol. Tyngodd lw fod esgyrn yr *ulna* a'r *radius* ym mraich Mrs Pryce wedi uno.

Galwyd ar Evan, y tad, i roi tystiolaeth ac yr oedd yntau yr un mor sicr fod y ddau asgwrn yn y fraich wedi uno. Gofynnwyd iddo pa esgyrn yn union oedd yr *ulna* a'r *radius* a dyna pryd y gwnaeth Evan gam mawr ag ef ei hun wrth gyfaddef nad oedd yn hollol sicr o'r ateb! Bu'n rhaid iddo gyfaddef nad oedd wedi meistroli Lladin o gwbl ond ei fod yn gwybod pa un oedd yr asgwrn mwyaf a'r lleiaf. Er nad oedd yn deall Lladin, nid oedd hynny wedi ei rwystro rhag ailosod miloedd o esgyrn mewn breichiau. (Y *radius* yw'r hiraf/mwyaf o'r ddau. Mae'r *ulna* ar yr ochr fewnol a'r *radius* ar yr ochr allanol i'r fraich.)

Pwysleisiodd Mr Lund, llawfeddyg o Inffyrmari Frenhinol Manceinion, fod yr esgyrn wedi torri ym mraich Mrs Pryce ac iddynt fod wedi uno neu asio, er iddo amau fod hynny wedi digwydd mewn naw diwrnod fel y dywedwyd wrth y llys, ond na fyddai'r wraig fyth yn gallu defnyddio'i braich fel ag o'r blaen.

Manteisiodd yr erlynydd drwy neidio ar ei draed a dechrau pardduo cymeriad Evan Thomas. Yr oedd ganddo, meddai, barch mawr at Evan Thomas, fel ag yr oedd ganddo tuag at unrhyw un oedd wedi ymlafnio i fod yn llwyddiant yn ei faes, ond gan mai gŵr diaddysg oedd y meddyg esgyrn, onid oedd yn rhyfygus iawn yn mentro trin cyrff ac yntau heb yr addysg ffurfiol honno yr oedd pob meddyg arall yn berchen arno, addysg oedd yn eu galluogi i adnabod rhannau o'r corff a'r esgyrn yn y sgerbwd?

Ceisiodd Mr Brett, Cynghorydd y Frenhines, achub rhyw gymaint ar gam Evan drwy ddweud fod poblogaeth Lerpwl bron i gyd yn gwybod am ei gefndir a'i lwyddiannau ond yr oedd yn rhy hwyr. Yr oedd y difrod wedi ei wneud. Yr oedd y staen ar ei gymeriad i aros, yn anffodus, gan fod sawl un o feddygon cymwysedig Lerpwl yn fwy na pharod i atgoffa'r cyhoedd am ddiffygion Evan. Er nad oedd Evan na'i fab ar brawf, efallai mai hwy ill dau ddaeth allan waethaf o'r achos gan mai anodd, os nad amhosibl, yw adfer enw da unwaith y mae hwnnw wedi ei bardduo.

Nid helbulus fo pob achos o Evan yn cael ei enwi yn y wasg. Yn y *Manchester Courier and Lancashire General Advertiser* (dydd Llun, 26 Chwefror, 1866) dan y pennawd '*MARRIAGES*', gwelwyd y nodyn byr:

> Thomas-Evans,
> February 14 at Chester, Evan Thomas, Esq., bonesetter from Llynon, Anglesey, late of Liverpool, to Mrs Evans, widow of J Evans, Esq., of Liverpool.

Oedd, yr oedd Evan wedi ailbriodi, a hynny efo'i howscipar! Ei wraig gyntaf, fel y crybwyllwyd, oedd Jane Ellis Owen, merch Hugh Owen, Tŷ'n Llan, Bodedern, Ynys Môn. Fe'i ganwyd tua 1813. Priodwyd Evan a hithau ar 25 Hydref 1833 a bu farw ar 1 Mehefin 1849 yn dri deg chwech mlwydd oed. Felly yr oedd perffaith ryddid i'r ddau uno mewn glân briodas gan mai gweddwon oeddynt, ond pam na fuasai'r ail wraig wedi cael ei henwi yn yr erthygl? Yr oedd hi, yn ôl gohebydd y *North Wales Chronicle*:

> ... a lady who has endeared herself to the inhabitants of this place [Llanddeusant], by her courtesy, and by many acts of kindness.

Doedd y briodas ddim yn plesio pawb. Yn sicr, nid oedd Hugh Owen Thomas, ei fab, yn hapus a chafodd ei dad wybod hynny. Doedd yr ail wraig ddim y cymeriad mwyaf hawddgar yn ôl pob sôn ond efallai fod y ddau yn adnabod ffyrdd y naill a'r llall yn iawn a bod hynny yn ddigon iddynt yn eu henaint heb orfod poeni yn ormodol am ramant.

Efallai nad oedd ei fab wedi ei blesio, ond bu'r briodas yn destun llawenydd i drigolion Llanddeusant ym Môn, yn arbennig disgyblion yr ysgol leol. Er i'r briodas gael ei chynnal yng Nghaer, gadael Lerpwl a wnaeth y ddau a dod adref i Landdeusant i fyw yn 1866. Fel y cyrhaeddont yno, ceisiodd y pentrefwyr dynnu'r ceffyl o lorpiau'r cerbyd, ond gwrthodwyd y cynnig gan fod Evan a'i wraig newydd am deithio'n araf drwy'r dyrfa a mwynhau gweld pawb a chyfleu eu diolch am y fath groeso. Trefnwyd gwledd sylweddol ar eu cyfer ym Mynydd Adda a Gwilym Mawrth yn llywyddu'r noson. Wedi'r wledd, aeth pawb i'r Bull yn y pentref, '*where they were overpowered with congratulations and expressions of good wishes*'.

Yr oedd pob tŷ yn y pentref wedi ei addurno a'r ffordd i Lynnon wedi ei goleuo. Taniwyd coelcerth enfawr o flaen Melin Llynnon a chafwyd cyffro ychwanegol pan daniodd saethwyr lleol eu gynnau i'r awyr. Diolchodd Mrs Thomas, ar ran ei gŵr a hithau, am y croeso gafodd y ddau a gwnaeth ffrind â phob un o'r cant a deg disgybl yn yr ysgol drwy gyhoeddi ei bwriad i gynnal te parti iddynt yn Llynnon.

Ar ddydd Llun, 26 Chwefror, diwrnod sych a braf, cerddodd y disgyblion a'u hathrawon drwy'r pentref i gyfeiriad Llynnon a phawb yn chwifio baneri oedd wedi eu darparu ar gyfer yr achlysur gan Mr Hughes, yr ysgolfeistr, Mrs Williams, Mona Vaults a Mr Jones, Llanfachraeth. Yr oedd un faner fwy o lawer na'r lleill, a honno wedi ei llunio gan Mr Daniels, y teiliwr lleol, efo'r neges: 'HEDDWCH. DEDWYDDWCH A CHYMYDOGAETH DDA I MR A MRS THOMAS, LLYNNON'. Wedi cyrraedd at giatiau Llynnon, ymdeithiodd pawb tuag at y tŷ ac o amgylch y lawnt gron o'i flaen. Cyflwynwyd neges i Evan Thomas ar ran yr ysgol gan yr ysgolfeistr.

To Mr and Mrs Thomas, of Llynnon.

We, the teachers and scholars of Llanddeusant National School, beg to congratulate you upon the auspicious event of the 14th. ult. We trust that under God's blessing, your union may increase your comfort, attach you more intimately to the locality, and be productive of good to the neighbourhood generally.

Sincerely do we pray that the sun of prosperity may rest upon you, and that after the closing scene of this preparatory state you may 'enter into the joy of your Lord' in the 'wedding garments' purified by the blood of the Lamb.

Signed, on behalf of the School,
John Hughes, Master.

Aed â'r plant i'r tŷ i fwynhau te oedd yn cynnwys '*an abundant supply of bara brith*'. Ar derfyn y bwyta, safodd y curad, Y Parchedig T. Williams, ar ei draed i ddiolch ar ran pawb a'u hatgoffa pa mor ffodus oeddynt o fod wedi derbyn cymaint o law teulu Llynnon. Wedi'r banllefau arferol, a chanu'r anthem genedlaethol, trodd pawb tua thre.

Yn anffodus, ni fu'r mis mêl yn un hir ac yn y *Liverpool Mercury* (dydd Mawrth, 23 Hydref, 1866) cafodd Evan ei enwi yn y wasg unwaith eto am wrthod trin Thomas Maloney, 38 mlwydd oed, Stryd Beacon, Lerpwl. Fforman ar y dociau i gwmni Selby oedd Maloney, ac wrth iddo arolygu dadlwytho llwyth o goed oddi ar y llong *Marlborough* yn Noc Canada (Gwilym Deudraeth gyfansoddodd englyn enwog ar ddiwrnod agor y Doc gan Dywysog Cymru ar y pryd a hynny mewn gwres poeth, eithriadol) fe syrthiodd ac anafu ei glun dde. Aethpwyd ag ef at Evan Thomas ond gwrthod rhoi triniaeth wnaeth Evan gan awgrymu y byddai'n well mynd â'r claf i'r Inffyrmari Frenhinol yn syth. Wedi tridiau o fod yn swrddan (*delirious*) bu farw ar ddydd Sul, 21 Hydref, 1866. 'Marwolaeth trwy ddamwain' oedd dedfryd y crwner ond nid hynny gafodd y pennawd brasaf.

Stori arall ymddangosodd yn y *Mercury* ac yn crybwyll enw Evan oedd hanes damwain Samuel Inniff ar Noswyl Nadolig 1882 tra oedd ar ei ffordd adref o'i waith i 31 Stryd Oxford, Lerpwl. Wrth ruthro am y fferi yn Woodside, llithrodd ar y bont o'r cei i'r cwch a thorri ei goes chwith. Gwrthododd fynd i'r ysbyty ac fe'i cariwyd i'r tŷ ar stretsier gan ddau o deithwyr y fferi, Mr

Healy, swyddog yr heddlu, a'r Arolygydd Whoreat, swyddog y cwmni fferi. Galwyd am Evan Thomas i ailosod yr asgwrn.

Mewn achos arall yn ei erbyn, gorfu i Evan amddiffyn ei hun drwy alw ar nifer o feddygon trwyddedig i'r llys a gofyn iddynt geisio adnabod coes wedi ei hailosod ganddo. Methiant fu eu hymgais a'r achos yn ei erbyn.

Yr hyn sy'n dod i'r amlwg wrth ddarllen drwy newyddiaduron y cyfnod yw bod gwenwyn mawr yn bodoli tuag at Evan a bod rhai, yn cynnwys meddygon cofrestredig, yn barod iawn i'w bardduo yn gyhoeddus. Ond yr oedd gan Evan ei gefnogwyr hefyd a'r rheini'n barod iawn i lythyru yn y wasg a chadw ei gefn:

> To the Editors of the Liverpool Mercury.
> Gentlemen. The best and most fitting answer to the letter of your correspondent who subscribes himself 'Flemming', is this fact – that some four months ago I left the Birkenhead Hospital; my case was pronounced hopeless by surgeons at Birkenhead and Liverpool. I placed myself under Evan Thomas and Son, who attended me, not by mere visits, but personally superintended the dressing and surgical appliances daily requisite in my case (a block of timber had fallen on my forearm and killed it). During the many weeks I lay confined to bed he never referred to a charge, although my son and myself often asked his fee.
> Yours truly, H. Parry, 70 Hankin Street, Liverpool. December 12, 1860.

Ar Noswyl y Nadolig, ymddangosodd ymateb i gyhuddiad arall gan 'Flemming' yn erbyn Evan Thomas:

> Flemming states that he has never known Mr Thomas to be acquainted with charity. Why, I could in less than ten minutes procure the annual reports of several charities – missionary and Bible Societies and other kindred institutions – in which Mr Thomas's name appears as a subscriber to the amount of some hundreds of pounds during the last ten or twelve years.
>
> With regard to the testimonial, I doubt not that there would be some hundreds or even thousands of working men and all grades of society in Liverpool and several parts of the country who would contribute their mite if a proper committee were formed for receiving the same.
>
> Yours etc.

Parhau i godi crachod oedd y byd meddygol yn Lerpwl a gwneud defnydd o golofnau'r wasg gyda llythyru cas yn taflu ensyniadau o hyd ac o hyd at Evan Thomas:

> It would be interesting to know by what means a man of Mr Thomas's grade should have persuaded the merchant and the lady and the affectionate mamma, as well as the inferior orders, that he has more knowledge than an experienced surgeon. I long to know by what means he has gained access to the luxurious villa as well as the humble tenement. Why should I go abroad to acquire professional acumen when a man who walks in gaiters and nailed shoes and dwells in Crosshall Street ousts those who rode in carriages and domicile in Rodney Street? How has he managed to gain his renown? Is it from inborn skill, or from the gullibility of the public?

Gwelir yn glir yn y llythyr uchod, ac mewn llawer arall o'i fath, y bustl oedd wedi cronni a chwerwi ambell un yn erbyn Evan, a'r genfigen oedd wedi troi yn wenwyn pur yn ei erbyn.

Gŵr priod 32 mlwydd oed oedd Walter Williams, yn byw yn Lerpwl ac yn gweithio fel clerc mewn swyddfa longau. Fe'i disgrifiwyd gan ei wraig fel un cymedrol iawn ym mhob dim. Ei unig gonsyrn am ei iechyd oedd iddo deimlo ei galon yn dychlamu (*palpitations*) yn awr ac yn y man.

Ym mis Mai 1877, mentrodd Walter wneud rhywbeth nad oedd wrth fodd ei wraig ond a oedd yn bwysig iddo ef. Cytunodd i drallwyso gwaed ar gyfer un o'i gydweithwyr. Ar y pryd, yr oedd y broses yn un gymharol ddieithr a holodd Walter y ddau feddyg oedd yn gyfrifol am y broses os oedd unrhyw berygl. Atebodd Evan Thomas a Dr Parker ef drwy ddweud nad oedd perygl o gwbl iddo. Cytunodd Walter i barhau â'r broses.

Pan wnaethpwyd toriad yn ei fraich, teimlodd Walter yn sâl ond cytunodd i barhau gan ei fod am fod o gymorth i'w gyfaill. Rhoddwyd rhwymyn am y fraich ac aeth Walter i'w waith. Erbyn y noson wedyn yr oedd ei fraich a'i law wedi chwyddo ac er iddo gyfogi ar y dydd Llun wedi hynny, rhoddodd y bai ar gig porc oedd wedi ei fwyta i ginio Sul. Arhosodd yn ei wely ddydd Mawrth ond erbyn gyda'r nos bu'n rhaid galw ar Evan Thomas. Credai Evan fod Walter ar fai na fyddai wedi galw arno ynghynt neu wedi galw yn y feddygfa am rwymyn newydd i'r fraich. Eglurodd Evan i wraig

Walter y byddai te cig eidion ac *arrowroot* yn dda i wella'i stumog ac iddi roi gwydriad bach o frandi iddo bob ugain munud. Allai Walter ddim llyncu'r un ohonynt ac yr oedd wedi marw cyn y bore.

Penderfyniad y crwner yn y cwest a ddilynodd oedd mai 'marw drwy anffawd' wnaeth Walter ond rhoddodd gerydd chwyrn i'r ddau feddyg am nad oeddynt wedi rhoi eglurhad llawn i Walter am beryglon y broses, a bod angen egluro'r broses o drallwyso gwaed yn well i bawb cyn dechrau ar y broses.

Brwydr fu bywyd Evan Thomas mewn sawl ystyr. Ni fu ei flynyddoedd yn Lerpwl yn fêl i gyd, ddim mwy na'i gyfnod ym Môn wedi iddo ymddeol yno o Lerpwl. Diolch byth ei fod wedi brwydro yn erbyn pob anhawster.

Drama ddramatig

Un o bapurau Seisnig wythnosol, poblogaidd sir Fôn yng nghanol yr ugeinfed ganrif oedd yr *Holyhead and Anglesey Mail.* Wrth chwilio ei golofnau dysgai'r boblogaeth newyddion o bob cwr o'r ynys. Un ai roedd y papur yn brin o newyddion yn 1949 neu fod trigolion Cemaes yn awyddus iawn i'r byd a'r betws ddod i wybod am ddrama fawr yr awdur / gynhyrchydd Dr William Hywel Jones oedd i'w llwyfannu yno yn fuan, oblegid ar ddydd Gwener, 4 Mawrth, 1949 fe ddatgelwyd i ddarllenwyr y papur fod Cymdeithas Ddramatig Cemaes yn dechrau ar y dasg o 'feistroli' *The Bonesetter*, gwaith newydd yr awdur / feddyg / gynhyrchydd.

Un â'i le yn ddiogel ar goeden deulu Evan Thomas oedd Dr W. Hywel Jones, mab Syr Thomas Jones, Amlwch, a'i ddrama wedi ei seilio ar hanes ffeithiol Evan Thomas, Stryd Crosshall, Lerpwl. Mae'r ddrama yn ymhél â chyfnod Evan yn Lerpwl a'r gwrthwynebiad a gododd ymhlith meddygon eraill y ddinas yn ei erbyn ef a rhai tebyg iddo nad oedd ganddynt gymwysterau meddygol ffurfiol.

Yr oedd y gwaith o gasglu cast a chriw at ei gilydd wedi ei wneud a phawb bron yn aelodau o gymdogaeth glos pentref glan y môr Cemaes. Cyfnod cyffrous oedd hwn i bawb a'r etholiad cyffredinol oedd ar y gorwel, i'w gynnal ym mis Chwefror 1950, yn destun trafod ymhob seibiant. Aeth ambell un gyn belled â dweud ei fod yn fodlon rhoi chwe cheiniog ar fwyafrif aelod seneddol Môn ond fe'i ceryddwyd yn chwyrn gan y gweinidog am fod y fath beth yn llygru meddwl aelod ifanca'r cast a gwaeddodd ddigon uchel i bawb glywed: *'all bets are off!'*

Nid gwaith hawdd fu ysgrifennu drama ddwy act o ddwy olygfa yr un gyda phrolog ar ei dechrau ac epilog ar ei diwedd, ac yn sicr nid gwaith hawdd oedd cael y gymysgfa gywir o awydd, hyder a phrofiad ymysg aelodau'r cast, ond llwyddwyd i gael pawb at ei gilydd.

Ymysg y cast a restrwyd yn y rhaglen oedd:

T. J. Jones yn actio rhan *A British Ship's Officer*
Tom Carpenter yn actio rhan *An American Air Force Officer*
R. Maurice Williams yn actio rhan Evan Thomas
Ieuan Hughes yn actio rhan ei fab Hugh Owen Thomas a Ted Huws yn actio rhan Richard Thomas (mab arall i Evan Thomas)
Elizabeth Hughes oedd yn actio rhan Margaret Hughes, chwaer Evan
William Jones yn actio rhan Ned, *the Servant*
Ann Hughes yn actio rhan Ann, merch Ned
Owen Parry yn actio rhan Alfred Green
Arthur Jones yn actio rhan Dr Reeder
David Howell Jones yn actio rhan Mr Sergeant Laurence, *a barrister*
A. N. Other i lenwi'r bwlch yn rhan Y Crwner (y rheithor, Y Parchedig W. Morris-Jones gafodd y fraint o chwarae rhan y Crwner)
James O'Connor yn actio rhan y Beadle a
Jack Hughes yn actio rhan *Foreman of the Jury*

Lleolwyd y Prolog ar ddec promenâd llong, '*an ocean going liner*' yn hwylio heibio'r Sgeris (Ynysoedd y Moelrhoniaid) oddi ar arfordir gogleddol Môn nid nepell o gartref yr Evan Thomas gwreiddiol, yn 1945. Yn y Prolog gwelir peilot Americanaidd yn dychwelyd adref wedi iddo gael ei anafu a thorri ei glun yn yr Ail Ryfel Byd. Eglura'r peilot i feddyg y llong i'w fywyd gael ei achub drwy ddefnydd o Sblint Thomas, tra eglura'r meddyg fod y llong o fewn milltir neu ddwy i gartref hynafiaid dyfeisydd y sblint. Lleolwyd yr Act Gyntaf, Golygfa 1 yn ystafell ffrynt tŷ Evan Thomas yn Stryd Crosshall, Lerpwl ym mis Ionawr 1854, a'r Ail Olygfa wedi ei lleoli yn yr un ystafell ymhen pedair awr ar hugain. Yn yr un ystafell y lleolwyd Act 2, Golygfa 1, bedwar mis yn ddiweddarach a Golygfa 2 yn y coridor yn Llys y Crwner y bore canlynol. Daw'r ddrama i ben efo'r Epilog wedi ei leoli ar ddec y llong unwaith eto.

Cnewyllyn y ddrama yw hanes achos llys a gynhaliwyd yn Lerpwl yn 1845 pan oedd claf yn cyhuddo Evan Thomas o gamymddygiad. Perswadiwyd y claf i fynd â'r achos i'r llys wedi iddo golli ei goes ond yn ôl yr awdur doedd o ddim amgenach na:

> . . . an instrument in the hands of the doctors of Liverpool who were intent on eliminating the competition of successful 'quacks' in the town, the most successful and most sought after being Evan Thomas.

Teitl llawn y ddrama oedd *The Bonesetter of Crosshall Street* a'r awdur ei hun yn cynhyrchu; cynllunydd ac adeiladwr y set a chyfarwyddwr y llwyfan oedd John Gibbon Hughes yn cael ei gynorthwyo gan William Humphreys a Jack Hughes yn gyfrifol am y gwaith trydanol. Diolchwyd ymlaen llaw i berthnasau a chyfeillion y Gymdeithas Ddrama am fenthyca a chyflwyno rhoddion o ddillad a dodrefn ar gyfer y perfformiadau; i Miss Thomas, Penybont, Cemaes am fenthyca parot ac i Mr Jack Hughes, Dinorwic House, Cemaes am gynllunio '*and executing the Evan Thomas Testimonial*'. Yn yr un modd, diolchwyd i deulu'r cynhyrchydd am eu parodrwydd i ganiatáu iddo bortreadu'r cymeriadau oedd yn berthnasau gwaed iddynt ac i Gyfarwyddwr Drama'r Sir – Mr Dewi Lloyd Jones – am bob awgrym adeiladol a chymorth parod, ac yn olaf: '*It would be appreciated if the ladies would remover their hats* fel bod pawb yn gallu gweld, hyd yn oed y rhes gefn!'

Yng nghyfarfod blynyddol y Gymdeithas a gynhaliwyd yng ngwesty'r Gadlys, Cemaes ar 26 Mawrth adroddodd y llywydd – Dr W. Hywel Jones – fod y paratoadau yn mynd yn eu blaen yn hwylus iawn parthed y ddrama, ac ar 7 Ebrill cynhaliwyd ymarfer gwisgoedd (*dress rehearsal*). Mae'n amlwg felly na fyddai'n hir iawn nes byddai'r llenni yn agor ar y perfformiad cyntaf yn y Ganolfan Gymdeithasol yng Nghemaes.

Os felly y bu, nid oedd gohebydd yr *Holyhead and Anglesey Mail* yn bresennol neu dewisodd beidio adrodd yn ôl i'r cyhoedd ond fe fu perfformiad, o hynny does dim dwywaith, a hwnnw yn berfformiad llwyddiannus tu hwnt. Wedi'r agoriad yng Nghemaes, agorodd y ddrama yn Festri Capel Heathfield Road, Lerpwl lle cafodd dderbyniad gwresog iawn, unwaith eto. Yr oedd y cynhyrchydd wedi trefnu bod lori o Gemaes i gario'r celfi a'r golygfeydd i gychwyn am wyth o'r gloch y bore er mwyn cyrraedd tua hanner dydd ac mewn da bryd i osod popeth yn eu lle. Trefnodd aelodau'r cast i wneud eu ffordd eu hunain i Lerpwl gan rannu ceir a chael pryd o fwyd ar y ffordd, a bod yn barod i fynd ar y llwyfan am saith o'r gloch yr hwyr. Cyrhaeddodd yr awdur / cynhyrchydd am ddau o'r gloch y prynhawn, ond nid oedd golwg o'r lori yn unman a bu pawb ar bigau'r drain yn disgwyl ei gweld yn cyrraedd. Erbyn hynny yr oedd yn bump o'r gloch a'r dreifar a'i gwmpeini wedi cael cinio hir ac eithaf gwlyb!

Chlywyd dim mwy yn y papur am y ddrama tan 26 Mai, 1950. Yr wythnos honno cafwyd adroddiad am lwyddiant ysgubol Mr Owen Parry o'r Penrhyn (rhan o Gemaes) yng Ngŵyl Ddrama Bae Colwyn yn ennill gwobr arbennig am y perfformiad unigol gorau yn Nosbarth A (drama hir). Actio rhan Alfred Green oedd camp Owen yn y ddrama *The Bonesetter of Crosshall Street*. Cyflwynwyd tlws iddo gan Miss Gerda Redlich, actores, beirniad a dramodydd Almaenig. Yr oedd hi wedi ei phlesio'n fawr efo'r cynhyrchiad:

> I must add that I was stunned by the sheer professionalism of so called amateur actors. The set, the lighting, the costumes, the acting and expert direction of the producer were of such a high standard that I was amazed.

Wrth longyfarch Owen, cyhoeddodd y papur y byddai'r perfformiad nesaf o'r ddrama i'w weld yn theatr y Gwersyll Llu Awyr Americanaidd, Burtonwood, Warrington. I rai o'r cast yr oedd cael mynd i'r fath le yn agoriad llygad ac ambell un wedi gwirioni'i ben yn lân am iddo gael diod newydd sbon o'r enw Coca-Cola. Yn anffodus, gwnaed colled o £19 ar y daith.

Bu'n rhaid aros hyd fis Awst cyn cael gweld perfformiad arall yng Nghemaes ac meddai'r gohebydd:

> The Community Centre was full of visitors and residents last week, when the Cemaes Dramatic Society presented their author/producer's new play *The Bonesetter of Crosshall Street.*

Cafwyd y trydydd perfformiad lleol ar 25 Awst:

> The Dramatic Society performed their author / producer's play *The Bonesetter of Crosshall Street* for the third time here last week and the house was full. The performance was given to defray the expenses of the Society.

Yn ddiweddarach ymddangosodd y ddrama yn theatr y Playhouse yn Lerpwl, er i drefnydd dramâu y theatr, John Fernald, fod yn bur wrthwynebus ar y dechrau. Mynnodd fod y sgript yn cael ei hail a'i thrydydd ysgrifennu ac wedi i hynny gael ei wneud, chafodd o mo'i blesio a gadawodd ei swydd! Apwyntiwyd Gerald Cross yn ei le a thrwy berswâd yr Henadur Edwin Thompson a chefnogaeth William Armstrong, agorodd y ddrama yn Lerpwl ar 3 Ebrill, 1951, lle bu'n gymaint o lwyddiant fel bod pob record *box office* ers deuddeng mlynedd ar hugain wedi eu chwalu'n llwyr. Bu'r perfformiadau ymlaen am dair wythnos a thŷ llawn bob nos ac ar brynhawn Sadwrn y Grand National hyd yn oed! Gan gymaint o ddiddordeb oedd yn y ddrama, daeth tri barnwr o'r Uchel Lys yn un swydd i'w gweld. Un arall a ofalodd am ei sedd oedd Arglwydd Birkenhead. Ni wyddir beth oedd barn y barnwyr nag ymateb yr arglwydd ond yr oedd un aelod o'r cyhoedd o leiaf wedi ei blesio ac meddai wrth yr awdur, '*Do you know, it's the first time for six weeks that I've forgotten my bloody piles!*'.

Rhai o aelodau'r cast yn Lerpwl oedd:

> Cyril Luckham yn chwarae rhan Evan Thomas
> Peggy Mount yn chwarae rhan chwaer Evan
> Manning Wilson ac Eric Lander yn chwarae rhan meibion Evan
> Edward Mulhare yn chwarae rhan bargyfreithiwr
> Leonard Williams yn chwarae rhan gweithiwr yn y dociau

Wedi tymor llwyddiannus yn Lerpwl, bu gobaith i'r ddrama drosglwyddo i'r West End yn Llundain dan enw newydd – *The Crooked Finger* (am fod bys bach, cam yn nodwedd o'r teulu) – ond chwalwyd y freuddwyd honno. Wedi wythnosau o ymarfer caled yn theatr Vaudeville, y Strand yn Llundain, cafodd y cast eu siomi pan ddeallwyd fod y theatr wedi ei haddo ar gyfer perfformiadau o ddrama rhywun arall. Wedi colli cyfle yn Llundain, aethpwyd â'r ddrama ar daith i Leeds, lle'r agorodd ar nos Lun, 7 Medi, 1953 ac yna i'r Lyceum, Sheffield, y Prince of Wales yng Nghaerdydd ac yn olaf i Wimbledon.

Trefnwyd darllediad radio o'r ddrama ond bu'r brenin Siôr VI farw ar 25 Mawrth, 1952 a gohiriwyd holl raglenni radio'r dydd. Cafodd cynhyrchiad John Gwilym Jones o'r ddrama ei ddarlledu chwech wythnos yn ddiweddarach.

Ymhen deng mlynedd ar hugain, aeth Bob Roberts, Dyserth ati i gyfieithu'r ddrama i'r Gymraeg ac addasiad o'r ddrama honno sydd wedi ei pherfformio gan gwmni Theatr Fach, Llangefni fwy nag unwaith yn y deng mlynedd ar hugain diwethaf. Roedd y cynhyrchiad Cymraeg cyntaf o *Evan Thomas – Meddyg Esgyrn* ym mis Mawrth 1983. Yn y rhaglen ysgrifennodd Dr Hywel mai'r hanes oedd:

> ... y gwrthdrawiad a fu rhwng Evan Thomas, y Meddyg Esgyrn llwyddiannus ond di-gymwysterau, a'r meddygon yn Lerpwl oedd yn wenwynllyd o'i lwyddiant ysgubol. Yn y ddrama hefyd ceir y cymhlethdod o ddyheadau y meibion i fod yn feddygon trwyddedig, a styfnigrwydd eu tad ynghlwm â'i wrthwynebiad i'r alwedigaeth – maen tramgwydd sydd yn profio yn anodd ei oresgyn.

Perfformiwyd y gwaith yn ystod Eisteddfod Genedlaethol Cymru Bae Colwyn ym mis Awst 1983. Gwerthwyd pob sedd ar gyfer yr wythnos ond er cymaint y llwyddiant a gafwyd, barn Elen Roger Jones, aelod o'r cast ac yn chwarae rhan chwaer Evan Thomas, oedd, 'cofiwch chi, dydi hi ddim yn ddrama fawr!'.

Cafwyd perfformiadau eraill o'r ddrama yn ystod Eisteddfod Genedlaethol Cymru Y Rhyl yn 1985 pan y'i perfformiwyd yn Theatr Tywysog Cymru, Bae Colwyn.

Y cynhyrchiad diweddaraf o'r ddrama oedd un Cwmni Theatr Fach, Llangefni ym mis Chwefror 2011 a chast o bymtheg gyda Tony Jones a Marlyn Samuel yn actio'r prif rannau. Yn ogystal â'r pymtheg actor dynol oedd yn cynnwys talentau lleol a wynebau cyfarwydd – pobl fel Rhys Parry, Audrey Jones, Rhys Derwydd, Arwel Stephen, Mavis Williams, Eirian Young, Huw Rees (seren y sioe), O. Arthur Williams, Stephen Lansdown, Elwyn Jones, Carwyn Siddall, Gwynfor Roberts ac Ann Owen, yr oedd un arall dieithr iawn i'r theatr, sef Co-Co y parot, yn cymryd rhan. (Fel y soniwyd eisoes, byddai chwaer Evan Thomas yn defnyddio'r aderyn i dynnu sylw'r cleifion oddi wrth eu poen cyn dyddiau anaesthetig.) I weld y perfformiad hwn gwahoddwyd aelodau o deulu William Hywel i'r theatr a daeth criw o feddygon yn un swydd o Lerpwl i weld y cynhyrchiad.

Mae ambell aelod o gast pob drama yn y Theatr Fach yn ymwybodol fod yno rhyw fath o 'bresenoldeb' ond cafodd pawb eu dychryn yn ystod perfformiadau 1957. Trefn arferol y rheolwr llwyfan, ar ddiwedd y perfformiad, yw paratoi ymlaen llaw ar gyfer y perfformiad nesaf ac felly yn union oedd y drefn yn 1957, a'r rheolwr llwyfan yn gosod pob un o'r celfi ar fwrdd yng nghefn y llwyfan. Yn eu mysg oedd rhwymyn (*sling*) i roi am fraich un o'r cymeriadau ac er mwyn hwyluso'i wisgo mewn byr amser yn y tywyllwch, byddai'r rheolwr wedi ei rwymo'n barod fel mai'r cyfan oedd angen ei wneud oedd ei lithro dros y pen a'r ysgwydd cyn camu 'mlaen i'r llwyfan.

Byddai'r theatr dan glo drwy'r dydd ac ni chaniatawyd i neb fynd i mewn ond fel y cyrhaeddai pawb ar gyfer y perfformiad, yr oedd cwlwm y rhwymyn wedi ei ddatod! Oedd presenoldeb Evan yn y theatr? Oedd y perfformiad yn ei blesio? Pwy a ŵyr?

Plant Evan Thomas

Fel y dywedwyd eisoes, merch Tŷ'n Llan, Bodedern oedd Jane Ellis Owen, gwraig gyntaf Evan Thomas, ac er i Evan a hithau fod yn byw yn Stryd Great Crosshall, Lerpwl, ym Modedern y ganwyd eu dau blentyn hynaf. Fel ei dad, haedda'r hynaf, **Hugh Owen Thomas**, bennod iddo'i hun.

Yr ail fab oedd **Richard Evan Thomas** a anwyd yn 1836. Graddiodd yn un ar hugain oed o Brifysgol Caeredin wedi ennill anrhydeddau MRCS (Llundain); MB, ChB a MD. Bu'n cydweithio â'i ewythr, Dr Roberts, Llanelwy ac ar ei liwt ei hun fel meddyg yn Rhiwabon a'r Wyddgrug. Erbyn 1867 yr oedd yn byw yn Spring Lodge, Rhiwabon, ond oherwydd cysylltiadau teuluol, newidiodd enw'r tŷ i Tŷ'n Llan. Ymhen blwyddyn yr oedd wedi symud i'r Wyddgrug ac yn lletya efo Mrs Richards yn Paris House, ar gornel Church Lane. Un o'i gleifion cyntaf yn y dref oedd gŵr wedi torri ei fys. Gwahoddwyd Richard i ailosod yr asgwrn a rhoddodd y meddyg ddracht mawr o wisgi i'r claf i leddfu'r boen. Gwahoddodd y gŵr i alw unrhyw amser y byddai'n pasio heibio fel y gallai'r ddau rannu gwydraid arall o wisgi. Yn yr Wyddgrug, cyflogai Richard was, un bychan o gorffolaeth ac efo wyneb di-siâp. Byddai hwnnw yn rhedeg ar ôl plant y pentref pan fyddent yn chwarae yng nghyffiniau'r feddygfa.

Symudodd Richard i Fangor, a phriodi yn fuan wedyn, â Margaret Jones, merch Taihirion yn Eglwys Llangaffo ar 30 Rhagfyr, 1859 a ganwyd iddynt dair merch – Jennie (priod Robert Williams, Tyddyn Ronwy, Tregele, Môn); Martha (priod Griffith Hugh Williams, Berw Uchaf a Braint, Gaerwen.

Priodwyd y ddau yng Nghapel y Tabernacl, Bangor gan y Parchedig John Williams ar ddydd Mawrth, 30 Gorffennaf, 1889) a Margaret neu Maggie i'r teulu (priod E. O. Griffiths, Dolfryn, Llandrillo-yn-Rhos, peiriannydd ar y llong *Arizona*). Priodwyd y ddau ar 22 Chwefror, 1867, gyda thrwydded yng Nghapel Llanfwrog. Ar ddiwedd y gwasanaeth cyflwynodd un o ddiaconiaid y capel Feibl a Llyfr Emynau i Mrs Griffith fel arwydd o ddiolchgarwch aelodau'r capel am ei hymdrechion yn hyfforddi plant yr Ysgol Sul. Addurnwyd y capel â blodau a dail bythwyrdd ac yr oedd llawer o'r ardalwyr wedi ymgynnull i weld y briodas oherwydd y parch mawr oedd yn y gymdogaeth tuag at y briodferch. Bu Maggie farw yn 1875 yn dri deg naw mlwydd oed.

Yr oedd i Richard Evan enw da fel meddyg ac wedi dryllio'r *Royal Charter* ar greigiau Moelfre yn 1859 galwyd arno ef a John Hughes, Felin Esgob yno i gysuro'r cleifion ac i liniaru eu poenau.

Nid oedd perthynas rhy iach rhwng Richard a'i frawd, Evan:

> Ffwl yw Dic fy mrawd. Mae'n od rhyfeddol o glyfar, ac yn anffyddiwr, ac mae wedi darllen llyfrau na freuddwydiais i edrych arnynt hyd yn oed!

Trydydd mab Evan a Jane oedd **Evan Thomas**, yntau fel ei frodyr wedi graddio o brifysgolion Caeredin a Llundain ac a dderbyniwyd yn aelod o Goleg Brenhinol y Llawfeddygon (Lloegr) yn 1853. Yr oedd yn llawfeddyg galluog ac yn weithiwr caled ond yr oedd rhyw odrwydd a hynodrwydd yn perthyn iddo

Prynodd fferm Tan-y-garth yng Nglyn Ceiriog yn 1925, nid yn gymaint i fagu anifeiliaid na thyfu cnydau ond er mwyn iddo allu mwynhau cerdded y caeau, saethu a physgota yn yr afon oedd yn rhedeg drwy'r tir. Cododd bont raff o'i wneuthuriad ei hun i groesi'r afon. Ei drefn wythnosol oedd ymweld â Than-y-garth bob dydd Mawrth, Iau a Gwener. Cerddai o Benbedw i Parkgate i ddal y trên i Langollen a cherdded o'r fan honno dros y mynydd i Lyn Ceiriog neu'r Waun. Gwisgai yr un math o ddillad bob amser: brethyn brith, cras oedd ei ffefryn a chap o'i waith ei hun ar ei ben. Ar ei gefn cariai gnapsach a ffon fforchog drwyddo, yr un un am y pymtheng mlynedd y bu'n cerdded strydoedd Lerpwl, Glyn Ceiriog, Llanelwy a Môn. Tra oedd yn cerdded byddai yn naddu darn o bren ac yn ei feddygfa yn Lerpwl ac yn Nant-y-garth yr oedd ganddo weithdy arbennig i waith naddu a cherfio coed.

Teithiai o stesion Gobowen yn ôl i Lerpwl a'i arfer oedd cyrraedd y stesion o leiaf chwarter awr cyn i'r trên gyrraedd. Ar un achlysur galwyd arno i drin cigydd oedd wedi anafu ei ysgwydd. Heb betruso, gafaelodd yn yr ysgwydd a'i hailosod a dal y trên efo dim ond dau funud wrth gefn. Yr oedd cymaint yn gwybod am ei arferion fel bod gorsaf-feistri Rhiwabon a'r Waun wedi rhoi caniatâd iddo drin cleifion yn yr ystafell aros ar y platfform.

Ceidwadol oedd ei ddaliadau gwleidyddol ac nid oedd ganddo air da o fath yn y byd i Lloyd George. Clywyd ef yn cwyno un haf poeth fod yr haul yn crino'r gwair a Lloyd George yn llosgi ei boced! O ran crefydd, capelwr ydoedd a Methodist yn nhraddodiad y teulu. Ni ellid ei ystyried yn gapelwr selog ond gallai ddyfynnu adnodau rif y gwlith. Ei ddau arwr mawr oedd Iesu Grist a'r Apostol Paul a'i obaith cyson oedd y câi weld sut le oedd yn y nefoedd. Byddai yn siarsio ei weithwyr i fod yn hollol onest mewn busnes, os byddent yn gwerthu un o anifeiliaid y fferm, rhag dweud celwydd na phechu. Dynwaredai rai o'r pregethwyr mawr mewn 'hwyl' gan ddyfynnu un yn arbennig:

> Tasa ganddo chi'r gras ydw i yn ei bregethu, gallech glecian eich bawd ar bob cythraul sydd yn Uffern.

Un tal, tenau a'i freichiau yn hir oedd Evan a'i wedd yn debyg i un bocsiwr ysgafn ei bwysau. Byddai wrth ei fodd yn gwylio gornestau felly yn Lerpwl a byddai'n gwahodd rhai fyddai ar y rhaglen mewn gornestau mawr i'w gartref yn Seacombe neu i'r feddygfa yn Lerpwl.

Nodwedd annwyl iawn o'i gymeriad oedd na allai Evan wrthod cymwynas i neb. Daeth Mr Taylor o St Martin ato ar lan yr afon un diwrnod a gofyn am driniaeth i'w fraich. Rhoddodd Evan ei wialen bysgota i lawr a rhoi'r claf i bwyso ar ganllaw'r bont gyfagos. Gofynnodd i Robert Ellis, oedd yn digwydd bod yn agos, afael yng ngwddw Taylor ac yn y fraich boenus a bod yn barod i dynnu ar arwydd gan Evan, tra byddai yntau'n rhoi ei ddwrn dan yr ysgwydd. Efo un yn tynnu a'r llall yn dal arni ac Evan ei hun yn gwthio, llwyddodd i ailosod yr ysgwydd mewn ychydig eiliadau.

Fel llawer meddyg arall, credai Evan yn gryf mewn defnyddio seicoleg a phan gwynodd un claf fod y moddion gwyn a gafodd yn hollol aneffeithiol, rhoddodd Evan botelaid o ffisig coch iddo. Wrth wrando ar y claf yn brolio'r ffisig a'r meddyg, chwerthin wnâi Evan gan y gwyddai mai'r un hylif o wahanol liw oedd yn y botel. Efallai iddo ddysgu elfennau seicoleg gan ei nain. Tra oedd yn aros yn Nhy'n Llan, Bodedern cafodd ei ddeffro ganol nos a'r hen wraig yn brysur ddychryn dau leidr i ffwrdd, drwy weiddi nerth ei phen, 'Cod John! Tyrd yn dy flaen Harri!' Gwyddai Evan mai dim ond fo a'i nain oedd yn y tŷ, ond wyddai'r lladron mo hynny a bu'n rhaid iddynt ddianc yn waglaw.

Arferai rhieni Evan gadw pregethwyr yn y tŷ yn Seacombe a daeth yntau i adnabod y rhan fwyaf o aelodau'r Cyfundeb – ond nid pob un. Wrth deithio ar y trên yng nghwmni y Parchedig John Williams, Brynsiencyn aeth Evan i stêm a dechrau bytheirio ar ryw destun neu'i gilydd. Yr oedd ei regfeydd yn llifo'n rhydd iawn. Pwy ddaeth i mewn i'r un cerbyd yn ystod y daith ond y Parchedig Griffith Ellis, Bootle. Wedi iddo fynd i lawr o'r trên yng Nghaer gofynnodd Evan i John Williams:

'Pwy oedd yr hen ddiawl sych yna?'

Ymhen ychydig ddyddiau, cyfarfu John Williams â Griffith Ellis a'i gwestiwn cyntaf yntau oedd:

'Pwy ar wyneb y ddaear oedd y dyn ofnadwy yna ar y trên y dydd o'r blaen?'

Un yr oedd Evan Thomas yn ei adnabod yn dda oedd George Wilson o Riwabon. Byddai'r ddau yn pysgota afon Tan-y-garth efo'i gilydd ond yr oedd Wilson dan fygythiad y byddai'n cael ei wahardd rhag pysgota os feiddiai o ddal brithyll yn pwyso mwy nag un a ddaliwyd gan Evan! Ar un ymweliad, daliodd Evan glamp o frithyll mawr yn yr afon ond yr oedd wedi anghofio ei rwyd lanio. Gwrthododd Wilson roi cymorth iddo gan fod y bygythiad yn dal i sefyll ac yn yr ymdrech o geisio glanio'r brithyll ei hun, fe syrthiodd Evan yn y brwyn ar y lan a throi ei ffêr. Rhag bod yn hollol ddideimlad, cariodd Wilson y cloff i'r tŷ a gofyn am *Methylated Spirit* i'w dywallt ar y droed ac i esgid Evan. Gan fod Evan am ddal y trên yn ôl i Lerpwl, rhoddwyd coes brwsh llawr iddo i'w ddefnyddio fel bagl ond ar y ffordd i'r stesion torrodd hwnnw a bu'n rhaid iddo ddefnyddio cribin gwair y *lengthman* ar ochr y ffordd i gynnal ei hun a chwblhau'r daith boenus. Diolch i'r drefn fod y trên wedi aros amdano ond erbyn cyrraedd yn ôl i Lerpwl yr oedd y droed wedi chwyddo fwy na llond yr esgid, a'i lledr melyn wedi hollti. Ni allai Evan oddef ei rhoi ar lawr gan gymaint oedd y boen. Bu'n gloff am wythnosau wedyn.

Yn ei henaint priododd Evan, yn hen lanc saith deg oed, efo Ada Bronwen Stoddart oedd ddeugain mlynedd yn ieuengach na'i gŵr.

Merch hynaf Evan a Jane oedd **Anne Jane Thomas**. Cafodd ei geni yn 1840, bu'n byw ym Mryn Eglwys, Llanfwrog, Môn. Yr oedd yn eglwyswraig bybyr, yn warden, yn organyddes am dros ddeugain mlynedd ac yn athrawes ysgol Sul. Gwraig garedig a chymwynasgar iawn oedd Anne Jane ac yn eithriadol hoff o anifeiliaid ac adar. Dywedir iddi roi sylw i'r ceffylau cyn rhoi sylw i unrhyw ymwelydd i'w chartref am y credai na allai ceffyl na chi ofyn am fwyd a diod, ond gallai'r ymwelydd helpu ei hun os oedd ar fin trengi. Yr oedd yn feddyges dda ac yn gallu gwella gwenwyn gwaed.

Ail ferch Evan a Jane oedd **Margaret**, merch dawel a gwraig Lewis Hughes, Tan y Bryn, Conwy. Yn wahanol i'w chwaer, yr oedd hi yn Fethodist i'r carn ac yn gofalu nad oedd galw ar y *chauffeur* i weithio ar y Sul, noson y Seiat neu gyfarfod gweddi yn y capel. Yr oedd hithau yn feddyges heb ei hail. Darllenai bapurau newydd o glawr i glawr gan ganolbwyntio ar wleidyddiaeth y dydd er mwyn cynnal trafodaethau synhwyrol efo'i gŵr.

Bu farw ar ddydd Mawrth, 12 Awst, 1930 yn wyth a phedair ugain mlwydd oed a'i chladdu ym Mynwent Tŷ'n y Groes. Yr oedd ei nai – Y Parchedig John Owen, Bryncroes yn gyfrifol am y gwasanaeth efo'r Parchedig D. Morris Jones, Abertawe.

Un arall o feddyg-feibion y teulu oedd **Owen Robert Thomas** a aeth efo'i frawd, John Lewis, i fyw at eu hewythr Dr Owen Roberts, Llanelwy pan fu farw eu mam.

Wedi graddio o Brifysgol Caeredin a'i dderbyn yn MRCS (Llundain), LRCP (Caeredin), LFPS (Glasgow) a RCS (Caeredin) bu Owen Robert yn gweithio fel meddyg yn Southampton efo Dr Read. Ei gryfder oedd ei allu i osod esgyrn yn ôl yn eu lle. Yn Southampton y cyfarfu â, a phriodi, Bertha Maud Dryson, dwy ar bymtheg oed a newydd adael yr ysgol – a chreu tipyn o sgandal!

Ar farwolaeth Dr Roberts, Llanelwy, gadawyd Hafod Elwy, ei gartref, i Owen Robert ynghyd â swm sylweddol o arian i John Lewis, ond nid arhosodd Owen yno'n hir cyn symud i Twickenham, Reading ac yna i Maidenhead.

Collodd Owen Robert ei gyfaill pennaf, Ralph Swimmer, yn 1883 a thorrodd ei galon; collodd ei dad yn 1884 a bu yntau farw wythnos union ar ei ôl. Cafodd ei gladdu ym Mynwent Eglwys Llanfwrog. Gadawodd un mab – Cyril Leonard Ross Thomas, fu'n athro hanes mewn prifysgol yn Llundain.

Cafodd **John Lewis Thomas** yrfa golegol ddisgleiriach na'r un arall o'i frodyr. Graddiodd yn MA a Mast. Surg. yn 1868, LSA (Llundain) yn 1868, Lic. Fac. Phys. Surg. (Glasgow) yn 1868, MD o Brifysgol Aberystwyth yn 1870, FRCS (Caeredin) yn 1872. Tra bu yn Nottingham, priododd â Clara Hayworth, ail ferch y diweddar James Hayworth, cyfreithiwr o Boulogne-sur-Mer, Ffrainc ar ddydd Iau, 18 Ebrill 1877 yn Eglwys y Drindod Sanctaidd, Lenton, Nottingham. Yn gweinyddu oedd ficer y plwyf, y Parchedig George Browne. Aeth y pâr priod i fyw yn Southampton a John Lewis i weithio fel meddyg. Arhosodd ef a'i wraig yn 10 Anglesea Place tra oeddynt yno, ac yno y ganwyd o leiaf un o'u plant.

Ganwyd iddynt bedwar o blant – dau fab a dwy ferch a fyddai yn cael eu taflu i'r môr gan eu tad er mwyn iddynt ddysgu nofio a bod yn ddi-ofn fel yntau. Bu **Hugh**, y mab hynaf, yn Uwchgapten yng Nghatrawd Suffolk ac **Owen**, y mab ieuengaf, yn Gapten efo'r Welsh Horse. Cyfeiriwyd at ei enw fwy nag unwaith mewn Negeseuon i'r Awdurdodau a chafodd Fedal y Gymdeithas Ddyngarol Frenhinol am achub bywyd yn ne Affrica. Fe'i lladdwyd yn y Rhyfel Mawr yn 1917 yn dri deg saith mlwydd oed.

Cymerai John Lewis ddiddordeb ym mhob agwedd o fywyd. Yr oedd yn Ustus Heddwch ac yr oedd ganddo ddiddordeb mewn gwleidyddiaeth gyfoes. Bu farw'n sydyn yn 1913.

vi

Y Doctor Bach

Fel ei dad, Evan Thomas, daeth **Hugh Owen Thomas**, y mab hynaf y cyfeiriwyd ato yn y bennod flaenorol, yn gymeriad o bwys i fywyd meddygol a chymdeithasol Lerpwl a Phrydain er na lawn sylweddolwyd hynny yn ystod ei fywyd. Bu'r Doctor Bach, fel y'i gelwid, yn gyfrifol am ddyfeisio sblint a fu'n cael ei ddefnyddio yn eang am ddegawdau lawer, ond dim ond wedi ei farw y cafodd ei gyfraniad ei wir werthfawrogi ac oni bai am un o berthnasau ei wraig, mae yn eithaf posibl mai wedi mynd yn angof y byddai'r cymeriad anhygoel hwn erbyn heddiw. Meddai G. Penrhyn Jones yn 1968:

> Ymysg *eccentrics* meddygol niferus ac arloesol y ganrif o'r blaen ni fu yr un mwy na'r enwocaf o ddisgynyddion Maes y Merddyn Brych, sef Hugh Owen Thomas. Pencampwr hylaw yn ei briod faes ei hun sef llawfeddygaeth orthopaedig. Hwn oedd yr arbenicaf o arbenigwyr, yn tramwyo tref Lerpwl mewn dog-cart, cap llongwr ar ochr ei ben a sigaret dragwyddol yn ochr ei geg; y rhyfeddod o ddyn na allai gysgu'r nos heb i'w wraig oddefgar chwarae'r '*Dead March*' o Saul (Handel) ar yr harmoniwm.

Er mai â dinas Lerpwl y cysylltir Hugh Owen Thomas yn bennaf, rhaid cofio mai yng nghartref ei fam yn Nhy'n Llan, Bodedern, Môn y'i ganwyd ar 23 Awst, 1834. Yno hefyd y ganwyd ei frawd Richard. Ar fferm ei daid a'i nain y treuliodd Hugh lawer o flynyddoedd ei blentyndod am ei fod yn blentyn eiddil o gorff a gwan ei iechyd, a chredid y byddai awyr iach y wlad yn llawer gwell iddo nag awyrgylch afiach y ddinas.

Derbyniodd ei addysg gynnar yn Rhoscolyn wrth draed Owen Roberts (1792-1887), mab i Siôn Robert Lewis, Almanaciwr Caergybi. Yr oedd Owen yr ieuengaf o ddeuddeg o blant. Priododd Mary Owen, merch Tyddyn Bach, Caergybi a chael swydd fel athro ysgol yn Llundain cyn dychwelyd i Fôn i Fryngwran, Gwalchmai, Caergybi a Rhoscolyn, lle bu am bymtheng mlynedd ar hugain. Fe'i claddwyd yn Rhoscolyn. Sylweddolodd yr athro yn fuan fod Hugh yn ddisgybl galluog iawn. Yn yr ysgol, dan ofal Owen Roberts, y magodd Hugh gariad at lenyddiaeth ac at farddoniaeth glasurol yn arbennig. Dysgodd waith Wordsworth a Cowper ar ei gof a gallai drafod rhinweddau barddoniaeth yn huawdl iawn. Yn Rhoscolyn dioddefodd Hugh ddamwain pan gafodd ei daro yn ei lygad dde gan garreg a dyna pam iddo wisgo cap a phig wedi ei dynnu dros ei lygad weddill ei oes. Yn hwyrach yn ei oes, anfonodd Hugh arlunydd o Lerpwl i Roscolyn i lunio portread o'i gyn-athro. Cadwodd y gwreiddiol iddo'i hun, ond anfonodd gopi i Owen Roberts.

Wedi dychwelyd i'r cartref teuluol yn Seacombe, Cilgwri, bu Hugh yn ddisgybl yng Ngholeg Poggi yn New Brighton. Yno y cyfarfu ag un o feibion y Cadfridog Garibaldi a bu'n hanner addoli Garibaldi am weddill ei oes. Bu farw mam Hugh yn 1848, pan oedd y mab yn bedair ar ddeg oed, a theimlodd y golled yn fawr iawn. Efo'i fam y byddai'n darllen papurau newydd, yn trafod gwleidyddiaeth a diwinyddiaeth. Byddai hi'n annog ei mab i ddarllen gymaint ag y gallai ac i gopïo areithiau a phregethau. Yr unig seibiant a gymerai Hugh o'i waith fel meddyg oedd i ymweld â bedd ei fam deirgwaith y flwyddyn.

Yn ddwy ar bymtheg oed, fe'i prentisiwyd fel meddyg efo'i ewythr, Dr Owen, Llanelwy. Yno cyfarfu Hugh â bachgen ifanc o'r enw John Rowlands o Ddinbych. Fel Hugh daeth yntau yn enwog iawn flynyddoedd yn ddiweddarach, dan yr enw Henry Morton Stanley. Dysgodd Hugh lawer am waith meddyg yn Inffyrmari'r Wyrcws yn Ninbych. Daeth o a'i frodyr i gyd dan ddylanwad eu hewythr.

Yn 1854 cymerodd Evan Thomas y cam o drefnu addysg prifysgol i'w feibion yng Nghaeredin. Gwyddai y byddai hynny yn fanteisiol iawn i'r bechgyn ac na fyddent yn dioddef, fel y gwnaeth ef, oherwydd diffyg cymwysterau. Yn 1857 yn yr Ysgol Feddygol yng Nghaeredin yr oedd Hugh yn cydoesi â rhai fel Goodsir, Hughes-Bennett, Lister a Symes a ddaeth yn feddygon amlwg ac enwog fel yntau. Yno fe'i synnwyd fod cymaint o gleifion yn gorfod colli aelodau o'u cyrff oherwydd haint ar y corff a'r cymalau. Yno hefyd y dysgodd fyw yn ddarbodus gan mai dim ond deg swllt yr wythnos yr oedd yn ei gael gan ei dad ar gyfer ei holl anghenion byw. Daeth yn ysgrifennydd Cymdeithas Ddirwestol Caeredin a dod dan ddylanwad y llywydd, Dr Guthrie. Byddai'n ymweld â Guthrie yn ei gartref ac, yn ddiarwybod i'r meddyg, yn ei ddynwared yn pregethu. Yn y coleg hefyd y dechreuodd Hugh ddarllen gwaith Thomas Sydenham (1624-1689). Cred Sydenham oedd mai natur oedd y feddyges orau i bawb a dyna'r sylw ysgogodd Hugh Owen Thomas yn ei waith. Flynyddoedd yn ddiweddarach, pregeth feunyddiol Hugh oedd, 'Y mae seibiant yn feddyginiaeth na ellir cael gormod ohono'.

Dylanwadodd gwaith a syniadaeth Sydenham yn drwm iawn ar Hugh. Yr oedd Sydenham o'r farn na ddylid gwaedu cleifion ac mai gadael i natur gymryd ei chwrs oedd y cam gorau tuag at wella cleifion, waeth beth oedd eu salwch. Wedi darllen gweithiau Sydenham yn fanwl daeth Hugh i'r casgliad mai llonydd a seibiant oedd y gorau, yn enwedig felly i gleifion oedd yn dioddef o'r dicáu ar y cymalau – llonydd didramgwydd a hir hyd nes bod pob arwydd o chwydd yn y cymalau wedi diflannu, hyd yn oed os oedd hynny'n cymryd misoedd, weithiau blynyddoedd.

Rhywbeth arall a ddigwyddodd i Hugh yn ystod ei gyfnod yng Nghaeredin oedd iddo sylweddoli fod nifer fawr o aelodau'r corff yn cael eu trychu yn ddianghenraid, yn arbennig felly mewn plant. Gwrthwynebai hyn yn gryf ac yn llafar. Yr oedd yn uchel ei gloch yn erbyn y meddygon rheini oedd yn ffafrio triniaeth o'r fath. Dadl y meddygon oedd mai salwch y tlodion oedd y dicáu ac os oedd Hugh yn argymell iddynt fod yn llonydd am gyfnod hir, dyna'r union bobl na allai fforddio cyfnod o segurdod – un gorfodol neu beidio. Felly, er iddynt golli aelod o'r corff, yr oeddynt ymhen amser cymharol fyr yn gallu symud o gwmpas.

Gwelodd llawfeddyg o'r enw Rushton Parker fachgen ifanc yn cerdded i lawr un o strydoedd Lerpwl efo cymorth un o'r sblintiau a ddyfeisiwyd gan Hugh. Gan fod y ddyfais wedi ei llunio yn arbennig i'r claf, gydag ychwanegiad i wneud y ddwy goes yr un hyd, credai Parker y dylai Hugh gyhoeddi ei syniadau a gwneud hynny ar frys. Ymddangosodd llyfr cyntaf Hugh o'r wasg yn 1875 – *Diseases of the Hip, Knee and Ankle.* Er mai argraffiad preifat, lleol ydoedd, daeth yn un o'r llyfrau a werthodd orau yn hanes meddygaeth a daeth â'r awdur i sylw byd eang. Yn y llyfr amlygodd Hugh ei syniadau a'i ddaliadau ei hun gan eu disgrifio fel rhai newydd ac effeithiol. Yr oedd yn feirniadol iawn o ddulliau meddygon eraill o drin cleifion a bu ei ddefnydd o ansoddeiriau, un yn arbennig, yn anffodus iawn. Yn hytrach na'u disgrifio fel 'cydweithwyr', dewisodd eu galw yn 'wrthwynebwyr' yn ogystal ag *extensionists, posterior fixationists, anti conscussionists, distractionists, plaster of Parisits, profrictionisits* a *simply-do-nothingists.*

Cynhyrfwyd y dyfroedd yn arw ac achoswyd drwgdeimlad cas a barhaodd am weddill ei oes. Nid oedd, ac ni fu, Hugh yn ffigwr poblogaidd ymysg meddygon Lerpwl, ond anwybyddu'r cyfan a wnaeth am ei fod yn gymeriad a gredai ei fod o'i hun yn iawn bob amser, ac felly nid oedd yn malio am farn neb arall.

Yn 1856 aeth Hugh i Goleg Prifysgol Llundain a pharhau ei addysg feddygol wrth wrando ar ddarlithoedd John Hilton (*Anatomical John*) ar sut i ddelio â phoen a phwysigrwydd gorffwys. Fe'i galwyd adref o'r coleg oherwydd salwch ei dad. Ceisiodd y ddau gydweithio am gyfnod ond oherwydd salwch yr hen ŵr ac ystyfnigrwydd yr Hugh ifanc, ni allai'r ddau gydfyw heb sôn am gydweithio. Dychwelodd i'r coleg ac yno, yn 1857, ennill diploma. Wedyn aeth ar daith addysgol i Baris a manteisio ar gyfle yno i arsylwi llawdriniaethau ar gerrig yr arennau ac ar wneuthuriad offer meddygol. Bu hyn yn gam manteisiol iawn iddo a bu dylanwad y daith yn amlwg drwy gydol ei yrfa. Dilynodd ei ddiddordeb yn y maes dyfeisio offer meddygol wedi dychwelyd i Lerpwl a dechreuodd gynhyrchu ei offer ei hun. Er bod mwy nag un fantais wedi deillio o'r daith i Baris, ychydig iawn a soniodd am y profiad ac nid oedd ei argraff o'r ddinas na'i hysbytai yn un ffafriol iawn.

Rhoddodd ail gynnig ar gydweithio efo'i dad ac Evan ei frawd yn Stryd Great Crosshall a bu'n rhaid i'r tri wrthsefyll llawer o wrthwynebiad o'r byd meddygol, er bod Hugh a'i frawd wedi eu cymhwyso fel meddygon trwyddedig. Gyda'r fantais o gael dau feddyg oedd wedi derbyn addysg brifysgol ac un wedi astudio am gyfnod ar y cyfandir, dylai'r triawd fod wedi manteisio ar brofiadau y naill a'r llall. Ond nid felly y bu – gan eu bod yn rhy debyg i'w gilydd o ran natur a chymeriad, yr oeddynt yn barod iawn i feirniadu'r naill a'r llall ac yn rhy groendenau i allu derbyn unrhyw feirniadaeth. Wedi marw mam y plant ar 5 Mehefin, 1849 aeth pethau o ddrwg i waeth a phan ail-briododd Evan Thomas â'r howscipar. Teimlodd Hugh fod hynny yn sarhad ar ei ddiweddar fam. Nid oedd y mab yn fodlon maddau i'w dad am ei 'bradychu' a gadawodd y bartneriaeth deuluol a sefydlu ei hun fel meddyg teulu yn 24 Stryd Hardy, Lerpwl. Buan y tyfodd y practis a bu'n rhaid cael meddygfa arall.

Dr Thomas
Surgeon &c.
(Formerly Evan Thomas & Sons, Surgeon
and Bone-setters)
145 Netherfield Road, North
GORTON

Omnibuses from Castle Street pass the Door
every 20 minutes

Morning Attendance – 10 am to 1 pm
Evening Attendance – 1 pm to 7 pm

Cafodd ei benodi yn swyddog meddygol i wyth ar hugain o glybiau meddygol a chymdeithasau adeiladwyr llongau, gweithwyr haearn, gwneuthurwyr boileri ac i nifer fawr o forwyr oedd yn y porthladd. Yr oedd ganddo gymaint o gleifion ar ei lyfrau fel y gorfu iddo symud o Stryd Hardy i 11 Stryd Nelson yn 1870. Nid oedd digon o le yn y fan honno chwaith a chodwyd estyniad ar y tŷ a gweithdy pwrpasol i wneud offer meddygol lle cyflogwyd gofaint a chyfrwywr (i wneud yr hyn ddaeth yn enwog fel Sblintiau Thomas). Bellach, 11 Stryd Nelson a ystyrir yn fan geni llawfeddygaeth orthopaedig ym Mhrydain. Cadwodd y tŷ yn Stryd Hardy fel ysbyty preifat ac yno y gweithredodd ei ddaliadau ei hun. Credai yn gryf iawn fod pob claf angen gorffwys a llonydd ac os oeddynt yn dioddef o'r dicáu, fod angen digon o awyr iach arnynt hefyd. Dyfeisiodd y sblint ar gyfer:

> ... all sorts of skeletal abnormalities and his innate skill in reducing fractures was followed by the use of his special splints which ensured comfortable support for the muscle acting on the broken ends – so giving complete rest and immobility for the subsequent healing process.

Evan Thomas, tad Hugh Owen Thomas, oedd gafodd y syniad gwreiddiol am sblint syml, ond wedi i Hugh fireinio'r ddyfais fe'i defnyddiodd ar gyfer cleifion yn dioddef o ddicáu ar y glun. Cynigiodd y ddyfais i Fyddin Ffrainc yn ystod y Rhyfel Ffranco-Prwsaidd ond fe'i gwrthodwyd. Bu'r ddyfais, wedyn, yn ddi-sôn-amdani tan y Rhyfel Byd Cyntaf ac er i Hugh drafod y defnydd o'r sblint yn ei lyfr *Diseases of the Hip, Knee and Ankle Joints with their Deformitie, treated by a new and efficient method*, prin fu'r defnydd o'i ddyfais. Cafodd y Sblint Thomas neu'r Sblint Hirdyniad Ymarferol (*Practical Traction Splint*) ei ddyfeisio gan Hugh Owen Thomas yn 1875 yn ei weithdy yn 11 Stryd Nelson, Lerpwl, a'i bwrpas oedd cadw cymalau'r cleifion yn llonydd. Mae gwahanol sblintiau a dyfeisiwyd gan Hugh yn cael eu defnyddio hyd heddiw, ar gyfer y goes a'r fraich, ac yn cael eu hadnabod o hyd fel

Sblintiau Thomas. Bu'n addasu ac yn amrywio'r sblint am ddeng mlynedd ar hugain, ac efo'i wybodaeth drylwyr o anatomeg yr oedd yn gallu ffurfio sblint ar gyfer unrhyw un waeth beth oedd eu hoed na'u maint. Yr oedd y gweithdy a meddygfa Hugh yn agos i ardaloedd tlotaf Lerpwl ac yno yr oedd salwch fel y dicàu yn salwch cyffredin iawn ac effeithiau tlodi yn amlwg. Er y cyflogai Hugh gyfrwywr a gof ar gyfer y gwaith o lunio'r sblint, er mwyn sicrhau fod pob un yn ffitio'n berffaith, byddai ef ei hun yn gwneud mân addasiadau unwaith y byddai'r sblint yn ei le. Gwnaed y Sblintiau Coes Thomas cyntaf o waell haearn ⅜ modfedd wedi ei phlygu i ffitio bob ochr i'r goes efo bwlch siâp V ar y darn croes tu ôl i'r droed. Ar ben uchaf y waell gosodwyd cylch wedi ei badio fel ei fod yn llithro i fyny'r goes wrth ei osod yn ei le yn erbyn boch y pen-ôl a'r *perineum*. Unwaith yr oedd y sblint wedi ei ffitio am yr aelod, gallai'r gwisgwyr ddilyn cyfres o weithgareddau i gadw'n heini a gwelid llawer o blant tlawd y strydoedd cefn allan yn y gymdogaeth yn mwynhau eu hunain er eu bod yn gwisgo'r sblint.

Nid y sblint oedd ei unig ddyfais. Yn ogystal â bod yn feddyg, yr oedd Hugh yn beiriannydd o reddf a dyfeisiodd dorch (*wrench*) i gwtogi'r pellter rhwng esgyrn wedi'u torri a theclyn a alwai yn *osteolcast* (o'r geiriau Groeg am asgwrn a thorri) i dorri ac ailosod esgyrn. Dyfeisiodd goler i'w gwisgo gan gleifion yn dioddef o ddicàu yr asgwrn cefn cerfigol (*cervical spine*). Datblygodd symudiad i weld a oedd asgwrn y forddwyd wedi torri; prawf i weld faint o symudiad oedd gan glaf yn dioddef o gamffurfiad y glun ac arwydd i weld a oedd y dicàu yn y glun (drwy roi'r claf i eistedd ar ymyl bwrdd neu wely uchel a symud y coesau wrth orwedd yn ôl). Mae'r enw 'Thomas' ar flaen pob un o'r rhain: *Thomas' Collar*, *Thomas' Manoeuvre*, *Thomas' Test* a *Thomas' Sign*, ac fel y Sblint Thomas yn cael eu defnyddio hyd heddiw. Pa ryfedd felly i Syr Arthur Keith, mor bell yn ôl â 1918, ddweud amdano:

> Of no man can it be more truly said that time has justified his teaching and practice.

ac i awdur dienw arall ddweud wrth ei fyfyrwyr a darpar feddygon:

> If you could only read about one person in the history of Orthopaedics, then you would have to read about Hugh Owen Thomas, the father of British Orthopaedics.

Un o'r rhesymau am hyn oedd bod y sblint yn cadw'r goes a'r glun yn llonydd ac o'r herwydd yn atal neu'n rheoli gwaedu mewn archollion agored o ganlyniad i anafiadau gan fwledi neu shrapnel. Gallai'r clwyfedig golli hyd at litr o waed hyd yn oed pan oedd yr archoll ar gau felly yr oedd yn angenrheidiol cadw'r goes a'r glun yn llonydd a bu'r defnydd a wnaed o'r sblint yn fanteisiol iawn. Yr oedd timau cludo stretsieri yn y Rhyfel Byd Cyntaf wedi eu hyfforddi i osod y sblint ar y clwyfedig hyd yn oed yn nhywyllwch y nos a gallent, drwy gyffyrddiad, adnabod unrhyw ran ohono tra'n gwisgo mwgwd nwy ac felly ddychwelyd efo'u cleifion o dir neb i ysbytai maes y gad mor fuan â phosibl.

Bron i gant a deugain o flynyddoedd ers ymddangosiad cyntaf y Sblint Thomas, mae arbenigwyr yn parhau i gydnabod ei effeithiolrwydd a'i bwysigrwydd mewn triniaeth feddygol. Meddai P. M. Robinson a M. J. O'Meara yn y *Journal of Bone and Joint Surgery* (Ebrill 2009):

> The Thomas Splint is considered to be an essential piece of equipment in emergency and orthopaedic units in hospitals worldwide.

Fe'i defnyddiwyd yng ngogledd Affrica yn ystod yr Ail Ryfel Byd gan fyddinoedd Prydain ac Awstralia wedi iddo brofi mor llwyddiannus yn Ffrainc yn y Rhyfel Mawr. Cafodd ei ddefnyddio yn Rhyfel y Gwlff hefyd yn 2003, ac yn adroddiad Corfflu Meddygol Brenhinol y Fyddin (RAMC) am y deg diwrnod cyntaf o'r ymladd yno, cydnabyddir pwysigrwydd y sblint wrth drin anafiadau yn dilyn ffrwydradau balistig.

Gan fod Hugh yn credu mewn manteisio ar effeithiau iachusol awyr iach, un arall o ddyletswyddau ei weithwyr oedd gwneud gwelyau allan o focsys sebon pren – ac wedi cadwyno'r rheini i reiliau'r palmant neu ochr y stryd, rhag iddynt gael eu dwyn, gallai cleifion aros yn y gwely a chael digonedd o awyr iach yr un pryd. Yr oedd ei gred yn naioni yr awyr iach wedi ei sylfaenu yn ystod ei ymweliadau â'r *Sea Side Hospital and Convalescent Home* yn y Rhyl o 1870 ymlaen. Ysbyty ar gyfer plant o'r dosbarth gweithiol yn ninasoedd mawr gogledd-orllewin Lloegr oedd hwn ac ynddo yr hyrwyddwyd triniaeth i amlygu'r cleifion i awyr iach a heulwen. Yr oedd y gwelyau i gyd wedi eu gosod ar falconau yn wynebu'r haul. Ar bwyllgor yr ysbyty roedd William Ewart Gladstone – a ddaeth yn ddiweddarach yn enwog fel gwleidydd. Rhoddodd Gladstone a'r pwyllgor rwydd hynt i Hugh Owen

Thomas arbrofi ac arsyllu yn yr ysbyty ac mewn llythyr o werthfawrogiad mynegwyd eu teimladau tuag at y meddyg a'i waith:

> The committee would also express their best thanks to Doctor Thomas of Liverpool for the kind and liberal way in which he has at considerable inconvenience to himself frequently visited the hospital in order to illustrate the working of surgical appliances invented by himself, which appliances have proved the greatest possible benefit to the patients.

Dim ond os oedd y claf mewn poen dirdynnol y byddai'n argymell iddynt aros yn y gwely ond ni chaniatâi i neb aros fwy na thri mis yn y gwely waeth pa mor ddrwg eu cyflwr. Unwaith y byddai'r boen yn y nos wedi diflannu, yna allan â hwy gan ddefnyddio baglau neu'r sblint a ffollach o dan y droed iach. Byddai'r sblint yn cael ei dynnu dros nos a'i ailosod yn y bore.

Yn nyddiau Hugh Owen Thomas, fel heddiw, yr oedd Lerpwl yn ddinas gosmopolitaidd iawn a'i thrigolion yn drawstoriad o bobl o bob lliw a llun, a'u swyddi yn adlewyrchu'r cymysgedd rhyfeddol sydd yn gallu bodoli o fewn ychydig ddrysau i'w gilydd. Yr oedd Hugh yn berchen ar ddau eiddo – un yn Stryd Nelson a'r llall yn Stryd Hardy – y ddau wedi eu henwi ar ôl dau arwr morwrol o gyfnod brwydr Trafalgar ac wedi eu lleoli o fewn cwta ddwy filltir i ddociau Lerpwl – Doc a Glanfa Coburg, Doc a Glanfa'r Frenhines, Basin a Doc Wapping a Glanfa Keel.

Yn ôl manylion Cyfrifiad 1851, roedd Hugh yn cydweithio â meddyg a llawfeddyg cynorthwyol o'r enw Richard Williams, gŵr 41 mlwydd oed yn 11 Stryd Nelson. Yn byw a gweithio yn yr un stryd roedd *master painter* – yn cyflogi wyth dyn a dau blentyn, *lodging house keeper, mariner, ironmonger, merchant's clerk, master mariner, nautical instructor, stevedore, engineer, ship's master, painter, marine engineer, servant, engine fitter, shipwright, haymaker, machinist, shopwoman, coachman joiner, book maker, retired timber merchant, vet* a *publican.*

Yn Stryd Hardy roedd *Sisters of Mercy, master stevedore, book keeper, clerk to soap boiler, washerwoman, labourer, draper, under brewer, paper stamper* ac *envelope fummerer.*

Er i bawb ystyried eu hunain fel dinasyddion Lerpwl, yr oedd gwreiddiau sawl un yn ddigon pell, yn ôl cyfrifiad 1851: Brixham, Bryste, Canada,

Cumberland, Dover, Efrog, Exmouth, Iwerddon, Llanelwy, Llundain, Middlesex, Northumberland, Rhuddlan, Sir Fôn, Sir Gaerloyw, Sir Gaerhirfryn, Swydd Henffordd, St Helen's, Ynys Manaw a'r Alban.

Diddorol fyddai cyfarfod â'r bobl hyn heddiw a chlywed eu barn am y ffaith fod strydoedd eu cartrefi erbyn hyn yn rhan ganolog o ardal Tsieineaidd Lerpwl. Efallai mai Hugh Owen Thomas ei hun fyddai'r mwyaf parod a'r huotlaf ei farn.

Yn yr ardaloedd yma roedd llawer o weithwyr y dociau a llongwyr yn byw a byddent yn dioddef damweiniau yn eu gwaith yn aml ond heb fedru cael at y meddyg mewn pryd – efallai am wythnosau os nad misoedd, ond yr oedd Hugh wrth law bob amser ac ymfalchïai mai dim ond teirgwaith yn unig y bu'n rhaid iddo drychu aelod o gorff oedolyn ac na ddioddefodd yr un plentyn y fath driniaeth dan ei ofal.

Mewn achos o dorasgwrn, trefn Hugh oedd ei ailosod gan ddefnyddio proses '*hammering and damming*' pan fyddai'r asgwrn uwchben y toriad yn cael ei guro er mwyn adnewyddu blaen yr asgwrn toredig (*hammering*) ac yna rhwymo'r goes neu'r fraich uwchben ac islaw'r toriad i rwystro rhediad gwaed o amgylch y toriad (*damming*). Gwisgai sêl-fodrwy (*signet ring*) fel ei fod yn gallu rhoi ei farc ar y rhwymau a gwae'r sawl fyddai wedi aflonyddu arnynt. Yn 1874 daeth claf ato wedi torri ei goes mewn damwain ar fwrdd llong yng ngogledd America. Wedi wyth wythnos dan ofal llawfeddyg yn Nova Scotia, Canada bu am bum mis arall cyn dychwelyd adref i Lerpwl. Treuliodd wyth wythnos arall mewn ysbyty, ond heb wella. Ymhen chwe wythnos o fod dan ofal Hugh yr oedd y broses o '*hammering and damming*' wedi gwella'r goes. Daeth meddyg o'r Almaen i wylio Hugh wrth ei waith yn 1880 a rhyfeddu at fesur ei lwyddiant. Dychwelodd gartref a chyhoeddi llyfr gan hawlio syniadau Hugh fel ei rai ef ei hun.

Yn 1887 daeth John Ridlon, llawfeddyg yn Ysbyty Sant Luc, Efrog Newydd drosodd i Lerpwl i arsyllu ar Hugh wrth ei waith. Fe'i gwelodd yn gosod sblint a phan ddychwelodd i'r UDA, defnyddiodd yr un math o sblint ar gyfer ei gleifion ei hun. Yn anffodus, nid cymeradwyo'i waith wnaeth swyddogion yr ysbyty ond ei ddiswyddo! Wedi clywed beth a ddigwyddodd i Ridlon yr oedd Hugh yn gandryll. Ysgrifennodd a chyhoeddodd lyfryn yn cefnogi Ridlon: *An Argument with the Censor at St Luke's Hopsital, New York*, a bu'n gondemniol iawn o'r Athro Shaffer am wneud y fath beth. Yr oedd Shaffer yn ffigwr o bwys a dylanwadol ar ddwy ochr yr Iwerydd ond credai Hugh iddo gymryd anferth o gam gwag yn diswyddo meddyg mor brofiadol a synhwyrol â Ridlon. Y cyfan allai Shaffer ddweud, yn ei syndod, oedd na fyddai gŵr bonheddig wedi ymosod arno yn y fath fodd. Mae'n amlwg fod y gwir yn lladd.

Yn yr un flwyddyn clywyd Hugh yn traethu ar anghenion meddygon tra oeddynt wrth eu gwaith. Yr oedd angen deg o ddynion mawr, cryf (certmyn) i'w helpu i roi ysgwydd yn ôl yn ei lle. Os oedd meddyg yn ddigon ffodus i allu galw ar y fath griw, rhad ar y claf druan!

Yr hyn sy'n rhyfeddol am Hugh Owen Thomas yw mai dim ond mewn pedwar cyfarfod meddygol y'i gwelwyd yn ystod ei yrfa o ddeng mlynedd ar hugain. Derbyniodd sawl gwahoddiad gan gynnwys dau i gynhadledd flynyddol y Gymdeithas Feddygol Brydeinig yn 1878 a 1879 i arddangos ac egluro manteision y defnydd o'r sblint ond gwrthododd am nad oedd ganddo amser rhydd! Yn 1883 cynhaliwyd rhan o'r gynhadledd yn 11 Stryd Nelson lle gwelwyd deg ar hugain o gleifion yn dioddef o'r dicàu a phob un ohonynt hefyd yn gwisgo Sblint Thomas. Eglurodd Hugh i'r sawl oedd yn arsyllu y byddai'r claf yn gwisgo'r sblint am gyfnod ac yna, wedi ei dynnu oddi ar y goes, gallai symud o gwmpas yn rhwydd. Eglurodd hefyd, heb ymffrost, y byddai pob un o'r deg claf ar hugain wedi colli eu coesau oni bai iddynt wisgo'r sblint.

Er mai cymeriad digon od oedd Hugh yng ngolwg sawl un, yr oedd yn un o'r ychydig ddynion cyhoeddus oedd yn cael croeso a pharch ym mhob rhan o Lerpwl – gan Babyddion neu Brotestaniaid. Un enw iddo ar lafar oedd '*Sawbones*'. Byddai'n cael ei weld a'i gyfarch yn annwyl pan deithiai o un alwad i'r llall yn ei gerbyd fflamgoch, pedair olwyn o'i wneuthuriad ei hun. Unwaith, ac yntau yng nghwmni ei wraig, gwelsant ddau garcharor mewn cyffion yn cael eu dwyn i orsaf yr heddlu. Fel yr oeddynt yn mynd heibio, fe'u cyfarchwyd gan y carcharorion a gofynnodd Elizabeth iddo:

'Pwy oedd y ddau ddihiryn yna?'

Ateb Hugh oedd:

'Dau hen ffrind i mi.'

Gwyddai pawb am y gŵr pum troedfedd a phedair modfedd o daldra ond oedd â'i freichiau yn ymddangos braidd yn hir i'w gorff. Yr oedd ei fysedd hir, main yn gallu gwasgu fel feis! Yr oedd yn fychan o gorffolaeth, yn denau a llwydaidd ei wedd a'i lygaid yn gallu dangos amrywiaeth o emosiynau. Dan ei drwyn roedd mwstas, a gwisgai farf bigfain, dywyll. Gwisgai gap llongwr ar ochr ei ben a byddai ei got bob amser wedi ei botymu'n uchel. Yng nghornel ei geg bob amser byddai sigaret! Credai mai ei arfer o ysmygu oedd wedi ei gadw'n iach wrth ymweld â'r tlodion a'r cleifion yn ystod Epidemig Mawr y Geri Marwol yn 1864. Yr oedd gan ei gleifion ormod o barch tuag ato i gwyno am yr arogl a'r mwg. Gwell oedd ganddynt gofio'i wasanaeth gwerthfawr iddynt, ac fel y taniai gwestiynau tuag atynt yn rhibidirês. Byddai wedi dechrau eu holi bron cyn agor drws y tŷ. Gallai fod yn ddigon swta efo pobl ac yn filain ar adegau. Er hynny, yr oedd gan blant Lerpwl feddwl y byd ohono ac os byddai'r driniaeth wedi bod yn un boenus neu Hugh wedi bod yn fyr ei amynedd, fel y gallai fod yn aml, byddai yn eu hanfon i'r tŷ at ei wraig am lond powlen o gawl neu lobsgows. Disgwyliai i'w orchmynion gael eu dilyn yn fanwl a gwae unrhyw un fyddai wedi ymyrryd â'r sblint neu'r rhwymau yr oedd o wedi eu gosod. Gan y byddai wedi marcio'r rhwymau â'i fodrwy, byddai'n sylwi'n syth ar unrhyw newid a châi'r claf druan wybod am ei gamgymeriad ganddo heb flewyn ar dafod.

Gwyddai pawb ble yn union yr oeddynt yn sefyll efo Hugh Owen Thomas, a phan fentrodd un claf a dorrodd ei fraich y sylw fod coron (pum swllt) yn bentwr o arian i'w dalu am ei hailosod, sylw bachog Hugh oedd y gallai yn hawdd iawn ei hail dorri!

Nodwedd amlwg o gymeriad Hugh oedd ei hoffter o blant, er na fendithiwyd ei briodas â phlant. Yr oedd yn mwynhau eu cwmni'n fawr iawn ac yn aml cynhelid parti i blant yn ei gartref yn Stryd Nelson. Byddai'n diddori'r gwesteion ifanc wrth ddweud storïau wrthynt a byddai ef a Robert Jones yn fwrlwm o ddireidi yn eu mysg, a'r meddyg ifanc ar ei bedwar ar lawr yn chwarae ceffyl. Un arall a gafodd fendith o ymweld â chartref Hugh ac Elizabeth oedd Syr Thomas Jones, Amlwch, tad y dramodydd Dr W. Hywel Jones, pan oedd yn fyfyriwr ifanc. Byddai'r myfyriwr ifanc, llwglyd yn manteisio ar bob cyfle i deithio o Fanceinion i Lerpwl er mwyn cael swper efo'i ewythr Hugh a'i wraig. Yr oedd yn gyfle rhy dda i'w golli, ond unwaith y cliriwyd y bwrdd byddai Thomas yn cael ei hebrwng i'r drws gan fod Hugh am barhau â'i lafur yn y gweithdy, ond cyn cau'r drws byddai yn tyrchio yn ei bocedi a rhoi beth bynnag oedd yno i'w nai – weithiau ddimeiau, weithiau ddwy sofren felen. Mantra bywyd Hugh Owen Thomas oedd 'gwaith a gorffwys'. Gweithiai bob awr bosibl boed hynny Sul, dydd gŵyl neu ddiwrnod gwaith. Yr oedd y tu hwnt o gydwybodol yn ei ymdrechion dros y tlodion a'r anghenus ond gan fod aelodau o'r proffesiwn meddygol yn ddilornus o Hugh, nid oedd cydweithio rhyngddynt. Un a welodd y sefyllfa anffodus yma oedd Dr John Ridlon, meddyg o Chicago a fu'n ymweld â Lloegr a Lerpwl:

> Thomas seemed to me to feel keenly the attitude of the physicians and surgeons of his country; that they look down on him as a bone-setter, that he was ostracised professionally.

Bu Ridlon yn ymweld â deuddeg o lawfeddygon eraill drwy Brydain ac nid oedd gan yr un ohonynt air da am Hugh ond eu colled hwy oedd hynny a theimlai Ridlon iddo ddysgu mwy wrth ddilyn Hugh yn ei waith am awr na phe bai wedi dilyn unrhyw un o'r lleill am fisoedd. Ar un achlysur, wrth i Hugh a Ridlon deithio drwy Lerpwl, trodd Hugh at ei gyd-deithiwr a dweud:

> 'Gyfaill. Rwy'n tynnu tua'r terfyn. Dydw i ddim hanner y dyn oeddwn yn arfer bod.'
> Yr oedd yn dechrau llesgau ac, er mor anodd, yn gorfod cydnabod hynny.

Yr oedd sawl gwedd i gymeriad Hugh Owen Thomas. Yn sicr doedd o ddim y mwyaf hawdd i'w drin ac yr oedd yn perthyn iddo yr elfen deuluol o lyncu mul os nad oedd yn cael ei ffordd ei hun. Yn ôl W. H. Jones mewn darlith yn 1980:

> Hugh Owen Thomas was aggressive and intolerant towards those who attacked him and would refute criticism in no uncertain manner. He was impatient and brusque with those who disagreed with him. This attitude towards recognised authorities made him enemies.

Rhaid cofio ei fod yn deyrngar i'w gyfeillion bob amser ac yn werthfawrogol iawn o'u gwaith. Un fu'n cydweithio ag ef oedd Robert Jones – nai i Elizabeth Thomas. Yr oedd Hugh ac Elizabeth yn briod ers 1864 ond gan na fendithiwyd y briodas â phlant efo'r ddau y treuliodd Robert gyfnod helaeth o'i oes, ac yng nghwmni'r meddyg y dysgodd lawer o gyfrinachau'r grefft o ailosod esgyrn. Bu gan Robert lawer o le i ddiolch i'r ddau am sawl cymwynas. Yn eu mysg oedd yr achlysur pan daniodd Robert wn, a gweld y fwled yn pasio heibio yn agos iawn i wyneb Hugh. Er iddo fod bron â lladd y meddyg, y cyfan ddywedodd hwnnw oedd, 'Beth bynnag wnei di, paid a gwneud hynna eto a phaid a sôn gair wrth fy ngwraig neu ni chawn gyfle ganddi i fwynhau cwmni ein gilydd fyth eto!'

Yr oedd Elizabeth yn wraig eithriadol brydferth, o gymeriad addfwyn tu hwnt ac o natur wahanol iawn i'r gŵr. Yn ôl Syr Robert Jones, chafodd yr un wraig waith mor anodd i'w gyflawni na hi, a chafodd yr un gŵr wraig mor ddeallus.

Ar wahân i gwmni ei gilydd dros bryd bwyd, prin fyddai'r ddau yn gweld ei gilydd o un nos Sul i'r llall. Ar nos Sul yn unig y byddai Hugh yn ymlacio yng nghwmni ei gyfeillion wrth drafod a dadlau materion meddygol a rhai pwysig y dydd. Byddai'r drafodaeth yn un amrywiol iawn a diwinyddiaeth, dyn a'i darddiad, byd y theatr, Eifftyddiaeth a gwareiddiad y cenhedloedd cynnar yn britho'r sgwrs. Byddai'r noson yn debygol o ddiweddu efo egwyl gerddorol a Hugh yn chwarae'r ffliwt. Yr oedd yn berchen tair ffliwt arian a'r *stops* wedi eu cynllunio ganddo ef ei hun. Byddai'n mwynhau canu emynau a chaneuon gwerin Cymreig. Wedi ymdrechion y dydd, byddai'n mynd i'w wely, tynnu ei gap, anghofio am ei bryderon a syrthio i gysgu ymhen eiliadau, yn ôl ei wraig.

Er i fywyd priodasol y ddau fod braidd yn anghonfensiynol, yr oeddynt yn hapus iawn a dim ond un anghydweld a fu rhyngddynt. Crefydd oedd asgwrn y gynnen. Yr oedd Elizabeth yn aelod pybyr o'r capel. Agnostig oedd Hugh. Un o'i gyfeillion pennaf oedd yr anffyddiwr Charles Bardburgh a phan oedd y cyfaill hwnnw mewn trafferthion ac amgylchiadau yn anodd, cafodd rodd o £100 gan Hugh ac addewid am fwy pe bai angen. Er ei ddaliadau byddai Hugh, yng nghwmni ei wraig, yn mynychu'r capel o dro i dro. Ar un bore Sul, yr oedd Elizabeth wedi ymgolli ym mhregeth Dr Ian MacLaren a Hugh yn ymddangos i fod yr un fath ond yn ddirybudd, neidiodd ar ei draed a gweiddi dros y capel, 'Dyna fi wedi cael cynllun i ddatrys y broblem!' Nid gwrando oedd o ond ymrafael â rhyw broblem oedd wedi ei boeni ers peth amser.

Yr oedd patrwm gwaith Hugh yn un llawn iawn. Codai am chwech bob bore ac ymweld â rhai o'i gleifion cyn brecwast. I frecwast llyncai baned o de a dwy fanana. Tra byddai'n gwneud hynny darllenai y papur newydd. Rhwng 9 a 10 y bore byddai'n cynnal syrjeri i tua deugain o bobl yn Stryd Nelson a rhoi ffisig i ambell un neu ailosod asgwrn i arall – heb anaesthetig! Ar yr un pryd byddai'n cynnal sgwrs efo'r gof a'r cyfrwywr a gyflogai parthed gwneud sblintiau. Byddai hefyd yn tynnu'n drwm ar sawl sigarét.

I ginio byddai'n bwyta pysgodyn, rhagor o fananas a phwdin llefrith, a chynnal sgwrs â meddygon eraill am broblemau'r bore. Neilltuwyd rhwng dau a phedwar y prynhawn i ymweld â rhagor o gleifion oedd angen sylw cyn dod yn ôl am de a chynnal syrjeri arall ar gyfer y cleifion oedd wedi galw heibio ar y ffordd o'r gwaith neu o'r clybiau a chymdeithasau yr oedd Hugh yn swyddog meddygol iddynt. Wedi wyth o'r gloch y nos, byddai'n ymweld â chleifion gwirioneddol wael cyn dychwelyd adref am hanner awr wedi naw i ddechrau gweithio yn y gweithdy neu i ddarllen yn ei lyfrgell tan hanner nos. Dywedir iddo fod yn berchen y llyfrgell orau yn Lerpwl a honno yn cynnwys llythyr yn llawysgrifen Goronwy Owen. Darllenai yn y Gymraeg a'r Saesneg. Un o'i hoff lyfrau oedd *The History if the French Revoution* gan Carlyle. Ar y Sul gwelai hyd at ddau gant o gleifion a llawer ohonynt heb y gallu i dalu am ei wasanaeth.

Yr oedd yn gymeriad llawn bywyd ac egni, yn llwyr gredu na ddylid gwastraffu yr un eiliad. Fe'i gwahoddwyd i ddarlithio yn Llundain ar un achlysur. Gadawodd Lerpwl ar y trên am ddau o'r gloch y prynhawn er mwyn cyrraedd Llundain mewn da bryd am y ddarlith oedd i gychwyn am saith y nos. Wedi'r ddarlith, daliodd drên yn ôl i Lerpwl am hanner nos. Cafodd frecwast am wyth y bore canlynol ac aeth yn syth i'w waith. Mewn deng mlynedd ar hugain dim ond chwe noson a dreuliodd oddi cartref.

Er ei holl brysurdeb, rywsut neu'i gilydd llwyddodd i gael amser i fod yn aelod o Gymdeithas Lenyddol Medico Lerpwl a chael amser i ymchwilio a darlithio i'r gymdeithas honno ar bynciau yn amrywio o *The Fall of Nations, The Products of Ancient Egypt and Assyrian Tombs, A Burial Service of Five Thousand Years Ago, Julian as Man and Emperor* a *Pompey's Pillar*. Wythnos cyn ei farw, yr oedd wedi paratoi a thraddodi darlith ar *The Techniques of the Ships of Early Times*.

Daeth y diwedd yn sydyn. Bu farw Hugh Owen Thomas yn ddim ond hanner cant a chwe mlwydd oed. Yr oedd effaith y gwaith diddiwedd wedi bod yn ormod i'r corffyn eiddil. Er iddo fod dan annwyd trwm ac wedi bod yn wael tua thri mis ynghynt, teithiodd o Lerpwl i Runcorn yng nghwmni Dr Robinson i weld a chynnig triniaeth i un o'i gleifion. Yn ystod y gwaeledd cyntaf hwnnw lledaenodd stori o amgylch Lerpwl ei fod wedi marw, ond yr oedd Hugh yn ddigon gwydn bryd hynny i wrthsefyll y salwch a hyd at y dydd Iau cyn ei farw teimlai yn ei gynefin iechyd. Bu raid iddo sefyll yn hir yn yr ystafell aros ac ar y platfform i ddisgwyl am y trên yn ôl i Lerpwl. Datblygodd ei annwyd yn *pneumonia*. Yr oedd ei gorff yn rhy wan i wrthsefyll salwch mor ddifrifol. Daeth i ben deithio strydoedd ei ddinas fabwysiedig. Bu farw ar 6 Ionawr, 1891.

> THOMAS. January 6, at his residence 11 Nelson Street, after a short illness – Dr Hugh Owen Thomas. The internment will take place at Smithdown Road Cemetry to-morrow (Saturday) 10th at 2 p.m. (The cortege leaving the residence at 1.30 p.m.) Friends will please accept this intimation. No cards. No wreaths.

Ychydig feddyliodd y teulu pa mor fawr fyddai'r angladd. Cafodd ei gladdu ym Mynwent Smithdown Road, Toxteth, Lerpwl ar ddiwrnod o dywydd echrydus. Er gwaethaf y tywydd yr oedd miloedd wedi troi allan i dalu'r gymwynas olaf iddo; rhai o'r dociau yn eu dillad gwaith, eraill yn feddygon yn eu cotiau gwynion yn cydgerdded â'r arch a channoedd o famau a phlant yn aros am yr elor yn y fynwent. Yn ôl y *Liverpool Mercury*:

> A grief so profound and widespread as that which was manifested at Liverpool on the tenth instant when the remains of Dr Hugh Owen Thomas were laid to rest is seldom witnessed. There can be no more eloquent or touching testimony to the worth of a man's character than the tears of the poor among whom he lived. The toilers at our docks and warehouses are not sensitive beings, and the daily struggle of their lives is too earnest to admit of much display of sentiment. To see thousands of these, then, men as well as women, as anyone might have done in Liverpool last Saturday, stirred to their very depths by an emotion that found expression in passionate sobs and tears, as they lined the streets or pressed forward to gaze into the open grave, proves that its silent occupant had won his way to their hearts.

Arweiniwyd y gwasanaeth yn y capel gan Dr Abel Parry, Cefn Mawr, Wrecsam ac yn ei deyrnged, meddai am yr agnostig honedig:

> Pan sylwn ar burdeb ei fywyd, gonestrwydd ei gyfeillgarwch, a'i ewyllys da, yr oedd ein cyfaill yn un o'r rhai tebycaf i Grist a wybûm erioed.

Mewn cyfeiriad arall ato, dywedodd y Parchedig D. P. McPherson fod Hugh, fel Crist ei hun, yn Feddyg Da, yn gyfaill i bublicanod a phechaduriaid ac y byddai'r llinellau a ganlyn yn destament addas i'w fywyd:

> Let all the good thou dost to man
> A gift be, not a debt;
> And he will more remember thee
> The more thou dost forget.
>
> Do it as one who knows it not,
> But rather like a vine,
> That year by year brings forth its grapes
> And cares not for the wine.

Gwelwyd sawl teyrnged arall iddo yng ngholofnau'r wasg yn Lerpwl fel yr un ymddangosodd yn y *Liverpool Mercury*:

> He was a true, good man, for whose lod the world is poorer, and the best epitaph for his tomb would be the words of his beloved Lucretius:
>
> Wherefore his glory through the world is spread
> And still he speaks though dumb, and lives being dead.

Gwelwyd teyrngedau tebyg yn y wasg Gymreig. Os na chafodd y gydnabyddiaeth oedd yn ddyledus iddo yn ystod ei fywyd, yn sicr fe'i cafodd yn ei farw. Yr oedd, i'w bobl ei hun, yn arwr – os nad yn dduw. Wrth ysgrifennu am Enwogion Lerpwl yn y *News of the Week* (11 Chwefror, 1891), meddai Idriswyn:

> Ni fu dyn erioed yn meddu mwy o ddylanwad ar y dosbarth isaf mewn cymdeithas. Yr oedd yn arwr cannoedd ac yn medru cyflawni gwyrthiau yn nhyb trigolion y strydoedd cefn. Yr oedd gwehilion cymdeithas, y cymeriadau gwaethaf a chaletaf, a rhai na ddychmygid fod man tyner yn eu calon – yr oedd y fileiniaid gwaethaf hynny yn caru y 'doctor bach', ac yn tynnu eu capiau iddo mewn parchedigaeth fel pe buasai un o'r duwiau yn rhodio'r ddaear.

Dim ond wyth gair sydd ar ei garreg fedd:

> HUGH OWEN THOMAS
> a surgeon of this city.

Ar gychwyn traddodi Darlith Goffa Hugh Owen Thomas yn Sefydliad Meddygol Lerpwl yn 1935, dywedodd yr Athro T. P. McMurray:

> The fame of Hugh Owen Thomas (and Sir Robert Jones) will live high amongst the names of the great surgical figures of all times. They have left imperishable records in the history of surgery, and they have formed a science where none previously existed.

Oedd, yr oedd Hugh Owen Thomas yn feddyg trwyddedig; yr oedd ei dad wedi gofalu am hynny, ond un o deulu Evan Thomas, Maes y Merddyn Brych oedd o wedi'r cyfan ac fel meddyg esgyrn a disgynnydd o'r teulu hwnnw y cofia llawer amdano ac â'r teulu hwnnw y'i cyplysir o hyd. Guy de Chauliac, llawfeddyg o Ganada, a ddywedodd, '*Orthopaedics is a child perched on the shoulders of the giant of Medicine*'.

Os felly, yr oedd Hugh Owen Thomas wedi gafael yn llaw'r plentyn hwnnw a'i godi oddi ar ysgwyddau ei rieni a'i sefydlu ar ei draed ei hun.

Yn union wedi angladd ei gŵr, symudodd Elizabeth Thomas allan o'r tŷ a mynd i fyw yn 21 Sgwâr Sant Siôr, Lerpwl er mwyn i Robert Jones a'i wraig symud i Stryd Nelson a chychwyn gyrfa feddygol fu yr un mor anhygoel ag un y diweddar Hugh Owen Thomas.

Cwmwl Du

Ar farwolaeth y brenin, y gri arferol yw '*Le Roi est mort, Vive le Roi!*' sy'n golygu, 'Mae'r Brenin yn farw. Hir oes i'r Brenin!' Waeth ym mha swydd bynnag y bo dyn, mae rhywun yn siŵr o gamu i'w esgidiau ar y cyfle cyntaf. Felly y bu yn hanes Hugh Owen Thomas hefyd. Waeth faint o ffefryn oedd o ymysg trigolion strydoedd cefn Lerpwl, nid oedd yn un o ffefrynnau'r gymuned feddygol yn y ddinas ac am hynny bu cwmwl du uwch ei ben ym mlynyddoedd olaf ei fywyd.

Er mai am ei gyfraniad i orthopaedia y cofir amdano yn bennaf, yr oedd ochr arall i'w waith ac yr oedd wedi dangos diddordeb mawr yn nhriniaeth rhwygiad neu rwystr y perfeddyn (*intestinal obstruction*), gwaeledd allai, yn aml iawn, fod yn farwol. Yn 1883 yr oedd Hugh wedi cyhoeddi llyfr o'r enw *Intestinal Disease and Obstruction* (cyhoeddwyr H. K. Lewis, 136 Stryd Gower, Llundain). Flwyddyn ynghynt yr oedd meddyg arall o'r enw Frederick Treves wedi cyhoeddi llyfr ar yr un testun – *Pathology, Diagnosis and Treatment of Obstruction of the Intestine* a gyhoeddwyd gan Cassel & Co., Llundain.

Yn y cyfnod hwn yr oedd trin salwch o'r fath yn wyddor anodd heb gymorth peiriant pelydr X i gynorthwyo'r farn feddygol. Byddai sawl llawfeddyg yn gwrthod ymwneud â'r broblem ac eraill yn awgrymu triniaethau rhyfeddol yn amrywio o drydaneiddio'r coluddion i nifer o enemâu cryf o olew tyrpant neu arian byw! Disgrifiodd Treves y triniaethau hyn yn ei lyfr heb eu beirniadu o gwbl ond drwy gloi ei sylwadau gyda'r awgrym cryf mai llawdriniaeth fyddai orau gan mai methiant yn siŵr fyddai'r amrywiol driniaethau eraill. Yr oedd Treves wedi arbenigo mewn llawdriniaethau o'r fath ac yn cael ei ystyried yn brif arbenigwr y wlad yn y maes gan hyfforddi llawfeddygon ifanc yn y grefft. Yn anffodus, bu farw ei ferch o'r salwch cyn i'w thad sylweddoli beth oedd yn bod arni ac felly ni chafodd y llawdriniaeth fyddai wedi gallu ei hachub. Eironig hefyd yw nodi mai salwch tebyg fu'n gyfrifol am ei farwolaeth yntau.

Barn Hugh Owen Thomas oedd mai gwell o'r hanner fyddai gadael i Natur gymryd ei chwrs ac i'r claf a'r perfeddyn gael gorffwys. Yr oedd wedi gweld llawer achos o 'ymysgaroedd caeëdig' yn ystod ei gyfnod yn Llanelwy yn 1875 ac yn dilyn ei brofiad yno, yr oedd wedi ysgrifennu erthygl yn trafod y broblem a'i ddull ei hun o wella'r cyflwr. Credai y dylid codi traed y gwely rhag bod pwysau ar y bol a bod yn rhaid llwgu'r claf a rhoi iddo ddim ond ambell lymaid o ddŵr (dim llefrith rhag i hwnnw geulo yn y perfeddyn a chreu mwy o drafferthion), ychydig *arrowroot* a brechiadau o opiwm i leddfu poenau'r llwgu fel bod y rhwygiad yn gwella ohono'i hun ac yn dod i weithio yn rheolaidd. Yn nyddiau cyntaf y salwch byddai Hugh yn ymweld â'r claf bump neu chwe gwaith y dydd nes byddai'r cyfogi yn lleihau a'r claf yn esmwytho. O fewn tri diwrnod i'r cyfogi beidio, byddai'r claf wedi gwella ac yn cael ei weithio'n naturiol. Os na fyddai'r teulu yn cadw at ei argymhellion, byddai'r meddyg yn bygwth y gyfraith arnynt!

Er i Hugh gydnabod fod achosion o farwolaeth dan lawdriniaeth yn gostwng ac nad oedd ganddo wrthwynebiad i lawdriniaeth, a'i fod hefyd wedi mynegi hynny yn ei lyfr, yr hyn a'i poenai fwyaf oedd sut oedd y claf yn cael ei drin wedi'r llawdriniaeth. Ei ddisgrifiad ef am yr hyn ddigwyddai yn aml oedd '*higgledy-piggledy treatment*' a dyna'r union fath o driniaeth a gaent dan law Treves.

Cynhaliwyd cynhadledd yn Sefydliad Meddygol Lerpwl ar 23 Hydref, 1884 i gyflwyno a thrafod achos claf oedd wedi dioddef o rwystr yn y perfeddyn ond wedi llawdriniaeth bu iddo wella'n holliach. Ymysg y siaradwyr oedd Hugh Owen Thomas. Adroddwyd am y gynhadledd yn y *Lancet*, y cylchgrawn meddygol cenedlaethol, a dilynwyd hynny gan lawer o lythyru yn y wasg a hynny yn dangos i ba raddau oedd meddygon Lerpwl wedi cymryd yn erbyn Hugh a'i ddulliau. Datblygodd dwy garfan feddygol yn y ddinas – un yn cefnogi a'r llall yn wrthwynebus iawn iddo. Eglurodd Mr Reginald Banks, llawfeddyg oedd yn y gynhadledd, nad oedd dull Hugh o weithio yn newydd ond ei fod, yn hytrach, yn ddull cydnabyddedig ers blynyddoedd. Anghytunodd cefnogwyr Hugh yn chwyrn gan ddweud nad hen ddull oedd o yn ei ddefnyddio ac nad oedd Treves yn ei gyfrol wedi cyfeirio unrhyw sylw at waith Hugh. Achubodd Treves ei gam mewn llythyr i'r *Lancet* yn dweud ei fod yn ymwybodol o ddulliau Hugh o weithio ond am ryw reswm ni roddodd eglurhad boddhaol pam nad oedd wedi crybwyll hynny yn ei lyfr a'i sylwadau. Ychwanegodd iddo gredu mai llyfr Hugh oedd '*... the best introduction to such other and more active measures as the needs of particular cases may possibly demand*'.

Cynhyrfwyd y dyfroedd a chythruddwyd Hugh gan ei sylwadau. Yr oedd, erbyn hynny, yn bum deg un mlwydd oed ac mewn iechyd bregus. Gwyddai, mae'n siŵr, na fyddai fyw yn hir iawn ac ofnai y byddai ei egwyddorion yn cael eu hanwybyddu unwaith y byddai wedi gadael y fuchedd hon. Efallai mai ei boen fwyaf oedd mai rhywun arall fyddai'n derbyn y clod am yr hyn a ystyriai fel ei waith ei hun. Ysgrifennodd i'r *Lancet* i ddweud fod Sydenham, ei arwr mawr, wedi crybwyll y fath ddulliau o weithio fwy na dwy ganrif ynghynt ond mai Hugh ei hun a ddaeth â hwy i'r amlwg a'u defnyddio yn gyson yn ei waith bob dydd. Cyhoeddodd lyfr yn 1885 yn dwyn y teitl *The Collegian of 1666 and the Collegians of 1885: Or, What is Recognised Treatment?* Brawddeg gyntaf y llyfr oedd: '*Wherefore I percieive that there is nothing better than that a man should rejoice in his own works.*' Yn y gyfrol bu'n dadansoddi gwaith Treves gan chwilio am unrhyw brawf o'r hyn a elwid yn '*recognised treatment*'. Chwiliodd ond nis cafodd.

Yn ei lythyr yr oedd gan Treves frawddeg neu ddwy ddigon amheus yn awgrymu mai'r rheswm iddo beidio crybwyll dulliau Hugh Owen Thomas o weithio oedd am na wyddai ddim amdanynt nag am y dyn dan sylw. Anodd credu hynny gan fod enwogrwydd Hugh wedi ymestyn drwy'r wlad. Pe bai wedi crybwyll y mater heb gydnabod enw Hugh Owen Thomas, byddai wedi bod mewn dyfroedd dyfnion gan y byddai Hugh, yn fwy na thebyg, wedi mynnu ei gydnabyddiaeth haeddiannol, a byddai wedi pwyso am hynny er mwyn cael y maen i'r wal ac felly dewis doeth, efallai, ar ran Treves oedd cadw'n dawel.

Camgymeriad mawr ar ran Hugh oedd codi ffrae efo'r sefydliad meddygol. Yr oedd ystadegau yn dangos fod llawdriniaeth yn llawer mwy llwyddiannus ac erbyn i Treves ailgyhoeddi ei lyfr yn 1899, gallai ddweud bod llawdriniaeth bellach yn llawer mwy diogel na neidio oddi ar bont Clifton!

Dyrchafwyd Treves yn farchog yn 1901 am iddo roi llawdriniaeth lwyddiannus i'r darpar-frenin Edward VII ychydig ddyddiau cyn y Coroni. Cofir am Hugh Owen Thomas am ei gyfraniad i fyd orthopaedia ac, yn anffodus, am fod yn hen ddyn bach digon styfnig a fu'n faen tramgwydd i ddatblygiad llawdriniaethau abdomenol.

Mewn gwirionedd, cofir am Hugh Owen Thomas a Frederick Treves am resymau pur wahanol. Fel meddyg a'i gefndir ym myd trin esgyrn y cyfeirir at Hugh o hyd ac fel llawfeddyg a ddatblygodd gyfeillgarwch â John Merrick – Y Dyn Eliffant – y cofir am Syr Frederick Treves. Mae llawer wedi anghofio'r ffraeo mawr fu rhwng y ddau.

Cyhoeddiadau Hugh Owen Thomas

Menter breifat oedd cyhoeddi pob un o lyfrau Hugh Owen Thomas. Argraffydd y mwyafrif oedd T. Dobb & Co., Lerpwl.

Er bod y gweithiau yn cynnwys gwirioneddau rif y gwlith, yr oedd y mynegiant ymhob un yn dangos ôl brys. Dylid cofio mai prin iawn oedd ei amser ar gyfer eu hysgrifennu a bod hynny'n digwydd, ran amlaf, yn hwyr iawn y nos wedi diwrnod hir o waith. Yr oedd tuedd gan yr awdur i flagardio pob meddyg arall oedd yn gwrthod ei resymeg a'i ddulliau ef o weithio. Yn ôl sylwadau a wnaed gan H. Winnett Orr yn 1949 nid oedd llyfrau Thomas yn hawdd eu darllen na byth yn cael eu mynegeio. Bryd hynny, yr oeddynt yn hir allan o brint – ond yn cael eu hystyried yn glasuron neu hyd yn oed yn gampweithiau ym maes llawdriniaeth orthopaedig.

Yn ôl y *British Medical Journal* yr oedd i'r llyfrau:

> ... much to commend and a power of original thought, with a wealth of clinical illustration; but the pleasure is diminished, if not destroyed, by the intemperate tone which defaces too many of his pages.

Barn Dr H. Winnett Orr am y gwaith oedd:

> Thomas' writings were not easily read or understood. They were never indexed, and they are long out of print – but they are classics or even masterpieces of orthopaedic surgery.

Er iddynt werthu'n dda ar y pryd, ni fuont ymysg y gwerthwyr gorau, a blynyddoedd wedi ei farwolaeth darganfuwyd llawer ohonynt mewn hen stordy tamp yn dirywio. Cadwai gopi o bob beirniadaeth, ac nid oedd prinder o'r rheini. Yn gyffredinol, rhoed canmoliaeth i'w waith, '*but this praise was qualified by dismay at his polemic style and irritating egocentricity*'.

Yr oedd bron bob un o'i lyfrau, a restrir isod, yn dechrau â dyfyniad a fwriadwyd i dynnu sylw'r darllenydd.

1. *Diseases of the Hip, Knee and Ankle Joints* (1876)
   'What I can invariably do must be possible to others.'

Galwyd ar Hugh Owen Thomas yn 1874, gan Mr Edward Parker, i roi cymorth i heddwas oedd wedi syrthio a thorri ei goes. Yn gwylio'r cyfan oedd mab Edward Parker, Rushton, meddyg addawol iawn a darpar athro, wyth ar hugain oed. Gwnaeth Hugh argraff ddofn ar Rushton Parker ac ymhen blynyddoedd, mewn rhagair i lyfr gan Hugh Owen Thomas, ysgrifennodd:

> I saw at once that here was a master and the acquaintance ripened quickly into friendship. I insisted on his publishing immediately, an account of his hip and knee splints because I said, 'These are things I must use, teach and publish, and there are men in this town who will palm them off as their own, if they get to use them intelligently.

Yn y llyfr hwn cafwyd, am y tro cyntaf, ddisgrifiadau manwl o'r sblintiau a ddefnyddiai ar gyfer ailosod esgyrn y pen-glin a'r glun. Eglurodd iddo arsylwi ar dros fil o gleifion cyn mentro mynegi ei farn am effaith y sblint a'r math gorau o driniaeth i'w gynnig i'r claf. O ddarllen y gyfrol, gwelodd y darllenwyr wreiddioldeb ei ddamcaniaethau a'i syniadau. Cafwyd tri argraffiad o'r llyfryn.

2. *A Review of the Past and Present Treatment of Disease in the Hip, Knee, and Ankle Joints: With their Deformities* (1878)
3. *The Past and Present Treatment of Intestinal Obstructions Reviewed, with an improved Treatment Indicated* (1879)
4. *The Treatment of Fractures of the Lower Jaw* (1881)
5. *Intestinal Disease and Obstruction with an Appendix on the Action of Remedies* (1883)
   Yn ôl un feirniadaeth:

   The paper is good, the type better, and the binding best of all. It is therefore unfortunate that the title of the work renders it scarcely available as a drawing-room ornament. Mr Thomas' treatment is not novel and his style and grammar peculiar ... this work appears to be a notable example of unnecessary manufacture.

6. *Nerve inhibition and its Relation to the Practice of Medicine* (1883)
7. *Principles of the Treatment of Diseased Joints* (1883)
   'There are no principles specially applicable to the treatment of articular diseases which do not apply to all diseases. It is my purpose to show, by criticism, that there is a principle, not generally known, applicable to the treatment of ankylosis and deformity.'
8 *The Collegian of 1666 and the Collegians of 1885: Or, What is Recognised Treatment?* (1885)
   'Wherefore I percieive that there is nothing better than that a man should rejoice in his own works.'

Yr oedd Hugh wedi llunio erthygl ar y testun 'Rhwystr yn y Perfeddyn' yn 1876 ond fe'i gwrthodwyd a rhoddwyd iddo gyngor y byddai'n rheitiach iddo ysgrifennu ar destun oedd yn ei ddeall yn iawn. Mentrodd ei hail gyflwyno i un o gofnodolion meddygol Lerpwl yn 1878 ac fe'i derbyniwyd. Wedi cynhadledd yn Lerpwl ym mis Hydref 1884 bu cryn drafodaeth ar y testun unwaith eto a chyhuddwyd Hugh o ddefnyddio hen ddull i drin y salwch. Ei ymateb i hynny oedd cyhoeddi'r llyfryn / pamffled a ymddangosodd tua'r un amser â llyfr gan Frederick Treves ar yr un testun. Barn y *Chicago Weekly Medical Review* oeddd y dylai pawb oedd yn ymarfer meddygaeth gyffredinol a llawfeddygaeth ddarllen llyfr Hugh ac er na fyddent efallai yn cytuno a'i gynnwys, byddent yn siwr o ddysgu llawer o werth.

9. *The Principles of the Treatment of Fractures and Dislocations* (1886)
   'Sufficient recognition has not been made of the fact that it is the living matter we have to influence.'

10. *The Treatment of Fractures, Dislocations, Diseases and Deformities of the Bones of the Trunk and Upper Extremities* (1887)
    'The crying evil of our art in these times is that our surgery is too mechanical, our medical practise to chemical. There is a hankering to interfere which thwarts the inherent tendency to recover possesed by all persons not actually dying.'

11. *A New Lithotomy Operation* (1888)
12. *An Argument with the Censor at St Luke's Hospital, New York* (1889)
    'It is impossible for me to be tolerant of methods that must be wrong, if mine be right.'

Ailargraffiad o waith a ymddangosodd gyntaf yn 1876 ac a ymddangosodd am y trydydd tro yn 1890 dan y teitl *A Review of Orthopaedics* oedd hwn. Hyrwyddodd Hugh werthiant y llyfr hwn yn fyd eang yn y gobaith y cai ei gyfaill Ridlon ei swydd yn ôl.

13. *Fractures, Dislocations, Deformities and Diseases of the Lower Extremities* (1890)
    'If Æsculapius could be again induced to preside over our art it is my opinion that his divinity would not enable him to be always as faultless an artist when he had fractures to treat.'

Argraffwyd y llyfryn hwn gan gwmni o Lundain ac ymddangosodd ychydig fisoedd cyn marwolaeth Hugh Owen Thomas. Ynddo, crybwyllir enw Mr R. Jones yn amlach nac yn yr un o'i lyfrau blaenorol a hynny yn awgrymu fod yr ewythr yn gwerthfawrogi cyfraniad ei nai.

14. *Lithotomy* (1890)
15. *The Principles of the Treatment of Joint Diseases* (1878)
16. *Inflammation, Ankylosis-reduction of Joint Deformity, Bone-setting* (dim dyddiad)
17. *Spinal Deformities* (dim dyddiad)

Cafwyd awgrym gan J. Y. W. MacAlister yn y *British Medical Journal* (Hydref 1919) am goffâd teilwng i Hugh Owen Thomas. Yr awgrym oedd y dylid ffurfio casgliad cyflawn o'i waith. Bryd hynny nid oedd y fath beth yn bod ond yr oedd MacAlister yn fodlon rhoi £50 i agor cronfa ar gyfer y gwaith, pe bai'r Journal yn gwneud yr un fath.

Yr oedd MacAlister yn ymwybodol iawn fod Thomas yn ddigon diofal o'i waith a'i bapurau ei hun:

> He was not careful about his own reputation as a writer, and appears to have thrown off npaper without care as to their future.

Ond yr roedd ganddo un mewn golwg i olygu'r gwaith, un y credai y gallai wneud y gwaith yn well na neb. Y gŵr mewn golwg oedd Syr Robert Jones. Yr oedd gan MacAlister ffydd yn Jones a chredai y byddai'r dasg, wedi ei chwblhau, yn rhoi i'r proffesiwn meddygol '*the most remarkable conspectrus of work on any one subject that has ever been produced*'.

Yn anffodus, ni chwblhawyd y dasg gan fod cymaint o waith Thomas ar chwâl. I gydnabod cyfraniad Hugh Owen Thomas a Syr Robert Jones i fyd meddygaeth, enwyd llyfrgell orthpaedig Ysgol Feddygol Lerpwl ar ôl y ddau gymeriad unigryw.

vii
Canghennau eraill

Teulu Tyddyn Bengan

Rhoddwyd yr un enw â'i dad i 'din y nyth' yng Nghilmaenan. **Richard Evans** oedd y seithfed plentyn a'r trydydd mab a anwyd i'r teulu yn 1813. Yr oedd yntau yn un arall o'r teulu a etifeddodd 'y doniau cudd'. Treuliodd flynyddoedd yn Llanfaethlu yn gweini ar fferm efo'r teulu. Sylweddolodd na ellir tynnu dyn oddi ar ei dylwyth a'i fod yntau yn berchen y gallu i drin esgyrn anifeiliaid yn ogystal â rhai dynol cystal ag unrhyw aelod arall o'r teulu, ac felly mentrodd i fyd y meddygon esgyrn.

Wedi priodi ag Ellen Owen, Trefadog, Llanfaethlu symudodd i Ddyffryn Nantlle i Dyddyn Bengan, Penygroes (*Bengam* yw'r sillafiad yn ôl Glenda Carr yn ei llyfr *Hen Enwau o Arfon, Llŷn ac Eifionydd*, yn deillio o'r enw *Tyddyn Ednyved ap Engan* yn dyddio o 1707.) Yno bu Richard yn gweithio fel meddyg chwarel yn Nantlle ac yn Ninorwig ond yr oedd ei gylch o gleifion yn ymestyn hyd bellafoedd Môn, Meirion a Dinbych. Hysbysebai ei wasanaeth yn y papurau lleol a byddai'n cynnal meddygfa yng Nghaernarfon. Ef oedd y meddyg cyntaf i gyrraedd safle damwain 'Ffrwydrad y Powdr Oel' ar 30 Mehefin, 1869 pan ffrwydrodd llwyth o *nitro-glycerine* ar gyrion pentref Cwm y Glo, ger Llanberis gan ladd pump ac anafu wyth arall.

Aeth i Bwllheli i fyw ac agor meddygfa yn Adferle, Stryd y Carchar ac yno y bu am weddill ei oes a'i fysedd yn crwydro dros gyrff ac esgyrn gan fyseddu, pwyso, ac esmwytho hyd nes iddo fodloni ei hun fod popeth yn iawn.

Cynhyrchai a gwerthai Richard Evans ei Olew Gewynnau ei hun ond yr oedd, ac y mae yn parhau hyd heddiw, yr union gynhwysion yn gyfrinachol. Yr oedd angen troi a chymysgu llawer arno cyn i'r gymysgfa gyfrinachol fod yn barod i'w botelu a'i labelu fel 'Olew Gewynnau Richard Evans, Bonesetter, Pwllheli'. (Ni ddylid cymysgu hwn efo olew enwog Morus Ifans gan fod y ddau hylif yn hollol wahanol ac er i'r cynhyrchwyr rannu'r un cyfenw, nid oedd perthynas gwaed rhyngddynt.)

Pan oedd William Jones o Snowdon Street, Porthmadog yn Nhafarn y Stag ym Mhenygroes, Arfon gofynnwyd iddo dorri dipyn o goed tân. Ymysg

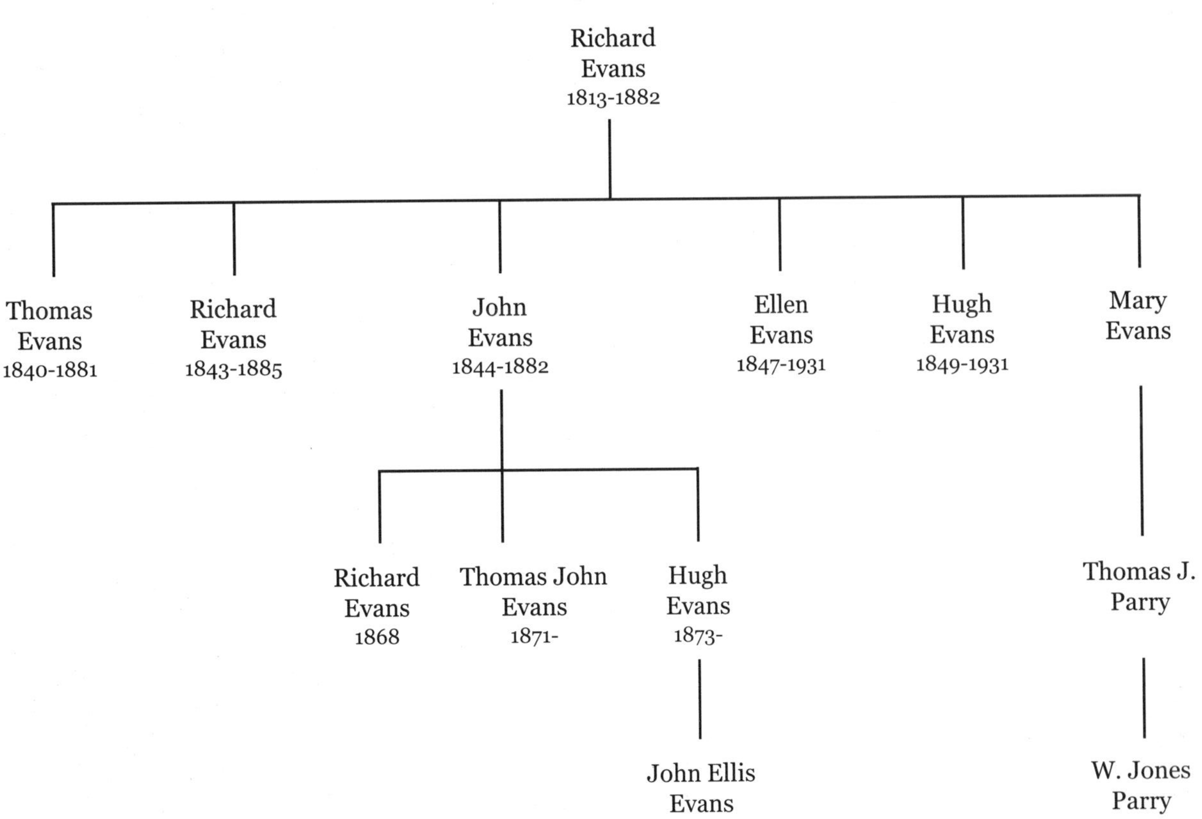
Teulu Tyddyn Bengan
Richard Evans 1813-1882
Thomas Evans 1840-1881
Richard Evans 1843-1885
John Evans 1844-1882
Ellen Evans 1847-1931
Hugh Evans 1849-1931
Mary Evans
Richard Evans 1868
Thomas John Evans 1871-
Hugh Evans 1873-
Thomas J. Parry
John Ellis Evans
W. Jones Parry

yr hyn a osodwyd o'i flaen fel coedyn i'w dorri oedd coedyn o'r fawnog oedd yn eithriadol galed – yn llawer rhy galed i'r fwyell a ddefnyddiai. Fel y disgynnodd y fwyell ar y pren, llithrodd a hollti troed William. Gwaedodd fel mochyn ond yn ffodus iawn, pwy oedd yn y dafarn ar y pryd ond Richard Evans a gallodd y meddyg esgyrn atal llif y gwaed, pwytho'r archoll a'i dendio nes bod William yn holliach.

Dro arall, pan oedd Richard yn aros yn Nhanrallt, Tremadog daeth i glyw tad i fachgen o'r ardal efo *club foot* fod y meddyg esgyrn yn y cyffiniau. Yr oedd y tad a'r mab yn y capel ar y pryd ond cododd y tad yn syth o'i sedd a chario'i fab ar ei gefn i Dremadog yn y gobaith o weld Richard Evans. Yr oedd sawl meddyg lleol wedi methu esmwytháu troed y mab ond yr oedd gan y tad ddigon o ffydd ac ymddiriedaeth yng ngallu'r meddyg esgyrn i adael cyn diwedd y bregeth a mynd ato i chwilio am gymorth. 'Mater bach ydi trin y droed,' meddai Richard wrtho, 'ond yn anffodus does gen i ddim offer efo fi. Ewch a fo at Doctor Thomas yn Lerpwl.'

Ac felly y bu. Cafodd y bachgen y driniaeth angenrheidiol gan Hugh Owen Thomas, nai i Richard Evans, a bu fyw dros ei drigain oed heb arwydd o gloffni o gwbl.

Un arall a fu dan law y meddyg esgyrn oedd John Roberts, Tŷ'n Llan, Llanwnda. Wrth ei waith yn Chwarel Dinorwig un bore Llun, cafodd John ddamwain ddifrifol a thorri gewynnau ei law fel na allai ei hagor na'i chau. Anfonodd Dr Roberts, meddyg y chwarel, ef yn syth at Richard Evans a gwnaeth yntau waith mor dda yn ei drin fel na allai neb weld y gwahaniaeth rhwng y llaw friwedig a'r llaw arall.

Enillodd Richard ddiploma'r International School of Practipedics, Llundain, a gofynnai gwahanol gwmnïau yswiriant iddo archwilio anifeiliaid ar eu rhan er mwyn setlo unrhyw gais am ddigolledu. Yr oedd yr ystyfnigrwydd teuluol yn perthyn iddo yntau, ac os oedd o'r farn fod claf wedi bod at feddyg arall cyn galw am ei wasanaeth, yna gwrthodai drin yr achos. Yr oedd hefyd yn bendant y dylai pawb oedd yn galw efo fo fod wedi golchi unrhyw archoll yn lân. Bron na ddywedwyd fod y meddyg ofn gwaed! Byddai'n siarad yn blaen iawn efo'i gleifion, i'r graddau o fod yn anystyriol ar adegau ac yr oedd llawer ofn mynd ato. Er hynny, cafodd llawer mwy fendith ac iachâd o fentro i'w feddygfa.

Bu farw yn chwe deg naw mlwydd oed a'i gladdu ym Mynwent Llanllyfni. Wedi iddo fod wrth ei waith yn trin esgyrn am dros hanner can mlynedd yr oedd y parch a dalwyd iddo gan gleifion diolchgar yr un mor ddiffuant â'r parch a dalwyd i Hugh Owen Thomas a'i debyg yn Lerpwl.

Ganwyd chwech o blant i Richard ac Ellen: **Thomas** (1835-1881), **Richard** (1843-1885), **John** (1844-1882), **Ellen** (1847-1931), **Hugh** (1849-1931) a **Mary** (?-1862)

Yr oedd y pedwar mab yn feddygon esgyrn cydnabyddedig. Aros yn ei gynefin wnaeth **Thomas**, yr hynaf, a byw mewn hen dŷ tafarn o'r enw Bodfeddyg, rhwng Caernarfon a Phenygroes. Gŵr tawel, llydan yn gwisgo siwt o frethyn cartref bob amser oedd Thomas ac fel 'Doctor y Merddyn Brych' yr oedd yn cael ei adnabod gan bawb oherwydd y cyswllt teuluol ag Evan Thomas, Y Maes.

Gweithiai fel meddyg chwarel yn Nyffryn Nantlle, Llanberis a Bethesda fel ei dad ar gyflog o £150 y flwyddyn. Ar y Llun a dydd Iau, byddai ym Methesda ac yn rhannu gweddill yr wythnos rhwng chwareli Llanberis a Llanllyfni. Ar y ffordd i Fethesda, arferai gynnal meddygfa yn nhafarn y Gors Bach, Llanddeiniolen; ac yn yr ardal honno, ar y ffordd yn arwain o Lanrug i dyrpeg Glangwna, ar 14 Hydref, 1865 ymosodwyd arno gan ddyn a neidiodd allan o ochr y ffordd a gafael ym mhen y ceffyl. Cyn i hwnnw allu hawlio dim, rhoddodd Thomas y ddau sbardun i ystlys y ceffyl nes y rhoddodd hwnnw blwc a thorri'r ffrwyn oedd yn llaw y darpar-leidr. Dihangodd y lleidr yn waglaw ac aeth y meddyg esgyrn ymlaen i Fethesda yn ddianaf.

Ychydig fisoedd ynghynt, yr oedd Thomas wedi derbyn anrheg anrhydeddus o debot a phot coffi arian gan chwarelwyr Pen yr Orsedd, Nantlle, fel arwydd o'u gwerthfawrogiad am ei waith yn eu mysg. Yr oedd Thomas, bryd hynny, yn feddyg i amryw o chwareli yn Nantlle, i hanner dwsin yn Llanberis ac i weithwyr y ffordd haearn o Gaernarfon i Lanberis. Yn ystod yr un cyfnod, yr oedd chwarelwyr Glynrhonwy, Llanberis wedi cyflwyno powlen siwgwr a jwg hufen iddo ac yn y cyflwyniad, nodwyd mai hen lanc ydoedd ac y dylai frysio i chwilio am wraig i lanhau'r llestri arian!

Yn fuan iawn wedyn, ymddangosodd paragraff yn y *North Wales Chronicle* (2 Medi, 1865) yn datgan fod portread llawn faint o Thomas Evans wedi ei gwblhau mewn creonau gan yr arlunydd Mr Hughes o Gaernarfon a'i fod i'w gyflwyno i Thomas gan weithwyr Chwarel y Cambrian, Llanberis fel tysteb haeddiannol am ei waith canmoladwy. Lle mae'r portread hwnnw erbyn hyn, tybed?

Digwyddodd damwain ddifrifol ar y rheilffordd yn agos i orsaf Felinheli ddechrau Mehefin 1870 pan anafodd Ira Garner o Ogledd Penrallt, Caernarfon ei goes yn ddrwg iawn. Bu trafod a fyddai'n rhaid iddo golli'r goes ond galwyd ar Thomas Evans, oedd erbyn hyn yn feddyg esgyrn enwog, a llwyddodd yntau i achub y goes. Bu iechyd Ira yn ddigon da wedyn iddo fynd yn ôl i'w waith ar y rheilffordd.

Yn 1874 penodwyd Dr Hughes, meddyg o Fôn, yn feddyg y chwarel. Cam amhoblogaidd iawn ymysg y gweithwyr gan mai ei dewis hwy oedd Thomas a mynnwyd ei fod yn parhau yn y swydd. Cytunodd Pwyllgor Clwb y Chwarel a Dr Hughes i ddymuniad y chwarelwyr a chafodd y ddau feddyg, un yn drwyddedig a'r llall ddim, ddefnydd o un ystafell am ddiwrnod o bob wythnos i drin chwarelwyr clwyfedig. Ymhen blwyddyn cafodd Hughes lythyr bygythiol gan y Gymdeithas Feddygol am ei fod yn cydweithio â dyn oedd yn galw ei hun yn feddyg ond a oedd, mewn gwirionedd, yn ddidrwydded a digymhwyster.

Yn y *North Wales Chronicle* (dydd Sadwrn, 19 Mehefin 1875) cafwyd adroddiad am gyfarfod llawn o gangen gogledd Cymru o'r BMA (British Medical Association) a gynhaliwyd yn y Rhyl ar y 15fed o'r mis, lle trafodwyd y priodoldeb o feddygon trwyddedig yn gweithio mewn ysbytai chwareli ochr yn ochr â rhai heb eu cymhwyso.

Yr achos dan sylw oedd un Dr Hamilton Roberts a Dr Rees oedd wedi ymddiswyddo o'u swyddi yn hytrach na chydweithio efo rhai a elwid yn feddygon esgyrn. Mynegwyd cydymdeimlad mawr â'r ddau. Sefydlwyd pwyllgor i erlyn y meddyg esgyrn (na enwyd) a'r sawl a'u hapwyntiodd i'w swydd am dorri rheolau'r Medical Practitioner's Act. Bu'n rhaid i Thomas symud allan o'r gwaith:

> The quarry men of North Wales preferred Mr Thomas Evans of Penygroes, to their regular medical practitioner in case of external injury to body or limb, and though the profession were indignant at any medical man being associated with a mere bonesetter in the rules of the Friendly Society or Sick Club, the connection is not infrequent. The faculty have evidently much to learn ere they can successfully compete with Bonesetters in the special cases to which they devote their time.

Yn *Y Faner* (31 Mai, 1876) cafwyd adroddiad am ddamwain ddifrifol yn Chwarel Lechi Glynrhonwy pan gafodd Pierce Griffith, Stryd Goodman, Llanberis ei anafu wedi i ddarn mawr o bren syrthio arno. Cafodd ei gario adref a chredwyd na fyddai'n gwella o'i anafiadau nac yn gallu gwneud dim weddill ei oes. Galwyd ar Thomas Evans a Dr Owen ato a llwyddwyd i'w wella ac yn ôl y gohebydd lleol, 'Yr oedd yn dod yn ei flaen yn rhagorol'. Yr oedd gan y cyhoedd yn ardal Llanberis a Phenygroes gryn feddwl o Thomas a châi barch mawr ganddynt. Un arwydd o'u parch a'u gwerthfawrogiad oedd y byddai yn cael ei ethol yn unfrydol fel aelod o'r Bwrdd Ysgol ym Mhenygroes bob blwyddyn.

Bu Thomas Evans farw ar 26 Tachwedd, 1881 yn Llanfairfechan. Yr oedd wedi ei alw i drin coes Daniel Roberts, Llannerch yn y pentref hwnnw ac ar ei ffordd adref, galwodd efo William Owen y teiliwr, i fwynhau cyfeddach a gwledd o iâr wedi'i berwi. Cafodd ei daro'n wael yn ystod y pryd bwyd a bu farw'r nos Sadwrn honno'n hollol ddisymwth.

Prentisiwyd **Richard**, ail fab Richard ac Ellen, Tyddyn Bengan, efo Dr Williams, Llwyn Onn, Penygroes a Dr Vaughan, Ffestiniog. Ymfudodd i Middle Granville, talaith Efrog Newydd, UDA sydd yn ardal o chwareli llechi o bob lliw ac yno y gweithiai ymysg chwarelwyr, llawer ohonynt yn Gymry – a rhai o Ddyffryn Nantlle oedd yn ei adnabod fel *Dic Brethyn Brych*. Yr oedd, yn amlwg, yn fab i'w dad. Am gyfnod bu'n gweithio i Robert H. Jones, *Druggist* (fferyllydd o fath) Middle Glanville, gan baratoi prescripsiwn am nad oedd gan y siopwr ei hun gymhwyster at y gwaith.

Gŵr tal, llygatfrown oedd Richard; un tawel a diymhongar. Hen lanc caredig, yn arbennig wrth y rhai oedd yn cael bywyd yn anodd. Gwyddai pawb am ei natur hawddgar a cheisiodd rhai fanteisio ar hynny ac ar ei gymwynasgarwch. Yr oedd yn hoff o iro'i lwnc ond ni fu erioed yn feddwyn. Cerdded i bob man fyddai Richard a byddai'n cyfarch pawb ar y ffordd. Gallai adnabod merched y pentref wrth y patrymau ar eu siôl o wlanen frith. Ar adegau, gallai fod yn fyr ei dymer a byddai'n gwylltio efo'r rhai nad oedd yn fodlon derbyn cyngor meddygol ganddo. Yn hynny o beth, yr oedd yn debyg i sawl un arall o'i deulu.

Diwedd digon tlodaidd gafodd Richard. Bu farw ar 8 Ebrill, 1885 yn bedwar deg dau mlwydd oed. Ar y pryd yr oedd yn lletya ar aelwyd Edward a Miriam Jones, *The Guilder Block* ond heb yr un geiniog, neu i fod yn fanwl gywir, heb yr un *cent* i'w enw i dalu am ei le nac i'w gladdu.

Ganed ei frawd, **John Evans** ym Mhenygroes yn 1844 a thyfodd i fod yn gymeriad llon a llawn direidi. Gweithiai yn Chwareli Tan yr Allt a Nant y Frân yn llwytho a dadlwytho cerrig. Yr oedd yntau yn berchen ar y gallu i drin ac ailosod esgyrn a chymerai le Thomas ei frawd yn y feddygfa Sadyrnol yng Nghaernarfon pan oedd hwnnw'n methu â bod yno. Bu'n gweithio ar y cyd ag Evan Thomas, mab hynaf Cilmaenan, Llanfaethlu, ond mewn gwirionedd yr oedd yn berffaith hapus yn ei waith yn y chwarel a gwell oedd ganddo beidio â bod ymysg pobl. Bu farw yn dri deg wyth mlwydd oed yn Nhan y Fynwent, Llanfaelog, Môn yn 1882. Gadawodd dri mab, **Richard**, **Thomas John** a **Hugh**. Dyma beth o'u hanes:

Richard Evans, Pwllheli – ganwyd ym Mhenygroes yn 1868. Rhoddodd Richard ei gas ar yr ysgol. Nid oedd yn hoffi'r lle o gwbl a byddai'n aml yn dechrau cwffio â rhyw fachgen arall, yn y gobaith y câi ei anfon gartref am gamymddwyn! Fu neb erioed mor falch o adael yr ysgol a mynd i weini ar fferm yn Nhrefadog, Llanfaelog, Môn lle byddai'n gwylio ei daid a'i ewythr wrth eu gwaith o drin ac ailosod esgyrn. Dysgodd y grefft yn dawel. Efallai mai swil a dihyder oedd yr egin feddyg, ond profodd ei hun yn ddysgwr da ac yn feddyg gwell i gylch eang o gleifion o Fôn i Borthmadog gan gynnwys ardaloedd chwarelyddol Dyffryn Ogwen, Nantlle, Llanberis a Ffestiniog:

'Edrych yn ddigon di-daro arnoch, gan holi am y teulu, y byd a'i helynt,' meddai un o'i gleifion wrth gofio'i ddull o weithio, 'Rhed ei law wen, dyner dros y man dolurus, ac â'i fawd caled fe fodia, fe rwbia, fe wthia, a gwasga, ac am ran o eiliad, dyna glec ac mae'r helbul drosodd.'

Yr oedd ei afaeliad mor gryf fel bod un arall wedi mentro'r sylw y byddai'n well ganddo roi ei law yng ngefail y gof nac yng ngafael Richard!

Y mae sawl stori wedi goroesi amdano. Un o'r rheini yw hanes am rywun oedd wedi torri ei ffêr ac yn eistedd yng nghadair y meddyg tra oedd yntau'n rhwbio'r ffêr gymaint ag y gallai efo olew arbennig, oedd o wneuthuriad cyfrinachol ond oedd yn effeithiol dros ben. Yr oedd chwys yn llifo i lawr wyneb Richard wrth iddo rwbio ac ar yr un pryd geisio sicrhau'r claf nad oedd fawr o helynt, dim ond ychydig o straen ar y ffêr. Heb rybudd, rhoddodd dro i'r droed a phlwc nes bod y claf ar ei gefn ar lawr. Cododd a darganfod bod yr esgyrn i gyd wedi'u hailosod a'r ffêr yn ôl yn ei lle. Gosododd y meddyg rwymyn am y droed a dweud wrth y claf am gerdded o amgylch y bwrdd. Yr oedd cerdded hyd yn oed y pellter byr hwnnw wedi bod yn drech nag ef yn gynharach yn y dydd ond yr oedd Richard yn daer arno i roi cynnig arni ac er mawr syndod, cerddodd y gŵr o amgylch y bwrdd sawl gwaith yn ddidrafferth, heb deimlo poen o fath yn y byd. Cododd ei obeithion i'r entrychion ond cafodd ar ddeall gan Richard Evans na fyddai yn gallu rhoi un droed o flaen y llall y diwrnod canlynol ac y dylai fynd yn syth i'w wely wedi iddo gyrraedd adref, ac aros yno am dridiau. Yr oedd i adael y rhwymyn am y droed am dair wythnos cyn ei dynnu, ond wedi hynny gallai redeg a neidio fel ewig.

Pan oedd yn ifanc ac yn hyfforddi ym Mhwllheli byddai Kyffin Williams, yr arlunydd o Fôn, yn galw yn Adferle, a sefydlwyd fel meddygfa gan Richard Evans, taid Richard, yn ystod ei awr ginio am sgwrs. Byddai Richard Evans yn ei gyfarch bob amser drwy ysgwyd llaw. Tybed oedd o yn chwilio am ryw anhwylder yn yr esgyrn wrth wneud hynny gan y gwyddai yn iawn pa mor ddibynnol oedd arlunydd ar arddyrnau ystwyth?

Rhaid i mi fod yn hollol onest a dweud i mi amau, ar y dechrau, gywirdeb ffeithiau Kyffin Williams gan iddo gael ei eni yn 1918, ac i un o'r enw Richard Evans farw yn 1882 ac un arall farw yn 1885 yn UDA! Ond wedi holi Gareth Williams (Gareth Neigwl), cyfaill i mi sy'n byw yn Rhydbengan Bach, Neigwl, Botwnnog, tybed oedd o'n gysylltiedig â'r teulu (oherwydd enw ei gartref), daeth mwy o oleuni ar y mater. Meddai'r cyfaill yn ei lythyr:

> Yr oedd fy nhaid o ochr fy mam, Owen Evans, Tir Gwyn, Llannor (1883-1961) yn gyfyrder i Richard Evans, y Meddyg Esgyrn o Stryd Moch, Pwllheli (m.14 Mehefin, 1955, os cofiaf yn iawn). Richard Evans yn fab Tyddyn Bengan, nid nepell o Bryncroes. Dangosai fy nhaid nodweddion o rhyw allu i drin a gwella esgyrn anifeiliaid, yn ogystal â dewinio dŵr hefyd.

Yr oedd, wrth gwrs, sawl 'Richard' yn y teulu ac felly roedd Kyffin yn llygad ei le. Mae Gareth yn gallu olrhain ei deulu yn ôl am genedlaethau ac ymysg y manylion yn ei lythyr oedd nodyn bach arall:

> I gymhlethu pethau, roedd Kate, Tir Gwyn, chwaer fy nhaid, wedi priodi ei chyfyrder, Huw Parry'r ffariar ym Mhenygroes, oedd hefyd â chysylltiad hefo teulu Tyddyn Bengan.

Un o alluoedd rhyfeddol y meddyg esgyrn oedd eu bod yn gallu trin esgyrn anifeiliaid yr un mor ddyheig ag y byddent yn trin esgyrn bodau dynol. I unrhyw ffermwr mae colli buwch yn golled enfawr a phan lithrodd buwch o eiddo ffermwr yng Nghricieth pan oedd ar ei ffordd i'r beudy a thaflu asgwrn ei chlun o'i le, doedd ond dau ddewis i'r ffermwr. Un oedd difa'r fuwch. Y llall oedd galw am wasanaeth Richard Evans, y meddyg esgyrn. Dewis galw'r meddyg wnaeth y ffermwr. Pan gyrhaeddodd Richard ati, yr oedd y fuwch mor ddiymadferth fel bod rhaid ei llusgo a hanner ei chario i'r beudy. Gofynnodd Richard i berchennog y fuwch, ei ddau was a'r forwyn i'w gynorthwyo i rwymo tair coes iach y fuwch yn dynn efo rhaff gyffredin a rhwymo'r goes arall efo rhaff wair. Rhoddwyd cyfarwyddiadau manwl i bawb ar sut a pha fodd i dynnu, ac ar orchymyn y cyfarwyddwr yr oedd pawb i dynnu nes clywed clec. Dyna'r arwydd fod yr asgwrn yn ôl yn ei le. Rhwymwyd pedair coes y fuwch a'i chadw felly nes ei gollwng yn rhydd am hanner dydd y diwrnod canlynol. Wedi torri'r rhaffau gallai'r fuwch druan gerdded yn iawn.

Gallai Richard droi ei law at wella unrhyw anifail, waeth beth oedd ei faint. Lawer tro gwnaeth gymwynas â chŵn defaid – anifeiliaid gwerthfawr iawn i unrhyw ffermwr mynydd – ac mae sôn bod un hen wraig wedi cerdded pymtheng milltir er mwyn iddo drin coes colomen.

Ond trin a gwella pobl oedd ei brif faes. Aethpwyd â phlentyn deng mis oed ato am ei fod wedi torri ei fraich a rhoddwyd triniaeth lwyddiannus iddo. Ymhen blwyddyn roedd y bychan wedi torri ei goes ond pan aeth y tad ag ef at Richard Evans, cicio a strancio wnaeth y bychan a gwrthod mynd i'r tŷ gan ei fod yn cofio'r profiad o fod yno ddeuddeng mis ynghynt. Fe'i perswadiwyd mai er ei fwyn ei hun yr oedd yn rhaid iddo ddioddef ac wedi'r ail driniaeth ni chafodd y bychan broblem o fath yn y byd efo'i esgyrn.

Gwelwyd enw Richard Evans a'i deulu yng ngholofnau'r wasg yn aml pan oedd aelodau'r cyhoedd am iddo gael sylw dyladwy am ei waith.

Un bore Gwener oer yn 1897 yr oedd trafeiliwr o Birmingham yn dyfod am Benygroes o gyfeiriad Clynnog, a phan oedd yn agos i'r orsaf syrthiodd ei anifail. Wrth godi ei hun o'r llawr, rhywsut neu'i gilydd torrodd y dyn ei goes a chludwyd ef at Mr Evans, a gwnaeth yntau ei waith arno. Yno bu'r clwyfedig dros nos. Trannoeth fe'i cludwyd i orsaf Penygroes ac aeth gartref i Birmingham ar y trên.

At y Golygydd, Y GENEDL GYMREIG

Syr, Mewn rhifyn o'r Genedl Gymreig am y 31ain cyfisol, ymddangosodd ysgrif yn rhoddi ar ddeall i'r cyhoedd mai Mr Thomas J. Parry, meddyg

> esgyrn, Penygroes a roddodd fy mraich yn ei lle – ond goddefwch i mi, fel y person oedd yn myned o dan y driniaeth uchod, i hysbysu mai Mr Richard Evans, Llwyndu Road, Penygroes a'i rhoddodd hi felly; a gallaf ddatgan fy niolchgarwch cynhesaf iddo am ei fedrusrwydd yn hyn o beth.
> Owen Jones, Nebo. Dydd Mawrth, 21 Tachwedd 1899.

Adroddodd gohebydd *Y Genedl Gymreig* am ddamwain fu yn ardal Cricieth ddechrau Mai 1900:

> Tra mewn cerbyd y dydd o'r blaen, cyfarfyddodd Mr W. Owen Braich-y-saint, â damwain. Cafodd ei daflu o'r cerbyd, ac anafodd ei ysgwydd a'i fraich, a bu mewn poenau mawr. Dan ofal Dr Evans, y meddyg esgyrn, Penygroes, y mae yn gwella yn dda.

Cred y teulu mai Richard Evans oedd y cyntaf i gael car yn yr ardal.

Pan oedd nain Mrs Gwen Hughes, Llangefni yn blentyn torrodd ei braich ac aethpwyd â hi at Richard Evans, oedd yn un o'i theulu, i'w thrin. Wedi gosod yr asgwrn yn ei le, awgrymodd iddi geisio dringo i ben wal uchel gan godi ei hun gerfydd ei bysedd. Yr oedd hyn yn waith anodd os nad amhosibl i un newydd dorri ei braich ond fel yr oedd pob dydd yn mynd heibio, yr oedd y fraich yn cryfhau a hithau yn gallu dringo yn uwch bob tro. Prawf o'i llwyr wellhad oedd iddi allu cyrraedd i ben ucha'r wal.

O'u darllen yn yr oes sinigaidd sy'n bodoli heddiw, rhaid gofyn ai newyddion lleol oedd yr uchod, ynteu hysbysebion i'r meddyg esgyrn oeddynt? Ym mis Awst 1900 cyfarfu priod Humphrey Jones, Talysarn â damwain ddifrifol. Dychrynodd buwch a syrthiodd Mrs Jones a chael ei mathru dan draed. Fe'i hanafwyd yn ddifrifol yn ei hysgwydd a'i hasennau. Ond, diolch i'r drefn, fe ddaru wella dan ofal Richard Evans. O dan bennawd 'Aberdaron' y gwelwyd yr adroddiad am y ddamwain. Ai lwc oedd bod y meddyg esgyrn yn yr ardal? Ynteu oedd o yno ar berwyl arall? Ar 4 Rhagfyr, 1900 yr oedd cyhoeddiad yn y papur fod priodas wedi ei dathlu ym Mhwllheli:

> Priodas – Evans-Griffiths. Tachwedd 22, yng Nghapel Penlan, Pwllheli, gan y Parch. Henry Williams, Soar, Penygroes, Mr Richard Evans, meddyg esgyrn, a Janet Griffiths, Bodwrdda, Aberdaron.

Brawd canol y Richard uchod oedd Thomas John, Penygroes a anwyd yn 1871. Byddai'n teithio i Langefni, Bangor a Chaernarfon i ymarfer ei grefft.

Hugh E. Evans oedd brawd ieuengaf Richard a Thomas John. Chwarelwr wrth ei alwedigaeth a symudodd i bentref glofaol Abertridwr a Phwll Glo'r Windsor, i'r gogledd o Gaerffili. Yno daeth ei allu i drin ac ailosod esgyrn i'r amlwg. Yr oedd John Elias, ei fab, yn swyddog yn llynges De Affrica ac yr oedd yntau wedi etifeddu'r galluoedd teuluol.

* * *

Ym mynwent Eglwys Coetmor, Bethesda, Arfon mae carreg fedd fechan, digon disylw ac arni'r geiriau 'H E Meddyg Esgyrn'. Man gorwedd **Hugh Evans**, pumed plentyn Richard Evans, Tyddyn Bengan, Penygroes sydd yma. Ganwyd Hugh ym Mhenygroes. Er iddo yntau, fel gweddill ei deulu, fod yn berchen ar y gallu i drin ac ailosod esgyrn, credir iddo fod yn gaeth i'r ddiod gadarn ac iddo fethu ei arholiadau yn y coleg meddygol. Ar fore Sadwrn, 8 Mai, 1891 ymddangosodd Hugh o flaen y Cadben Wynne Griffith (prif gwnstabl heddlu Ynys Môn) ar gyhuddiad o fod yn feddw ac afreolus ac o fod wedi ymyrryd â theithwyr ar y trên rhwng Caernarfon a Dinas ar 1 Ebrill, 1891. Yr erlynydd ar ran cwmni'r London & North Western Railway oedd Mr Fenna. Dirwywyd Hugh ddwy bunt a'i orfodi i dalu'r costau.

Daeth yn ôl o'r coleg i ffermio yn llwyddiannus iawn yn Nhyddyn Bengan wedi marwolaeth ei frawd, Thomas Evans, ac yna yn fferm Talysarn, Rachub, Bethesda. Dwylo cryf, gafaeliad ysgafn, dau lygad du, locsyn du a llais uchel, awdurdodol oedd gan Hugh; llais digon cryf i godi ofn ar ambell un ond ei ganmol wnâi pawb wedi derbyn triniaeth ganddo.

Pan oedd yn yr ysgol ac allan o olwg yr athrawon, byddai'n troi ei amrannau i fyny ac wedyn i lawr cyn plygu ei fysedd yn ôl i gyffwrdd â chefn ei law. Yna byddai'n troi ei fawd at y bysedd! Wedyn gofynnai i'r sawl oedd yn eistedd wrth ei ochr i wneud yr un peth i'w law arall. Byddai hyn yn destun hwyl eithriadol i weddill bechgyn y dosbarth ond yn codi ofn ar y genethod. Clywid sŵn clecian yng nghymalau ei ddwylo wrth iddo ryddhau ei fysedd a'u gosod yn ôl yn eu lle.

Fel meddyg esgyrn, yr oedd gan Hugh y gallu i gofio pob briw a chraith a welai. Profodd hyn yn fanteisiol iawn iddo wedi i ddihiryn ymosod arno ar y ffordd rhwng Pwllheli a Chaernarfon – ger Glynllifon. Bu'r ddau yn ymladd ar ochr y ffordd ond yn y tywyllwch ni allai Hugh weld wyneb ei wrthwynebydd, ond gwyddai iddo ei anafu drwy roi ergyd giaidd iddo yn ei fraich â'i ffôn gerdded. Ymhen blynyddoedd wedyn daeth gŵr at Hugh a gofyn iddo ailosod ei benelin ac wrth afael yn y fraich, adnabu Hugh graith oedd yn union yr un siâp â'i ffon. Pan fentrodd Hugh ddweud wrth y claf ei fod yn adnabod y graith ac yn gwybod yn iawn sut iddo gael ei anafu, gwadu'r cyfan wnaeth hwnnw a dweud mai craith newydd, ddim mwy na blwydd oed oedd ar ei fraich. Daliodd Hugh at y gwir a bu raid i'r claf gyfaddef y cyfan.

Symudodd Hugh o Benygroes i Fethesda ac fe'i croesawyd yn gynnes i'r gymuned. Gallai gynnig gwasanaeth gwerthfawr i chwarelwyr a ffermwyr Dyffryn Ogwen. Mae sôn am gyfaill i Hugh o'r enw Idwal o'r Carneddi faglu a syrthio ar balmant llechi dros y ffordd i'r George Inn yn y Carneddi. Syrthiodd yn glewtan a thaflu ei ysgwydd allan o'i lle. Gwingai dan boen a gorfu i fam Idwal fynd ag ef i Lôn Groes, Rachub, lle roedd Hugh Evans yn byw. Gosodwyd Idwal mewn cadair gan Hugh ond cyn gwneud dim, gofynnodd i fesur hael o wisgi gael ei baratoi yn barod at leddfu'r boen ar ôl y driniaeth. Bron nad oedd Idwal yn gwella wrth feddwl am y wisgi! Aeth Hugh tu ôl i'r gadair a chan afael yn nwy ysgwydd Idwal, dyma roi tro sydyn iddynt.

'Oedd hynna'n brifo, Idwal?' gofynnodd Hugh.

'Na,' meddai Idwal, 'rydw i yn iawn rŵan.'

Ac wrth roi'r wisgi i lawr ar ei dalcen, meddai Hugh, 'A finna hefyd!'

Bu farw yn 6 Water Street, Rachub, Llanllechid yn wyth deg dau mlwydd oed.

I **Mary**, merch ieuengaf Richard Evans, Penygroes y ganwyd **Thomas John Parry** yn 1862. Bu farw'r fam ar enedigaeth ei mab a chafodd yntau ei fagu gan ei nain yn Nhyddyn Bengan cyn mynd i'r chwarel i weithio. Gallai drin esgyrn cystal â neb yn y teulu a byddai'n aml yn mynd i Gaernarfon i gynnig ei wasanaeth yno.

Mab i Thomas John oedd **W. Jones-Parry**, fu'n gwasanaethu cymuned Penygroes fel milfeddyg. Graddiodd o Goleg Brenhinol Milfeddygaeth Campden Town ac enillodd Fedal Efydd y Coleg yn 1921. Ar ddechrau ei yrfa bu'n cydweithio â Mr Lloyd, milfeddyg arall o Gaernarfon.

Gŵyr pawb am werth a grym hysbysebu. Felly hefyd y Meddygon Esgyrn. Nid oedd yr un ohonynt yn swil o roi eu henwau yn y wasg i hysbysu'r cyhoedd o leoliad eu meddygfeydd. Yr oedd papurau Lerpwl yn hysbysu lleoliad meddygfeydd Evan a Hugh Owen Thomas yn y ddinas yn aml gyda manylion eglur am sut i gael hyd iddynt.

Yn *Y Genedl Gymreig* ddydd Mawrth, 19 Gorffennaf, 1898, nid un hysbyseb a ymddangosodd ond tri! Yn daclus o dan ei gilydd oedd hysbysebion gan:

1. Hugh Owen Evans, Blodwen Villa, Penygroes – mab Richard Evans, Tyddyn Bengan a chefnder i'r diweddar Hugh Owen Thomas, Lerpwl.
2. Richard Evans, Ffordd Llwyndu, Penygroes – ŵyr i'r Richard Evans uchod
3. Thomas John Parry – un arall o wyrion Richard Evans a mab Mary.

Yr oedd y tri yn hysbysebu eu meddygfeydd wedi eu lleoli ym Mhwllheli, Bangor, Caernarfon, Bethesda a Llanberis. Yr hyn oedd yn gwneud y golofn arbennig yma yn fwy diddorol na llawer un arall debyg oedd bod tystlythyrau gan aelodau diolchgar o'r cyhoedd wedi eu cynnwys a phob un yn brolio T. J. Parry am ei waith.

Yn y llythyr cyntaf mae Edward Brady o 31 Hafod Terrace, Caernarfon yn diolch iddo am roddi ei arddwrn yn ei le wedi dim ond pedwar diwrnod dan law'r meddyg. Gallai, wedi'r driniaeth, ddefnyddio ei law fel cynt. Bu dan ofal meddygon enwog yn Constantinople, Yr Almaen a Newcastle-upon-Tyne a rhai o Gymru ond ni fu'r un cystal â T. J. Parry. Er mai llythyr personol a anfonwyd i Mr Parry oedd yr un dan sylw, rhoddwyd iddo'r hawl i'w ddefnyddio fel y mynnai a dyna sut yr ymddangosodd yn y wasg Gymreig.

Ysgrifennodd Thomas Jones o'r Top Incline, Porthdinorwig i ddiolch i Mr Parry am driniaeth i'w wraig, oedd wedi bod ar faglau am bum mis wedi iddi roi ei throed o'i lle ond yn dilyn tair wythnos yn unig dan ofal y meddyg, yr oedd yn gallu cerdded mor heini ag erioed.

Un arall a lle mawr i ddiolch oedd John Phillips o Gwm-y-glo, Arfon, oedd wedi anfon y meddyg at ei chwaer, Mrs Evans, Penybryn, Maentwrog. Wedi rhoi ei ffêr o'i le, bu am ddau fis ar bymtheg yn methu symud ond wedi pythefnos yn unig dan ofal y meddyg, gallai gerdded a rhoi ei hesgid am ei throed.

Ac os nad oedd llythyr o ganmoliaeth yn ddigon, ysgogwyd Thomas Dewi Jones, 'Dewi Glan Teifi' o Bencnwc, Llanddewi Brefi yn wreiddiol ond oedd wedi ailsefydlu ei hun yn Llanberis ac yn Stryd Twll yn y Wal, Caernarfon (ac yn nhref y castell y'i claddwyd) i englyna wedi i bedwar o'i gyfeillion oedd wedi'u hanafu, gael eu gwella gan T. J. Parry:

Pur eglur Parry hyglod – yw hanes
Dy gyfrinach hynod:
Rhaid i fardd, ddyweyd, wir dy fod
Yn bywioli pob aelod.

Os gyrr hen lanc asgwrn o'i le, – neu ferch
Dirion, fwyn trwy chware:
I'w droi'n ôl druan, wele,
Cofia, ffrynd, fynd ato fe.

Ni chei ei well at archollion – o'r fath,
Rhof her i'r meddygon
Daw ar hyd y ddaear hon,
Ragori ar y gwron.

Ymddangosodd yr uchod yn *Y Genedl Gymreig* ddydd Mawrth, 6 Medi, 1898 ac mae'n siŵr iddynt, fel yr hysbysebion, gael effaith ffafriol ar waith y meddygon o deulu Tyddyn Bengan ac yn sicr, fe fyddai Evan Thomas wedi ymfalchïo fod y grefft o drin ac ailosod esgyrn wedi parhau ym meddiant ei deulu.

Yma ac acw

Mae'n bosibl iawn mai **Leonard Wynne Evans** oedd yr un o deulu Meddygon Esgyrn Môn a welodd fwyaf o'r byd. Yr oedd yn fab i **John Henry Glynne Evans**, yn ŵyr i Dr Owen Hugh T. Evans, Brynsiencyn ac yn tarddu o linach Evan Thomas, Y Maes drwy Ebenezer a John Evans, dau weinidog Methodistaidd o Fodedern. Cafodd ei eni ar 31 Mawrth, 1891 yn Gelliniogddu, Llangeinwen. Yr oedd yn frawd bach i John Henry Glynne Evans (g. 2 Gorffennaf, 1889) ac yn frawd mawr i Gladys Caroline Evans (1892-10 Ionawr, 1967).

Bu farw Dr L. W. Evans ar 4 Gorffennaf, 1979 yn Hafod, Ffordd y Cwfaint, Bangor yn dilyn damwain. Yr oedd yn wyth a phedwar ugain oed ac wedi treulio rhan helaethaf ei fywyd yn gweithio i Wasanaeth Meddygol Malaya.

Cafodd ei addysgu yn Ysgol Grove Park, Wrecsam ac yng Ngholeg Prifysgol Gogledd Cymru Bangor, lle graddiodd mewn Gwyddoniaeth. Aeth ymlaen i astudio yn Ysbyty Sant Bartholomeus, Llundain. Yn ystod y Rhyfel Byd Cyntaf gwirfoddolodd ei wasanaeth ar y Ffrynt Gorllewinol yn Ffrainc. Cafodd ei wrthod a'i anfon yn ôl i orffen ei gwrs hyfforddi'n feddyg. Wedi ei gymhwyso'n feddyg trwyddedig yn 1916, fe'i derbyniwyd fel is-gapten yng Nghorfflu Meddygol Brenhinol y Fyddin (RAMC). Yn 1917, tra oedd ym Mesopotamia, cafodd ganmoliaeth uchel am ei ddewrder. Fe'i dyrchafwyd yn gapten yn 1920 ac wedi Gwrthryfel Rwsia bu'n gweithio fel swyddog meddygol i Bwyllgor Prydeinig y Groes Goch yn Lemnos.

Rhwng 1921 a 1945 bu'n dal swyddi amrywiol ym Malaya. Pan ymosododd Siapan ar Singapore ym mis Rhagfyr 1945, ef oedd prif swyddog meddygol ysbyty Penang. Er iddo fod yn ymdrechgar iawn i gael niferoedd o Brydeinwyr allan o'r wlad, ei ddewis ef oedd aros yno efo'r cleifion. Gwrthododd gydweithredu â'r milwyr Siapaneaidd ond bu'n gweithio'n galed iawn i wella amgylchiadau yng ngwersyll Carcharorion Rhyfel Changi yn Singapore.

Daeth adref i Gymru ym mis Hydref 1945 ond yr oedd yr alwad yn ôl i Malaya yn un na allai ei hanwybyddu a dychwelodd yno yn 1946. Yn ei amser hamdden byddai'n hoff o deithio ac ar un achlysur teithiodd ar draws Affrica mewn hen gerbyd Jowett gan aros yma ac acw efo'r brodorion lleol. Bu'n swyddog meddygol yng Nghameroon ac am gyfnod bu'n cyd-fyw â llwyth o bigmïaid. Teithiodd i wledydd y Dwyrain Pell gan weithio'i ffordd fel meddyg llong.

Wedi marwolaeth ei chwaer yn 1867, dychwelodd i Fangor a chanolbwyntio ar arlunio.

C.B.E. (Civillian Division)
LEONARD WYNNE EVANS, M.R.C.S, L.R.C.P., Colonial Medical Service,
Chief Medical Officer, Penang, Malaya.
(For services prior to and during the Japanese occupation.)

(O'r *British Medical Journal*, 22 Mehefin, 1946)

Teulu Tan'rallt

Margaret Hughes, Tan'rallt oedd merch Richard Evans, Cilmaenan. Yr oedd wyth o blant yn nheulu Tan'rallt.

Mab hynaf Margaret a William Hughes, Tan'rallt oedd **John Hughes, Felin Esgob**. Dechreuodd ei yrfa ym Mynydd Adda, Llanddeusant lle roedd ef a'i wraig – Jane Lewis, merch Felin Esgob, Llandyfrydog, Môn – a dau o blant yn byw. (Yn ddiweddarach, tyfodd y teulu i bedwar o blant – **Richard Lewis, Margaret, William** ac **Elizabeth**.) Symudodd y teulu i Firmingham ac yno bu John yn mynychu ysgol nos er mwyn astudio a gwella'i hun. Cafodd ddyrchafiad i swydd clerc yn un o orsafoedd rheilffordd y ddinas. Daeth â'i deulu yn ôl i'r Fali ym Môn, lle sefydlodd ei hun fel masnachwr ŷd. Daeth yn berchen nifer o stordai ar yr ynys.

Etifeddodd John y ddawn o ailosod esgyrn a byddai'n mynd o le i le yng nghwmni Margaret, ei fam, i drin cleifion ac ailosod esgyrn. Yr oedd prinder cerbydau yn y cyfnod hwnnw (tua canol y bedwaredd ganrif ar bymtheg) ac ar wahân i'r un yn Nhanrallt, dim ond yn y Dronwy, Llanfachraeth ac yn stabl y bardd Nicander yn Llanrhuddlad yr oedd cerbydau eraill i'w cael. Yr oedd John yn ddibynnol iawn ar ei fam ac ef fyddai'n ei gyrru i bob man. Wrth ei gwylio a gwrando arni y dysgodd John am y grefft ac yn raddol magodd enw da iddo'i hun cyn belled ag ardaloedd chwareli llechi sir Gaernarfon. Arbenigodd mewn trin ysgwyddau ond gallai droi ei law at unrhyw ran o'r corff. Aeth ei dad ato un prynhawn Sul yn cwyno efo poen yn ei ben-glin. Yr oedd yn amlwg i John fod y ben-glin wedi ei thorri ers cryn amser a'r goes wedi cwtogi o'i chymharu â'r llall. Ailosododd yr asgwrn ac awgrymodd roi powltis o flawd ceirch oer ar y ben-glin a malwod wedi eu malu yn fân oddi tano. Effaith y malwod oedd ymestyn y cyhyrau ac ni fu William yn hir cyn bod â dwy goes yr un hyd.

Yn Ffair Llannerch-y-medd yr oedd John a'i fam, yn ôl eu harfer, yn cynnal clinig pan ddaeth cigydd o Langefni ato i ofyn am driniaeth am ei fod wedi torri'i asennau. Gosododd John blastr ar ei ochr a dweud wrtho am ddod yn ôl ymhen ychydig ddyddiau i'w weld. Pan ddychwelodd y cigydd i dynnu'r plastr, sylweddolodd John y byddai hynny yn broblemus gan fod y cigydd yn ŵr blewog tu hwnt. Fe'i rhoddwyd i orwedd ar wely a dechreuodd John sgwrsio er mwyn tynnu ei sylw o'r boen oedd yn sicr o'i dioddef fel y deuai'r plastr i ffwrdd. Materion gwledig oedd testun y sgwrs, wrth gwrs, ac meddai wrth y cigydd:

'Beth ydi'r sefyllfa ynglŷn â dwyn defaid y dyddiau yma?'
a rhoi plwc sydyn i'r plastr fel ei fod yn dod i ffwrdd ar un cynnig. Atebodd y cigydd:

'Mae'n well o lawer ar y defaid druan. Maen nhw yn cael eu lladd cyn eu blingo ond rydw i yn cael fy mlingo'n fyw!'

Cymeriad calon feddal iawn oedd John Hughes ac yn aml gwrthodai dderbyn tâl am ei waith. Er mai Bedyddiwr oedd o ran galwad grefyddol, trodd at yr eglwys yn Llandyfrydog, lle bu'n warden am nifer o flynyddoedd. Bu farw ar 28 Ionawr, 1914 yn wyth deg chwech mlwydd oed. Cafodd ei gladdu ym Mynwent Eglwys Llanfaethlu.

Ysig hiraeth gwasgarawg, ddaw o gwsg
Meddyg esgyrn enwawg;
O frodir Llandyfrydawg
Galar o'i ôl glywir rhawg.
Owain Môn

Mab hynaf teulu Felin Esgob oedd **Richard Lewis Hughes**. Cyn iddo orffen cwrs meddygaeth yn y wlad hon, ymfudodd i Batagonia lle cafodd waith fel meddyg. Am nad oedd ganddo'r cymwysterau yn llawn, fe'i talwyd mewn nwyddau yn hytrach nag mewn arian. Yr oedd yn feddyg esgyrn da ac yn gerddor gwych. Priododd â merch i offeiriad, yn wreiddiol o Lanfairfechan, ym Mhatagonia.

Priodasau ym Mhatagonia

Ar 2 Ionawr 1895, yn Eglwys Llanddewi, Cwm Uchaf, Chubut priodwyd Richard Lewis Hughes (Meddyg) o'r Cwm Uchaf, deg ar hugain oed a Jane Catherine Davies, o Bryn y Neuadd,Cwm Uchaf, tri deg dau oed. Cofnodwyd enw y ddau dad fel John Hughes (*Gentleman*) a Hugh Davies (*Clergyman*). Y Parchedig Hugh Davies, tad y briodferch, oedd yn gweinyddu. Y tystion oedd Joseph Hywel Davies (brawd y briodferch), J. W. Ashton a Margaret Davies (mam y briodferch).

Ar 20 Tachwedd 1899, yn Eglwys Llanddewi, Cwm Uchaf priodwyd Joseph Hywel Davies (29 oed) ffermwr o Bryn y Neuadd, Cwm Uchaf a Rebekah Archimedes Howells (24 oed) o'r Gaiman, Cwm Isaf gan Y Parchedig Hugh

Davies (tad y priodfab). Ymysg y tystion oedd Edward Davies (perthynas i'r priodfab?), Margaret Davies (mam y priodfab) a Richard Lewis Hughes (brawd yng nghyfraith i'r priodfab).

Bedydd ym Mhatagonia

Bedyddiwyd plentyn cyntaf Richard Lewis Hughes (Meddyg) a Jane Catherine Hughes o Bron Dewi, Cwm Uchaf, Chubut ar 16 Mai, 1897 gan ei thaid – y Parchedig Hugh Davies. Ei henw oedd Jane Elizabeth Catherine Hughes. Yr oedd yn wyth niwrnod oed.

Ar 10 Mai, 1902 bedyddiwyd John Lewis Hughes yn fab i Richard Lewis Hughes a Jane Catherine Hughes gan Y Parchedig Hugh Davies (taid). Ymddengys i John Lewis Hughes farw yn ddeufis oed ar 4 Gorffennaf, 1902 ac iddo gael ei gladdu ym Mynwent y Gaiman gan ei daid. Y Parchedig Hugh Davies oedd yr offeiriad Anglicanaidd cyntaf yn Nyffryn Chubut, Patagonia. Bu yno o 1883 hyd ei farwolaeth yn 1909. Dan ei arweiniad y codwyd Eglwys Llanddewi, Dolavon yn 1891.

Angladd ym Mhatagonia

Cynhaliwyd angladd Richard Lewis Hughes (Meddyg), tri deg wyth oed, o Bron Dewi, Cwm Uchaf ym Mynwent y Gaiman ar 20 Mehefin, 1903. Yn gweinyddu oedd Y Parchedig Hugh Davies (tad yng nghyfraith).

Y Doctor Hughes gerddorol – doi o Fôn,
Idd ei fedd cynarol
Am ei degwch cymdogol
Yr aeth, mae alaeth o'i ôl.

Trydydd plentyn John a Jane Hughes, Felin Esgob oedd **William Hughes** a dysgodd yntau gyfrinachau'r grefft o ailosod esgyrn gan ei dad. Yn ogystal â bod yn feddyg esgyrn yr oedd William yn borthmon a masnachwr anifeiliaid adnabyddus ym Môn. Bu farw yn 1910 yn ddeugain mlwydd oed. Fe'i claddwyd ym Mynwent Eglwys Llanfaethlu.

Mab i **Elizabeth**, merch ieuengaf Felin Esgob oedd **W. R. Rowlands**. Graddiodd a'i dderbyn yn MRCS (Lloegr) a LRCP (Llundain) yn 1914 ac yn

MB, BS (Llundain) yn 1921 o Brifysgolion Lerpwl a Middlesex. Daliodd swydd fel meddyg yn Waterloo, Lerpwl yn 1921. Yn ddiweddarach bu'n Gymrawd Robert Gee mewn Anatomeg ym Mhrifysgol Lerpwl, yn ddirprwy Swyddog Meddygol Seafield Home, llawfeddyg yn Ysbyty'r Southern, Lerpwl ac yn ddarlithydd mewn Anatomeg ym Mhrifysgol Lerpwl. Gweithiodd ar y cyd efo Syr Robert Jones a Dr Armour yn Ysbyty'r Southern. Yr oedd yn aelod blaenllaw o'r Capel Methodistaidd Cymraeg yn Walton, Lerpwl.

* * *

Ail fab William a **Margaret Hughes**, Tan'rallt (merch Richard Evans, Cilmaenan), a brawd i John Hughes, Felin Esgob, oedd **Richard** – ganwyd 10 Ebrill, 1829. Bu'n feddyg ym Merthyr Tudful ond bu farw o'r teiffws yn Nhanrallt, yn dri deg un oed.

Merch hyna'r teulu yn Nhanrallt oedd **Margaret Hughes**. Cafodd ei geni ar 22 Ebrill, 1832 a chafodd ei henwi ar ôl ei chwaer oedd wedi marw yn fis oed. Priododd Margaret â Dr Henry Jones, Yr Allt, Llanynghenedl. Buont yn byw yn Read House, Llanfachraeth pan oedd Henry yn gweithio fel fferyllydd. Yr oedd iddynt ddau fab – **Hugh** a **W. R. Parry Jones**, y ddau yn feddygon, a merch o'r un enw â'i mam. Symudodd y teulu o Goed Mawr, Wrecsam a byw yn Fferm y Cefn, Coed Richards. Un o ddyletswyddau Henry oedd ymweld â chleifion yn y Garth. I gyrraedd yno rhaid oedd dringo allt serth ac yr oedd Henry wedi penderfynu os oedd y ffordd i'r Nefoedd yr un mor serth, nad oedd o am fynd yno! Symudodd y teulu i'r Cefn, Wrecsam lle derbyniodd Henry swydd fel meddyg i glybiau'r gweithwyr a phregethwr cynorthwyol i enwad y Bedyddwyr.

Er bod iddo enw da iawn fel meddyg, pe bai unrhyw un yn mynd ato wedi torri braich neu goes, fe'i hanfonai at ei wraig, oedd wedi etifeddu doniau'r teulu o ailosod esgyrn, a chredai Henry ei bod yn feddyges well o'r hanner na'i gŵr.

Priododd **Margaret**, merch Margaret a Henry, â Mr Turner o Johnstown ond bu farw yn ifanc ar 5 Chwefror, 1882 yn ddau ddeg naw mlwydd oed. Bu farw ei mam ar 7 Tachwedd, 1879 yn bedwar deg saith mlwydd oed a'i chladdu ym Mynwent y Rhos. Bu farw Henry yn 1883 yn bum deg tair blwydd oed.

Mynychodd **Hugh Parry Jones**, mab Margaret uchod, Ysgol Llanfachraeth tan 1868 cyn symud i Glasgow. Graddiodd yn feddyg yr un pryd â'i dad yn 1879. Derbyniwyd Hugh yn MRCS (Lloegr) ac yr oedd yn drwyddedig mewn llawfeddygaeth a bydwreigiaeth. Dechreuodd ei yrfa yn Amlwch cyn symud i'r Rhos, Wrecsam. Dychwelodd i Fôn, i Walchmai, a byw yn yr Hendref. Cafodd ei ddewis yn swyddog meddygol dros Aberffraw a bu'n cynrychioli Gwalchmai ar y Cyngor Sir o 1888-1892. Wedi symudiad arall, aeth i fyw yng Nghae Mawr, Llannerch-y-medd yn 1890.

Yn ystod ei oes cafodd Dr Hugh amrywiaeth o brofiadau. Ar un cyfnod bu'n gweithio fel meddyg ar fwrdd llong *SS Grangenesse*. O Gae Mawr, galwyd arno i stesion Llannerch-y-medd lle oedd y porter wedi syrthio rhwng y platfform a'r trên ac oni bai bod Dr Hugh a'r meddyg lleol wedi trychu ei goes yn y fan a'r lle, byddai'r creadur druan wedi gwaedu i farwolaeth.

Bu Dr Hugh yn weithgar iawn gyda'r tlodion ym Modffordd. Cyflwynodd lain o dir i achos y Bedyddwyr yng Ngwalchmai iddynt godi capel arno. Agorwyd y capel yn 1892 a hoff bregethwr Dr Hugh oedd y Parchedig R. D. Roberts, Llwynhendy, ond gynt o Lanfachraeth. Cyflwynodd sawl rhodd i Gapel Belan hefyd.

Ei wraig oedd Margaret, merch John Hughes, Felin Esgob – cyfnither gyfan iddo. Bu farw ar 28 Chwefror, 1899 yn bedwar deg pedwar blwydd oed a'i gladdu ym Mynwent Eglwys Llanfugail.

Brawd Dr Hugh oedd **Richard** neu'r **Dr W. R. Parry Jones**. Graddiodd, a'i dderbyn yn LRCP a LRCS (Caeredin) a RFPS (Glasgow). Bu'n feddyg yn y Rhos, Wrecsam a byw yn Maelor View a chynnal meddygfa yn Stryd y Capel, Wrecsam. Ar un adeg, Thomas Jones, Amlwch (gweler Pennod viii) weithiai fel fferyllydd iddo. Cafodd yrfa symudol a bu'n feddyg yn Llanfair Caereinion, Rhymni, Pontyberem (fel meddyg yn y pwll glo) ac yn Llanfairpwll, Ynys Môn. Yr oedd Richard yn arbenigwr ar geffylau yn ogystal â phobl. Arferai farchogaeth ceffyl cyflym o Wrecsam i'r Rhos. Priododd â Miss A. E. Jones, Llanfyllin a chawsant naw o blant yn cynnwys pum mab a phedair merch. Bu un o'u meibion yn fferyllydd yn San Clêr, Sir Gaerfyrddin.

Bu W. R. farw yn 1908 yn bedwar deg wyth mlwydd oed a'i gladdu ym Mhontyberem.

Un arall o ferched William a Margaret, Tan'rallt oedd **Mary**, priod Thomas Jones a mam Syr Thomas Jones, Amlwch. Bu farw ar 6 Rhagfyr, 1898 yn chwe deg a dwy oed.

Teulu Syr Thomas Jones

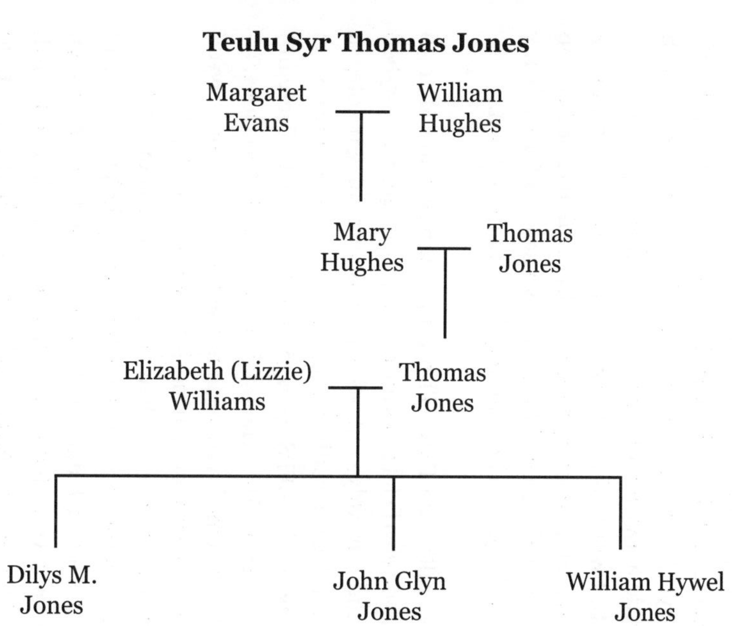

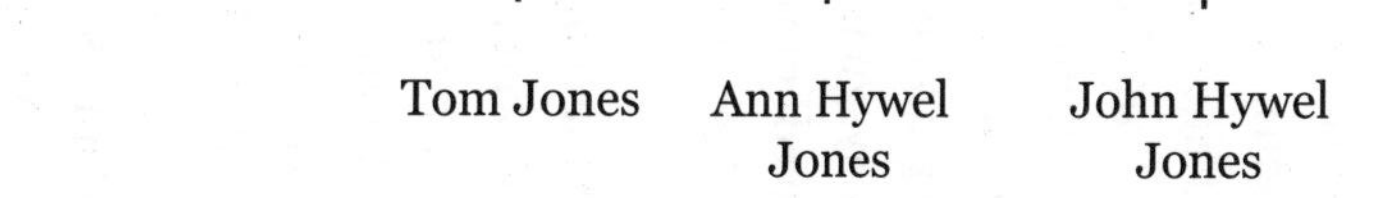

Brawd arall i Mary oedd **William**. Cafodd ei eni ar 20 Mehefin, 1830. Ymfudodd i Galiffornia lle bu'n ffermwr llwyddiannus.

Priododd **Elizabeth**, merch ieuengaf Tan'rallt, â Griffith Jones, Bodfardden, Llanfugail. Fel ei mam, yr oedd hithau'n feddyges dda iawn a phan lwyddodd i drin coes William Roberts, Y Joci (creadur gwyllt ac anhydrin iawn yn ôl pob sôn), talodd deyrnged iddi a dweud nad oedd yr un gadair yn y Nefoedd yn ddigon da iddi! Bu farw ar 3 Rhagfyr, 1913 yn saith deg tri mlwydd oed.

Byddai **Mary Ann**, merch Elizabeth a Griffith Jones yn cynnal meddygfa wythnosol yng Nghaergybi bob bore Sadwrn. Daeth un o weithwyr y dref ati unwaith i drin ei ysgwydd a llwyddodd Mary Ann i'w chlecian yn ôl i'w lle – camp oedd wedi bod tu hwnt i allu meddygon y dref. Aeth y gŵr adref a chysgu'n dawel am y tro cyntaf ers blynyddoedd – rhywbeth nad oedd ei fab wedi ei weld yn wneud erioed. Yr oedd Mary Ann yn aelod o Gapel Tŷ'n y Maen. Bu farw ar 16 Ebrill, 1923 yn bedwar deg chwech mlwydd oed.

Yr ieuengaf o deulu Tan'rallt oedd **Evan Thomas Hughes** a anwyd ar 30 Mawrth, 1843. Dechreuodd ei yrfa fel gwas ffarm ond yn y dirgel, a heb wybod i'w fam, mentrodd astudio meddygaeth. Graddiodd yn feddyg o golegau Glasgow, Caeredin a Llundain yn saith ar hugain oed. Yr oedd rhestr hir ei gymwysterau yn un drawiadol – LFPS (Glasgow) – 1870; LRCP (Caeredin) – 1870; LSA (Llundain) – 1870; MSA (Llundain) – 1871; LMRCS (Lloegr) – 1871. Ei swydd gyntaf yn y byd meddygol oedd fel meddyg yn Dartford, swydd Caint. Symudodd i Gaergybi a sefydlu partneriaeth yno efo Dr Walthew.

Yr oedd yn feddyg nodedig iawn a phan aeth trol dros Thomas Jones, Caergwrle, Llanddeusant methodd dau feddyg lleol esmwytho'i boenau, ond rhoddodd Evan Thomas ei law dan ei gefn ac ailosod yr esgyrn yn ddidrafferth. Fe'i hapwyntiwyd yn feddyg yr L.N.W.R. (y London and North Western Railway) a'r Llynges yng Nghaergybi ac am gyfnod byr cafodd gymorth Dr Fox Russell (dyfarnwyd iddo fedal Croes Fictoria yn ystod y Rhyfel Byd Cyntaf) yn y gwaith.

Cymeriad direidus oedd Evan Thomas Hughes, yn hoff iawn o dynnu coes. Byddai wrth ei fodd yn cuddio'r golchi oddi ar y lein ddillad a gwylio morwyn fach Tan'rallt yn ffwndro'n lân a methu cael hyd iddynt. Dro arall cymerodd arno fod yn lleidr pen-ffordd pan welodd John Thomas, Tyddyn Waun yn dod adref yn feddw o Lanfachraeth wedi danfon cenfaint o foch yno.

'Your money or your life!' meddai'r meddyg. Ond ''Run geiniog i chdi!' oedd ymateb John, wedi adnabod y llais, a phan ddatgelodd y meddyg ei hun cafodd wybod ei gymeriad yn ddi-flewyn-ar-dafod gan y porthmon moch. Ar achlysur arall yr oedd John a'i frawd Richard wedi syrthio i gysgu ym môn y clawdd yn y cae a phan welodd Evan Thomas hwy clymodd garai eu hesgidiau i'w gilydd er mwyn eu gweld yn baglu wrth geisio codi.

Etholwyd Evan yn gynghorydd sirol dros Gaergybi a bu'n was da dros yr etholaeth. Ar nos Sadwrn, 22 Rhagfyr, 1894 gwnaeth wasanaeth da â'r rhai a achubwyd oddi ar y llong *Kirkmichael* a ddrylliwyd ar forglawdd yr harbwr.

Wrth redeg o flaen storm ar fordaith o Lerpwl i Melbourne, Awstralia, gyrrwyd y barc haearn dri mast *Kirkmichael* ar forglawdd Caergybi.

Collwyd saith allan o griw o ddeunaw. Yr oedd y llong 933 tunnell wedi'i hadeiladu gan gwmni William Doxford a'i Feibion yn Sunderland ac yn eiddo cwmni A. J. Steel a'i Fab, Lerpwl yn cario cargo cyffredinol ond collwyd y cyfan. Gwrthododd un llongwr adael y llong, ac fe'i boddwyd yn ei gaban.

Gwelwyd y llong, a'i hwyliau wedi'u rhwygo'n rhubanau, yn cael ei gyrru gan y storm ar y morglawdd. Taniwyd gynnau i dynnu sylw Gwylwyr y Glannau. Aeth y cwch achub a thair tynfad allan ond cyn i'r un allu cyrraedd y llong, yr oedd wedi ei dryllio'n llwyr. Yr oedd cymaint o drochion môr fel na ellid gweld y llong na'r morglawdd am gyfnodau hir. Llwyddodd Gwylwyr y Glannau i gropian ar hyd y morglawdd a thanio rhaff gref i'r llong. Dringodd un ar ddeg i'r fasged ac fe'u hachubwyd. Aethpwyd â hwy i loches y llongwyr yng Nghaergybi, lle gwelwyd bod eu cyflwr mor wan na allent fod wedi byw yn hir heb eu hachub.

Am eu dewrder yn ceisio achub rhai o'r criw ac am gynnig cymorth meddygol i'r rhai a achubwyd, anrhydeddwyd chwech gan y Liverpool Shipwreck and Humane Society. Yn eu mysg oedd y meddyg Evan Thomas Hughes a gyflwynwyd â thystysgrif mewn lledr Rwsaidd. Drwy ei wasanaeth, dan amgylchiadau anarferol o fod yn agored i dywydd eithriadol stormus, achubwyd sawl un. Byddai bywydau nifer wedi eu colli heb ei gymorth proffesiynol. Wrth ddiolch yn gyhoeddus am yr anrhydedd, mynegodd mai elw personol oedd bellaf o'i feddwl ar y noson ac mai achos dynoliaeth oedd yn bwysig iddo ef. Ar yr un pryd, rhoddodd gydnabyddiaeth i Mr Charley Hills am ei gymorth meddygol ar y noson.

Bydd E. T. Hughes Enwog, y meddyg rhagorol,
    A'i enw'n blodeuo'n anfarwol ei glod:
Ei allu dihafal a'i ysbryd dyngarol
    Anwylir, fawrygir, tra'r morfur yn bod;
Gweinyddodd i'r truan heb ofni marwolaeth,
    Cyflawnodd wrhydri a gofir o hyd,
Daeth coron dyngarwch i blentyn Llanfachraeth,
    Ei foliant a genir ar dafod y byd.

Rhydfab

Un o ddiddordebau mawr Evan Thomas Hughes oedd ymaflyd codwm a byddai'n cynnal gornestau rhwng ei gyfeillion ac aelodau o'r heddlu yng Nghaergybi. Wedi chwysu yn ystod gornest yn erbyn rheithor Llanfachraeth, aeth i weld un o'i gleifion a chafodd annwyd difrifol. Bu farw ar 21 Ionawr, 1902.

viii
Marchog a Meddyg

Ychydig iawn a arferid ei ddysgu i ddisgyblion Ysgol Syr Thomas Jones, Amlwch am yr un oedd wedi rhoi ei enw i'r sefydliad. Er bod yn ddisgybl yno am wyth mlynedd, dim ond wedi hanner can mlynedd a mwy ar ôl gadael yr ysgol y deuthum i wybod fod y marchog yn aelod o deulu'r Meddygon Esgyrn ac yn fab i Mary, merch Margaret, gwraig Richard Hughes, Tan'rallt. Yr oedd ei nain, fel Evan Thomas, yn un o blant Cilmaenan, Llanfaethlu.

Mae'n siŵr mai ychydig iawn o drigolion Amlwch a'r cylch oedd yn darllen y *London Gazette* yn 1943 gan fod hynt a helyntion yr Ail Ryfel Byd yn mynd â'u bryd ond pe bai'r papur ar gael yn lleol fe fyddent wedi darllen yn Rhifyn 36308, ar dudalen 2 fod y brenin, o'i fodd, am urddo'r Henadur Thomas Jones MRCS, LRCP, YH, Cadeirydd Pwyllgor Addysg Môn ag urdd marchog am ei wasanaeth cyhoeddus a gwleidyddol. Yr oedd yr enwebiad gwreiddiol, a wnaed gan Bwyllgor Rheoli Ysbyty'r Meddwl yn Ninbych, ar gyfer OBE ond mynnodd Ardalydd Môn y dylai gael ei ddyrchafu'n farchog. Ymddengys iddo gael ei ddymuniad. Ar y ffordd o Amlwch i'r Fali i ddal y trên o Gaergybi i Lundain, torrodd y car i lawr a bu'n rhaid ffonio'r orsaf a gofyn iddynt ddal y trên yn ôl nes i Thomas a'i wraig a'u merch gyrraedd. Cytunwyd i'w cais gan nad oedd neb am fentro pechu'r brenin a'i orfodi i ddisgwyl rhag ofn iddo dorri pen y darpar farchog i ffwrdd yn hytrach na'i urddo efo'r cleddyf! Trefnwyd cyfarfod cyhoeddus yn Amlwch i'w groesawu adref a'i longyfarch ac i'w gyflwyno â chyfarchiad euraidd, o waith Harry Hughes Williams, athro celf Ysgol Sirol Llangefni ac arlunydd medrus. Yn anffodus, yr oedd yn rhy wael ei iechyd i allu bod yn bresennol mewn cyfarfod tebyg yn Llangefni i'w gyflwyno â thysteb o £400. Ei ddymuniad oedd cyflwyno'r arian i'w ddefnyddio fel gwobr i ddisgyblion hynaf y sir.

Cyfarchiad i Thomas Jones ar ei urddo yn farchog

Mor llawen ydym heno
Yng nghwmni enwog sant,
Mae telyn yn ein calon
A phêr yw sain pob tant,
Ac iddo mae'r hen gartref
Yn rhoddi parch a bri,
Bydd MYNYDD ADDA'n annwyl
Tra bydd ein daear ni.

Ni chollodd ef ei hunan
Wrth esgyn yn y byd,
Mae'n Gymro a gwladgarwr –
Yr un yw ef o hyd;
Mae'n caru gwreng a bonedd
A phawb yn ddiwahân –
Hyfrydwch penna'i fywyd
Yw Môn a Chymru lân.

Enillodd glod arhosol
Trwy waith yng Ngwalia Wen,
Mae hithau heddiw'n rhoddi
Ei choron ar ei ben,
Fe gadwodd draddodiadau
Ei genedl drwy ei oes
A thros y da a'r gwerthfawr
Ei fywyd oll a roes.

Deusant Môn

Cyfarchiad i Syr Thomas a Lady Jones

Daeth imi fraint o'r newydd,
A cheisiaf ganu cân
I Lady a Syr Thomas
Am roddion fawr a mân.

I'r ardal ac i'r Ynys
Mae'i wên fel heulwen Haf,
Ei weled ef sy' ddigon
I adnewyddu'r claf.

Pa ryfedd oedd i'r Brenin
Ei anrhydeddu ef
Ac yntau'n rhoi o'i orau
I godi'r wlad a'r dref.

Canaf gan clod i'r marchog
O hyn ymlaen bid siŵr,
Gan lawenhau a'n gilydd
Ac ef yn flaenaf ŵr.

A Price, Llys Hedd, Amlwch.
(O'r *LEINWS* – cylchgrawn Ysgol Syr Thomas Jones, Amlwch 2001-02.)

Cafodd Thomas Jones ei eni ym Mynydd Adda, Llanddeusant yn 1870. Fferm tua 70 erw oedd Mynydd Adda, yn cyflogi tri gwas, ac fel 'Twm Mynydd Adda' y cyfeiriwyd at Thomas gan lawer un o'r ardal. Codwyd y ffermdy gan un o frodyr Hugh Owen Thomas a'i rentu i Thomas a Mary, rhieni Syr Thomas. Yn ôl Dilys, wyres Thomas a Mary, nid oedd ei thaid yn hoff o waith caled; yr oedd yn llawer hapusach yng nghwmni potel o ddiod gadarn. Bu farw Thomas (y tad) pan oedd Thomas ei fab yn ddwy ar bymtheg mlwydd oed. Ymhen blwyddyn collodd ei frawd Owen o'r dicáu. Yn ogystal â cholli ei frawd, collodd Thomas gyfaill mynwesol a byddai'r ddau yn gwneud pob math o ddireidi yng nghwmni ei gilydd. Yr oeddynt yn berchen mul fel anifail anwes ac yn ei farchogaeth o amgylch y cae ond os mentrai rhywun arall ar ei gefn, yr oedd y mul wedi ei ddysgu gan y brodyr i'w daflu i'r eithin! Un arall o driciau'r brodyr oedd aros tu ôl i'r clawdd nes byddai rhai o fynychwyr y dafarn leol yn cerdded adref. Byddai'r cerddwyr yn eistedd yn y ffos i gael cyntun a thra byddent yn cysgu, byddai'r brodyr yn clymu carai ei hesgidau efo'u gilydd; yna neidio'n ôl dros y clawdd a gweiddi nerth eu pennau i ddychryn y cysgwyr. Byddent yn eu dyblau'n chwerthin wrth weld y rheini yn bustachu i godi a baglu a disgyn yn ôl i'r ffos. Dwy chwaer iddo oedd Jane a Margaret.

Derbyniodd Thomas ei addysg gynnar yn ysgol y pentref yn Llanddeusant dan ofal y cerddor a'r prifathro David Rowlands. Eironig iawn yw sylweddoli mai hon oedd un o'r ysgolion cynradd cyntaf ym Môn i'w chau oherwydd toriadau llym yn y gyllideb addysg yn 2010, o gofio cymwynas fawr Thomas Jones i addysg ar yr ynys. Yn Llyfr Log Ysgol Llanddeusant gwelir cofnod:

> Oct. 1st, 1880.
> Average: 55
> Attendance fair considering weather. Field work – and other causes.
> Bills of parcels introduced to the Third Standard in the Simple Ordinary way.
> Those who made the greatest progress during the week were:
> Thomas Jones, Mynydd Adda.
> Thos. Jones, Plas Newydd.
> Salina Pritchard of Maes y Felin.

Arferai darlun du a gwyn o Syr O. M. Edwards gael ei arddangos ar fur cefn Ystafell Ddosbarth Standard 2, 3 a 4 (Room Fawr) yn Ysgol Llanddeusant ym mhum a chwe degau'r ugeinfed ganrif. Gellir mesur pwysigrwydd y gwrthrych o gofio mai llun o gyn-ddisgybl yn yr ysgol – Syr Thomas Jones – oedd un arall a rannai le ar y mur, er mai Twm Mynydd Adda oedd o i'r athro. Byddai Mr Owen Owens, y prifathro yn y chwe degau cynnar, yn atgoffa'r disgyblion yn aml llun mor dda oedd yr un o Thomas Jones, a'i lygaid yn ymddangos fel petaent yn edrych ar bawb ble bynnag oeddynt yn yr ystafell; a'i fod, fwy na thebyg, yn cadw golwg ar bawb a sicrhau eu bod yn gweithio'n galed er mwyn perfformio cystal ag y gwnaeth ef ei hun. O boptu'r stôf yn wynebu'r dosbarth, yr oedd dau lun arall – '*When did you last see your father?*' a Francis Drake yn edrych allan i'r môr.

Oherwydd epidemig o ddiphtheria bu'n rhaid cau'r ysgol am gyfnod yn yr 1870au. Trosglwyddodd Thomas i Ysgol Gynradd Bodedern a theithiai yno bob dydd mewn trol a cheffyl. Erbyn diwedd ei gyfnod yn yr ysgol yr oedd William, brawd arall i Thomas, wedi sefydlu ei hun fel adeiladydd yn Lerpwl ac yn dilyn cyfnod o hyfforddiant meddygol dan law eu cefnder Dr W. R. Parry Jones, llwyddodd William i sicrhau lle i Thomas yn y Liverpool Institute. Aeth Thomas ymlaen i dderbyn graddau ac anrhydeddau'r byd meddygol. Graddiodd o Goleg Owen, Stryd Oxford, Manceinion a'i dderbyn yn LSA (*Licensed Surgical Assistant*) a thystysgrif mewn llawfeddygaeth yn 1896. Ni fu'r daith drwy'r coleg yn fêl i gyd a methu'r arholiad terfynol fu hanes Thomas. Ni allai fforddio aros yno i ail-eistedd yr arholiad ac aeth i weithio fel *locum* ac astudio ar gyfer MRCS (Lloegr) a LRCP (Llundain). Ar ei ail gynnig, ni allai ateb un cwestiwn arholiad ac ysgrifennodd am alcoholiaeth barhaol. (Tybed oedd o'n cofio problemau ei dad?) Erbyn dyddiad y Viva (arholiad llafar) yr oedd wedi cael cyfle i ddarllen am y cwestiwn a chofio'r ffeithiau i gyd fel y gallodd ateb yr arholwyr yn berffaith.

Wedi holi Tom Jones, un o wyrion Syr Thomas Jones, am ei daid aeth i chwilio ymysg trysorau'i deulu ac yn eu mysg daeth ar draws llyfr o holiaduron oedd ar un amser yn eiddo i'w nain o tua 1870. Disgybl ddwy ar bymtheg mlwydd oed yn Ysgol Neuadd Elwy, Y Rhyl (ysgol breswyl i enethod) oedd hi ar y pryd. Un, ond nid y cyntaf, i ateb holiadur oedd Thomas Jones, gŵr ifanc pump ar hugain oed ac yn fyfyriwr ar fin graddio a dechrau gweithio fel meddyg. Mae'r atebion a roes, fel y cwestiynau, yn Saesneg ac yn ddadlennol iawn am ei gymeriad ac am y cyfnod yr oeddynt yn byw ynddo.

1. Pa nodweddion ydych yn eu hedmygu mewn dyn? *Gonestrwydd.*
2. Pa nodweddion ydych yn eu hedmygu mewn merch? *Ei thymer cymhedrol (melys oedd ansoddair TJ).*
3. Beth fyddai eich bywyd delfrydol? *Byw yn y wlad a chael digon o waith.*
4. Beth yw eich nodwedd hynawsaf? *Rhaid i chi ofyn i'm cyfeillion.*
5. Beth gysidrwch yw eich cryfder? *Ysmygu sigaret!*
6. Os byddai raid i chi weithio am eich bywoliaeth, pa alwedigaeth fyddai yn apelio atoch? *Un feddygol.*

7. Beth gysidrwch eich gwendid mwyaf? *Codi cywilydd ar ferched ifanc.*
8. Beth yw eich hoff ddifyrwch? *Chwarae pêl-droed.*
9. Beth sydd yn gwylltio fwyaf? *Merched (ond nid bob amser – Mae dwy yn gwmpeini ond mae tair yn ormod.)*
10. Ydych chi'n ieithydd a pha un yw eich hoff iaith? *Na. Cymraeg.*
11. Ym mha wlad yr holfech fyw? *Yng Nghymru.*
12. Pa wlad dramor yr hoffech ymweld â hi? *Ynysoedd y* Canaries.
13. Pwy dybiwch sydd efo'r gallu ymenyddol mwyaf-dyn neu ddynes? *Dyn ond nid bob tro.*
14. A gredwch y dylai merched gymryd rhan mewn bywyd cyhoeddus? *Dylent os gallant reoli eu tymer.*
15. Ydych chi'n credu y dylai merched gael y bleidlais? *Ydw.*
16. Pa liw sydd yn gweddu orau i chi? *Du a gwyn.*
17. Ydi gwisg yn dylanwadu ar gymeriad? *Ydi y rhan fwyaf o'r amser.*
18. Disgrifiwch ferch o'r cyfnod. *Braidd yn benchwiban ac yn hoffi cellwair caru.*
19. Disgrifiwch ŵr ifanc o'r cyfnod? *Cyflym (ond nid fi).*
20. Beth yw eich hoff arwyddair? *Byth rhy hwyr i drwsio.*
21. Pa un yw eich hoff flodyn? Beth yw ei ystyr? *Pansi. Meddyliau.*
22. Pwy yw teyrn gorau Ewrop? *Mam Tywysog Cymru.*
23. Pa un yw'r wlad fwyaf dylanwadol yn y byd? *Lloegr.*
24. Pwy yw'r Gwleidydd mwyaf dylanwadol ym Mhrydain? *Mr Gladstone.*
25. Pwy yw Arlunydd gorau'r cyfnod? *Mr Owens, Garreg Lwyd.*
26. Pwy yw Cerddor mwyaf dylanwadol y cyfnod? *Ignacy Jan Paderewski, 1860-1941.* [pianydd, gwleidydd a chededlaetholwr Pwylaidd.]
27. Pwy yw Gwyddonydd mwyaf dylanwadol y cyfnod? *Syr Henry Roscoe. 1833-1915* [cemegydd.]
28. Pwy yw Areithiwr mwyaf dylanwadol y cyfnod? *Mr Ellis Jones Griffiths. 1860–1926.* [gwleidydd Rhyddfrydol ym Môn.]
29. Pwy yw Awdur mwyaf dylanwadol y cyfnod? *Syr Henry Rider Haggard. 1856-1925.* [Nofelydd o Loegr.]
30. Pwy yw Bardd gorau'r cyfnod? *Mr Lewis Morris.*
31. Pa un yw eich hoff ddarllen-barddoniaeth neu ryddiaith? *Barddoniaeth.*
32. Enwch ddau ddarn o farddoniaeth sydd yn eich boddhau. Gray's Elegy in a Country Churchyard *a* Paradise Lost.

33. Enwch ddau lyfr ffuglen i chi elwa o'u darllen. *Beatrice a Rhys Lewis.*
34. Pwy yw eich arwr mewn bywyd? *Jolly John Nash. 1830-1901.* [o fyd adloniant Seisnig.]
35. Pwy yw eich arwr mewn ffuglen? *Mr Sawbones a Dewi Sant.*
36. Pwy yw eich arwres mewn bywyd? *Y ferch a adewais ar ôl.*
37. Pwy yw eich arwres mewn ffuglen? *Santes Bride.*
38. Gwaith pa gyfansoddwr sydd yn rhoi pleser i chi? *Mendelssohn a Handel.*

Ei swydd gyntaf oedd efo'i gefnder Dr Parry Jones yn Wrecsam. Cafodd ei apwyntio yn llawfeddyg Ysbyty Penbedw ac yn ddiweddarach yn Ysbyty Bwrdeistref Broughton, Bootle ac yn arolygwr meddygol Cyngor Bootle. Adroddwyd am y 'Dyrchafiad Anrhydeddus' yn *Y Genedl Gymreig* ar 15 Medi 1896 lle datgelwyd fod Thomas yn un o bedwar ar bymtheg oedd wedi ymgeisio am y swydd a bod trigolion Llanddeusant, wrth gwrs, yn falch iawn o'i lwyddiant.

Derbyniodd neges gan ei ewythr o Lannerch-y-medd am swydd yn Amlwch. Yr oedd rhwng dau feddwl pa un ai ymgeisio am y swydd neu beidio. Cynigwyd iddo ddwywaith ei gyflog i aros yn Bootle ond yr oedd Thomas yn awyddus i ddychwelyd i Fôn ac i briodi, felly ar dafliad ceiniog, pan syrthiodd honno â'i hwyneb i fyny, dewisodd y swydd yn Amlwch. Fe'i hapwyntiwyd yn Swyddog Iechyd a Brechiadau ardal Amlwch ac i Gyngor Gwledig Twrcelyn a Chyngor Dinesig Amlwch. Yr oedd hefyd yn llawfeddyg Swyddfa'r Post a'r Llynges yn ogystal â bod yn ganolwr meddygol i'r Prudential a chwmnïau yswiriant eraill. Ni fu'n edifar ganddo'r symudiad i Amlwch ac ar ei farw yr oedd yn cydnabod iddo fod yn eithriadol hapus yno ar hyd ei oes. Cafodd enw da fel meddyg esgyrn ac fel meddyg teulu.

Ar y cychwyn yr oedd y meddyg ifanc yn byw mewn tŷ gyferbyn â Gwesty'r Grenville yn Amlwch ond yr oedd *Emporium* dros y ffordd hefyd a thrwy'r nos gallai glywed sŵn y seiri yn gwneud eirch. Gweithiai mewn partneriaeth efo Dr Jones, Bryn Hyfryd a Dr Tom o Gemaes. Yr oedd y ddau yn or-hoff o'r ddiod a phan fu Dr Jones farw, mentrodd Thomas brynu Bryn Hyfryd wedi iddo gael benthyciad gan ei ewythr. Ychwanegwyd at y tŷ yn 1909 gan fod y Doctor wedi priodi erbyn hynny a thri o blant i'r teulu. Priododd ar 5 Medi, 1900 efo Elizabeth (Lizzie) Jane Williams, Bryn Glas, Llaneilian a Llanrhuddlad, merch i'r llenor a'r bardd John Williams (1843-

1990). Cyhoeddwyd ysgrif fywgraffiadol, fer amdano yn *Enwogion Môn* 1856-1912 gan y Parchedig R. Hughes, Y Fali. Yng nghefn y llyfr, ymysg rhestr o'r sawl brynodd gopi, mae enw Dr Thomas Jones. Cyhoeddodd y ferch lyfr o waith ei thad *Y Tant a Dorrwyd* yn 1909. Yn gwasanaethu yn y briodas oedd y ddau weinidog – y Parchedigion J. Venmore Williams a Hugh Jones, Bryndu. Treuliwyd y mis mêl ym Mharis.

Ar ddechrau ei yrfa, rhaid oedd i Dr Jones deithio i weld ei gleifion un ai ar droed, ar feic neu ar gefn ceffyl. Un noson dywyll, dewisodd gerdded i weld un o'i gleifion am fod hwnnw yn byw'n gyfagos. Wrth ddychwelyd, baglodd dros rywbeth mawr, meddal yng nghanol y ffordd. Teimlai'r gwrthrych yn ei godi oddi ar y llawr. Ymbalfalodd yn ei boced i chwilio am fatsien. Fe'i taniodd a gwelodd mai mul oedd yno. Yr oedd teulu o sipsiwn wedi gwersylla ar ddarn o dir diffaith gerllaw a'r mul wedi syrthio i gysgu ar ganol y ffordd yn y cyfnod di-draffig hwnnw. Galwodd gwraig i weld y meddyg dro arall a gofyn iddo ymweld â'i gŵr oedd yn y tŷ wedi dioddef strôc enbyd. Rhaid oedd prysuro i weld y claf, felly neidiodd ar ei feic a gadael i'r wraig gerdded adref. Pan gyrhaeddodd Thomas at y tŷ, yr oedd daeargi yn sefyll ar garreg y grws, yn cyfarth a dangos ei ddannedd, ac ni chai'r meddyg fynediad i'r tŷ ganddo nes dychwelodd gwraig y perchennog i'w dawelu!

Bwriodd y meddyg ifanc i'r gwaith a phrin iawn oedd amser rhydd ar wahân i un diwrnod y flwyddyn pan fyddai'r Fonesig Neave o Lysdulas yn anfon ei cherbydwr a *wagonette* i fynd â Thomas a'i wraig i Gaergybi i gael tipyn o aer y môr. Ymhen amser gallai fforddio prynu *dog-cart* iddo'i hun; wedyn *gig* a *brougham*.

Yng nghyfnod y car a'r ceffyl, cyflogai'r meddyg was a oedd yn cael ei adnabod gan bawb fel Wil Doctor ac er iddo ddioddef o gefn cam, byddai Wil yn ei ddanfon i bob man. Unwaith galwyd ar y meddyg i Lysdulas, cartref Yr Anrhydeddus Gwyn Gertrude Neave, merch Arglwydd Dinoeben a gweddw Syr Arundel Neave o Dagnam, lle oedd y garddwr newydd o Gaer a'i fab bach wedi marw o *diphtheria*. Gan fod y weddw mewn galar ac yn ddieithr i'r ardal, cytunodd Dr Jones i drefnu'r angladdau ond ni chafodd gymorth gan fawr neb am eu bod ofn dal y salwch eu hunain. Gwrthododd y trefnydd angladdau fynd â'r eirch at y tŷ a bu'n rhaid i aelod o'r cyhoedd o Borth Amlwch eu cario i Ddulas ar ei gefn, a'u gadael tu allan i'r drws. Benthycodd y meddyg hers y plwyf a dibynnu ar gymorth prin Wil a thafarnwr unllygeidiog y Gardener's Arms. Galwyd ar Thomas Jones i Lys Dulas cyn ac wedi'r angladd i adrodd am yr achlysur i'r fonesig. Rhoddodd y bwtler botel o wisgi iddo a gorchymyn i'w rhannu efo'r sawl oedd yn fodlon cario'r arch. Ond rhag creu miri a rhoi esgus i bobl hel straeon fod y cludwyr wedi meddwi, cadwodd y doctor y botel ym mhoced ei gôt. Ofnai wedyn y byddai'r botel yn syrthio allan tra byddai'n gollwng yr arch i lawr felly fe'i cuddiodd yn y car. Erbyn i'r cyrff gael eu claddu ym Mynwent Eglwys Llanwenllwyfo yr oedd Wil Doctor a Dic Unlygad wedi cael hyd iddi a'i gwagio – a meddwi'n chwildrin. Pan ddaeth y meddyg o'r fynwent yr oedd y ddau yn ffraeo hyd at daro pwy oedd am gael priodi'r weddw dlawd.

(Er cystal stori o'r fath ac er mai merch y meddyg oedd y ffynhonnell, rhaid ei derbyn â phinsaid o halen gan nad oes cofnod i arddwr Llys Dulas na phlentyn ifanc farw ar yr un pryd. Yr oedd yn arfriad gan y Fonesig Neave godi carreg goffa i'w gweithwyr ymadawedig ond nid oes golwg o un i goffau'r ddau uchod yn y fynwent. Mae angen llawer mwy o waith ymchwil i wireddu'r chwedl.)

Dychwelwyd i Amlwch ar ras a'r pedolau yn gwreichioni ar hyd y ffordd. Yr oedd Dic a Wil yn y pen blaen yn gyrru a ffraeo'r un pryd a'r meddyg druan yn y cefn yn dal ei afael ac mewn perygl mawr o golli ei le a'i fywyd. Aeth Thomas yn syth i'r tŷ wedi cyrraedd yn ôl i Fryn Hyfryd i ddiheintio'i hun. Derbyniodd neges frys yn ei alw i'r Burwen, ond yr oedd Dic a Wil yn chwyrnu yn y stabl a'r ceffyl yn dal yn yr harnais a bu'n rhaid iddo fentro at y claf ar gefn beic.

Dro arall, yr oedd ceffyl newydd, bywiog rhwng y llorpiau. Rhuthrodd y ceffyl a thorri echel y cerbyd. Yr oedd Wil a'r doctor ymhell o adref a gwelsant y ceffyl yn diflannu yn y pellter. Rhaid oedd wynebu cerdded yr holl ffordd yn ôl i Amlwch. Fel yr oedd y ddau yn cerdded, yr oedd Thomas Jones yn gwaredu iddo brynu'r ceffyl a gwastraffu ei arian prin. Ymhen diwrnod, cafodd delegram gan gyn-berchennog y ceffyl yn dweud ei fod wedi cyrraedd yn ôl i'w hen stabl yn chwys drosto. Gwyddai'r hen geffyl ei ffordd adref yn iawn ac yno y bu nes i'r doctor allu mynd i'w gyrchu am yr eildro. Enw'r anifail oedd Buller ac wedi'r daith gyntaf fythgofiadwy honno, profodd ei hun yn geffyl ffyddlon iawn a gweithgar. Daeth yn ffrind i'r teulu ac wedi ymddeol, pan gafodd y doctor ei gar cyntaf, bu'n anifail anwes i'r plant ac yn byw mewn cae cyfagos. Colled fawr fu colli Buller.

Pan alwyd ar Thomas Jones allan mewn lluwchwynt o eira, bu raid i Wil ac yntau ddibynnu ar allu'r hen geffyl fynd a hwy tua thre'. Fedrai 'run o'r ddau weld dim pellach na hyd braich ond meddai Wil:

'Peidiwch â phoeni, doctor. Mae'r hen geffyl yn gwybod ei ffordd yn iawn. Mae'n siwr o fynd â ni adra.'

Ac felly y bu, er bod mwstash y meddyg yn biobonwy hir a'i gôt wedi rhewi'n gorn erbyn cyrraedd yn ôl i dŷ'r doctor. Mewn storm eira arall, gadawodd ei gar ar ochr y ffordd a dim ond cael a chael fu hi iddo allu cyrraedd yn ôl yn ddiogel. Oni bai i Mrs Jones anfon criw o ddynion efo rhawiau allan i chwilio amdano, mae'n bosibl y byddai wedi rhewi i farwolaeth.

Car y doctor oedd y cyntaf i ymddangos yn Amlwch. Fe'i danfonwyd yn unswydd o Gaer i Amlwch gan ddreifar a arhosodd am bythefnos i roi gwersi dreifio i'r perchennog newydd. Pan fyddai'n teithio ffyrdd gwledig yr ardal, yr oedd yn sicr yn creu cyffro mawr, a chriw o blant swnllyd yn aml yn rhedeg ar ei ôl. Swift oedd ei ail gar a'r lifar gêr fel pastwn ar yr ochr allan wrth ymyl yr ysgol ddringo i mewn i'r seddau blaen. Yr oedd Thomas Jones yn deithiwr wrth reddf ac aeth â'r teulu ar daith foduro am wythnos i Langollen a'r Trallwng. Ar adegau o dywydd gaeafol byddai yn gadael y car a cherdded. Ganwyd tri o blant i Thomas a Lizzie Jones:

- Dilys – g. 1901 ac a adnabuwyd fel Miss Jôs Doctor. Bu farw yn 2000.
- John Glyn – g. 1905. Meddyg a addysgwyd yn ysgol fonedd Leys yng Nghaergrawnt, Coleg Caius, Caergrawnt a Choleg Ysbyty Prifysgol Llundain. Graddiodd yn MA (Cantab), MB a BCh a'i dderbyn yn MRCS (Lloegr) a LRCP (Llundain). Yn 1935 fe'i hapwyntiwyd i swydd Physegwr Cynorthwyol y Dicáu Gorllewin Mynwy.
- William Hywel – g. 1909, m. 1984. Yr oedd yn feddyg fel ei frawd ac wedi ei addysgu yn yr un ysgol, Coleg Downing, Caergrawnt a Choleg Ysbyty Prifysgol Llundain. Wedi graddio a'i dderbyn yn MRCS (Lloegr) a LRCP (Llundain), bu'n swyddog preswyl yn Ysbyty Wembley. Yr oedd yn un â diddordebau eang gan gynnwys byd llên a'r ddrama, ac ef oedd awdur y ddrama bortread o hanes bywyd a thrafferthion Evan Thomas, Stryd Crosshall, Lerpwl.

Wedi geni Hywel, aeth Thomas ar daith trên i Baris yn 1910 ac fel y cerddai i lawr y Champs Élysées yng nghwmni criw o feddygon a chyfeillion, daeth cardotyn atynt a gofyn iddo a fyddai'n fodlon prynu pecyn o gardiau post a lluniau digon amheus eu natur arnynt.

'Dos i'r diawl!' meddai Thomas wrtho yn flin – ac atebodd y cardotyn, 'Wel, yn fy myw! Cymro ydach chi?'

Nid oes cofnod o ba un oedd wedi dychryn fwyaf!

Ym Mharis, prynodd fonet lliwgar mewn sidan oren i Dilys ond yr oedd y lliw yn llawer rhy llachar i ferch fach chwech oed, meddai Mrs Jones, ac fe'i gorchuddiodd â defnydd nefi blŵ.

Bu blynyddoedd cynnar ei yrfa feddygol yn gyfnod digon anodd heb fawr o offer yn gymorth i'r gwaith. Ailosodai esgyrn ar fwrdd y gegin ym Mryn Hyfryd a gorchymyn i'r nyrs alw efo'r claf nes y byddai hwnnw / honno yn holliach. Bu'n wael ei hun yn 1920 wrth ddioddef o lid y coluddyn. Anfonodd ei wraig neges i un o gyfeillion Thomas yn Lerpwl â chais iddo ddod i Amlwch ar frys a dwy nyrs efo fo. Gyrrwyd Mrs Jones a Dilys, ei merch, allan o'r tŷ; diheintiwyd yr ystafell a 'sbyddwyd y drygioni o'r coluddyn tra oedd Thomas yn gorwedd ar fwrdd y gegin. Aethpwyd ag ef i Lerpwl i orffren y driniaeth yng nghartref nyrsio Miss Gough ger y gadeirlan, lle byddai digon o deulu iddo'n gallu galw i'w weld, mae'n siŵr. Er mwyn atgyfnerthu'n llwyr aeth ar fordaith i'r Aifft a gweithio fel meddyg ar y llong. Tra oedd yno bu'n chwilio am fedd aelod o'r teulu oedd wedi ei gladdu ym mhridd tywodlyd y wlad honno – ac fe'i cafodd. Yn 1926 aeth â'i wraig a'i fab Glyn ar fordaith i dde Affrica er mwyn i Glyn gael ei gefn ato wedi dioddef o'r dicáu. Cyd-ddigwyddiad diddorol yw mai fel arbenigwr ar anhwylderau'r frest y bu Glyn yn gweithio am flynyddoedd yng ngogledd Cymru wedi hynny.

Galwyd ar Thomas Jones, y meddyg, i ffermdy Rhosbeirio, Rhosgoch ganol nos ac er iddo guro'n drwm ar y drws, ni chafodd ateb. Mentrodd yr hen arfer o streicio ar ffenestr y llofft, hynny yw taflu llond llaw o gerrig mân at y gwydr yn y gobaith o dynnu sylw'r sawl oedd tu fewn. Ymhen hir a hwyr, daeth gwraig y tŷ i agor iddo ac ymddiheuro am fod cyhyd. Eglurodd iddi osod trap llygoden fawr dan ffenestr y llofft ac wrth glywed sŵn y cerrig yn taro'r gwydr, iddi feddwl fod llygoden wedi neidio i'r trap a dyna pam iddi fod mor gyndyn o godi.

Dro arall, pan oedd ar seibiant o'r gwaith, arhosodd gartref un noson, yn dawel ei feddwl fod y *locum* ar ddyletswydd ac yn gyfrifol am ateb unrhyw alwad frys a ddeuai yn oriau'r nos. Yr oedd ym Mryn Hyfryd system deleffon gyntefig efo tiwb o'r drws ffrynt i'r llofft. Daeth sŵn o'r tiwb ganol nos ac atebwyd y cais am gymorth gan Mrs Jones efo'r gorchymyn, 'Ewch at y *locum*!' ac meddai llais yn ôl, wedi iddo glywed sŵn y doctor yn 'stwyrian yn y llofft, 'Dudwch wrth y doctor, os ydi o ar ei wyliau, am anfon y dyn 'na sydd wrth eich ochr chi yn y gwely i weld Mam, 'ta!' Yr oedd yn arferiad gan rai mwy mentrus na'i gilydd, wedi iddynt gael ambell beint yn un o dafarndai'r Llan (Amlwch) i afael yn y tiwb ar eu ffordd adref a gweiddi, 'Ydach chi adra, Doctor Tom?' a'i ateb yntau fyddai, 'Ydw, ac fe ddylia' chitha' fod adra hefyd!'

Ar achlysur arall galwodd perthynas i un o gleifion ymadawedig Dr Jones a gofyn am gopi o'r dystysgrif farwolaeth. Yr un pryd derbyniodd wahoddiad, i angladd y claf ymadawedig efo'r deisyfiad iddo fynd, 'Er mwyn i chi weld diwedd y gwaith ydach chi wedi'i ddechrau!'

Rhaid i feddyg allu trin pob math o bobl cyn meddwl am drin eu hanwylderau. Gallai Thomas Jones wneud hynny'n hawdd. Galli drin anifeiliaid hefyd. Yr oedd yn hoff iawn o gŵn a phan oedd yn ymweld â ffermydd byddai ci'r fferm yn siwr o redeg i'w gyfarch neu gyfarth. Chafodd o erioed ei frathu gan gi a'i enw ar bob un oedd 'Jac'.

Un o'r cleifion a alwodd i'w weld oedd gwraig oedd wedi cwyno ers blynyddoedd ei bod yn drwm iawn ei chlyw. Wedi cael chwistrellu'r cwyr o'i chlustiau, gallai glywed yn iawn ac aeth adref yn ddiolchgar tu hwnt.Y bore wedyn, yr oedd yn ôl i weld y meddyg a chŵyn yn ei erbyn am iddi fethu cysgu winc y noson cynt. Gan gystal oedd y driniaeth a gafodd ar ei chlustiau, yr oedd am y tro cyntaf ers blynyddoedd, yn gallu clywed swn y cloc mawr yn tician ac yn taro'r oriau. Yr oedd yn grediniol fod ei meddyg wedi ei melltithio a gwaeddodd na fyddai fyth yn mynd ar ei gyfyl wedi hynny. Cadwodd at ei gair a chofrestrodd efo meddyg arall.

Yr oedd un arall o'i gleifion yn gymeriad gwahanol a dweud y lleiaf gan nad oedd am i neb arall ei gweld.Yn ei chartref yr oedd dau ddrws i bob ystafell fel y gallai, wedi canu'r gloch i alw'r forwyn, fynd allan i ystafell arall fel na welai'r forwyn mohoni. Yr unig rai a'i gwelai yn gyson oedd dau waetgi (*bloodhounds*) y byddai'n mynd â hwy allan bob nos, wedi iddi d'wllu, a'i meddyg. Galwyd ar Thomas Jones i'w gweld pan oedd gwythiennau ei choes wedi chwyddo. Tra oedd yn gosod rhwymau am ei choes yr oedd y cŵn yn snwffian ei choes yn ddi-ddiwedd ond doedd wiw dweud y drefn Awgrymodd y meddyg y dylai alw ar y forwyn i newid y dillad gwely ond gwrthodwyd ei awgrym a gorchymyn iddo ef ei hun wneud y gwaith dan gyfarwyddyd meistres y tŷ. Fel y newidiai'r blancedi a'r cynfasau, yr oedd y ddau waetgi yn ei wylio rhag iddo roi bys o'i le!

Galwodd gwraig briod i weld y doctor gan gwyno ei bod yn cael ei gyrru'n wallgo' gan sŵn yn ei phen. Chwistrellodd ei chlustiau a gweld pry mawr yn y cwyr. Hwnnw oedd achos y sŵn ac wedi'r chwistrelliad, yr oedd y claf yn holliach. Hanes tebyg yw yr un am aelod arall o'r teulu talentog a ymddangosodd yn y *Wrexham Advertiser*, Dydd Sadwrn, 21 Mai, 1859:

> A poor woman of the name of Mary Roberts, wife of Robert Roberts, labourer, Llanfwrog, was for some time troubled with a strange noise in the ear, and having been informed that an Ear-whig had got into it, she became much alarmed, and immediately applied for medical assistance in this neighbourhood, but to no avail. She afterwards was admitted as an in-door patient in the Chester Infirmary, where she remained for a month. She ultimately applied to Mr David Evans, of the Star Inn, Ruthin (who is not a certified surgeon, but who has made some extraordinary cures and is considered clever, especially as a bone setter), and we are happy to say and to bear testimony to the fact that this gentleman a few days ago extracted a large grub, commonly called an Ear-whig, from this poor woman's ear measuring about an inch in length.

Gan fod oriau'r gwaith yn hir, rhaid oedd cael seibiant weithiau ac ar adegau felly galwyd am wasanaeth *locum*. Mae'n rhaid bod rhai lleol yn brin ar un cyfnod a *locum* o dde Cymru gyrhaeddodd i lewni'r bwlch. Er ei fod yn Gymro, yr oedd ei dafodiaith yn eitha gwahanol i un Gwlad y Medra' (Ynys Môn). I Fonwysion, ystyr y gair 'moddion' ydi gwasnaeth o ddiolchgarwch neu gyfarfod gweddi. I ddeheuwyr, ystyr 'moddion' ydi ffisig neu feddyginiaeth. Pan aeth y *locum* i weld claf yn Amlwch oedd yn gaeth i'w gwely, gofynnodd iddi pa bryd y cafodd foddion diwethaf? Aeth hithau yn flin a'i gyhuddo o anwybyddu'r ffaith iddi fod yn gaeth i'w gwely ers misoedd ac na allai fynd i'r bregeth ar fore Sul heb sôn am fynnychu'r cyfarfod gweddi ganol yr wythnos!

Er cael addysg prifysgol, ni allai'r meddyg feddu ar yr ateb cywir bob amser, fel yn yr achos pan y bu'n rhaid iddo gyfaddef i wraig fferm fod ei gŵr yn ddifrifol wael, heb fawr o obaith gwella. Achos y boen yn ei stumog oedd rhwystr yn y coluddyn. Nid oedd dim allai wneud i'r truan, dim ond disgwyl iddo farw. Chlywodd o ddim o hanes y claf am ddyddiau lawer ac ni ddaeth unrhyw aelod o'r teulu i ofyn am dystysgrif marwolaeth. Credai mai'r cam callaf oedd mynd yno i ddatgan ei gydymdeimlad â'r teulu yn eu profedigaeth. Wedi cyrraedd y fferm, pwy welai yn sefyll ar y buarth ond y ffermwr oedd ar farw ychydig ddyddiau ynghynt. Edrychai yn fyw iawn ac yn holliach. Wedi ei holi am ei adferiad buan a llwyr, cafodd wybod ei fod, bellach, yn holliach diolch i'w wraig oedd wedi treulio noswaith gyfan yn rhwbio cymaint o saim gŵydd ar ei fol fel bod y rhwystr wedi ei chwalu.

Yr oedd sawl agwedd i waith Thomas Jones ac er cymaint o alw oedd ar ei amser ym myd meddygaeth, yr oedd hefyd yn ŵr cyhoeddus iawn. Cafodd ei ethol ar Gyngor Tref Amlwch yn 1898. Dywedir i Mrs Jones wahodd pob ymgeisydd yn yr etholiad i'r tŷ am ginio sylweddol ac i hynny fod yn rheswm pam i'w gŵr gael ei ethol yn unfrydol! Nid oes cofnod i ddangos mai llysiau o'r ardd oedd ar y bwrdd. Mae'n siwr fod sawl un a eisteddodd i fwyta'r pryd yn bryderus am hynny gan y gwyddent am arferiad y Doctor i fynd allan i'r ardd gefn i 'ddyfrio'r planhigion'.

Yr oedd un o lafnau Amlwch yn caru'n selog efo morwyn y tŷ ac yn arfer galw arni gyda'r nos heb yn wybod i'r meddyg. Byddai yn cuddio ymysg y bresych nes y deuai'r ferch allan i'w gyfarfod ond pan fyddai'r Doctor wedi esgusodi ei hun o bwyllgor a gynhelid yn y tŷ, byddai'n dod allan i'r cefn i 'roi 'dŵr i'r planhigion'. Bryd hynny byddai'r carwr ifanc yn gorfod cuddio ymysg y ffa yng ngwaelod yr ardd neu byddai wedi cael 'cawod' ddigon annymunol!

Gweithredodd Thomas Jones ar nifer o bwyllgorau a daliodd swyddi eraill gan gynnwys bod yn Ustus Heddwch ar y Fainc yn Amlwch am dros ddeugain mlynedd. Yr oedd ei adnabyddiaeth o rai o'r troseddwyr yn gaffaeliad mawr wrth ystyried dedfryd a hwythau yn teimlo iddynt dramgwyddo'r doctor yn fwy na'r Gyfraith ac yn gwneud ymdrech i gadw draw o'r llys am rai misoedd wedyn.

Cyfarchiad i Thomas Jones ar ei wneud yn Ynad Heddwch yn 1906.

Ein llongyfarchion gyfaill
'Rôl derbyn y JP.
Mae hogia Llan y Seintiau
Yn llawen, coeliwch ni,
Mae Deusant fach yn caru
Ei bechgyn glewion, glân,

Esgynant fryn anrhydedd
A chariad llawn o gân

Deusant Môn

Pan oedd achos o lofruddiaeth (dynladdiad yn ddiweddarach) o flaen y llys, bu raid anfon Thomas Jones, yn rhinwedd ei swydd fel llawfeddyg yr Heddlu, a'r rhingyll i chwilio am wraig yr ymadawedig. Yr oedd ei phresenoldeb fel y prif dyst yn y llys yn angenrheidiol ond pan agorwyd yr achos nid oedd golwg ohoni yn unman. Wrth i'r ddau chwiliwr ddynesu at y tŷ, gwelsant hi'n cuddio tu ôl i dŷ cyfagos – ond wedi iddynt gyrraedd ei chartref fe'i cawsant yn ei gwely yn cwyno'n arw am gyflwr ei chalon. Gofynnodd y meddyg iddi os oedd ei choesau a'i thraed wedi chwyddo ac meddai wrtho, 'maent wedi chwyddo cymaint fel na allaf wisgo esgidiau'.

Yr oedd y wraig wedi anghofio bod angen un cofus iawn i ddweud celwydd ac wrth iddynt daflu dillad y gwely i ffwrdd i'w harchwilio gwelsant fod pâr o esgidiau am ei thraed dan ei choban! Doedd ganddi ddim dewis ond cerdded i'r llys.

Dro arall, gofynnwyd i'r meddyg mewn llys barn sut ymddangosiad oedd i gymeriad oedd newydd farw a'i deulu yn dadlau dros ei ewyllys. Yr ateb gonest a roddodd i'r barnwr oedd i'r creadur edrych fel cocatŵ! Credai'r barnwr fod Thomas Jones yn gwamalu ac nad oedd yn cymryd yr achos na'r cwestiwn o ddifrif a bu raid iddo egluro ymhellach nad oedd y sawl oedd wedi marw yn ei iawn bwyll a'i fod wedi mynd i mewn i fatres wely i guddio. Pan y'i gorfodwyd i ddod allan ohoni yr oedd ei wyneb, ei wallt blêr a'i locsyn hir yn chwys diferol a'r plu o'r fatres wedi glynu ynddo ac iddo fod yn debyg iawn i un o'r adar lliwgar.

Cafodd Thomas Jones ei ethol yn aelod o bwyllgor llywodraethwyr y Coleg Normal a Llys Coleg Prifysgol Bangor. Yr oedd yn aelod o bwyllgor rheoli Ysbyty'r Meddwl yn Ninbych ac yn gadeirydd Pwyllgor Addysg Môn. Swyddi eraill a ddaliodd yn ei waith cyhoeddus oedd gwasanaethu Pwyllgor Cymdeithas Salwch Meddwl Cymru a Lloegr yn 1930 ac yn 1942 fe'i hetholwyd yn gadeirydd y gymdeithas honno – y Cymro cyntaf i'w ethol i'r swydd.

Fe'i hetholwyd yn gynghorydd sirol ym mis Chwefror 1902 ac yn gadeirydd y Cyngor Sir ym Mawrth 1913 hyd at Fawrth 1915. Fe'i gwnaed yn henadur yn 1914. Efallai mai ei swydd fwyaf arwyddocaol oedd cadeirydd

Pwyllgor Addysg Môn. Yr oedd wedi ei ethol yn Gadeirydd y Pwyllgor Addysg yn 1919, swydd a ddaliodd am bum mlynedd ar hugain, ac o'r cychwyn cyntaf bu'n ymgyrchu yn frwd dros gyfleoedd cyfartal i bob un o ddisgyblion ysgol yr ynys. Gwireddodd ei freuddwydion yn rhinwedd y swydd hon drwy i Gyngor Sir Mon fod yr awdurdod addysg cyntaf ym Mhrydain i sicrhau dogn o lefrith a chinio poeth ganol dydd i'r disgyblion. Yr oedd â ddiddordeb mawr ym mholisïau'r llywodraeth a'r Cyngor Sir ar gyfer Amlwch. Bu'n arwain y gad i agor ysgol Brydeinig yn Neuadd Goffa'r dref a chefnogai'r bwriad i drosglwyddo honno yn ysgol uwchradd. Cyn yr Ail Ryfel Byd yr oedd yn rhaid talu am addysg uwchradd ac yr oedd hyd at 80% yn gadael yr ysgol wedi eu pen-blwydd yn bedair ar ddeg. Yn dilyn y rhyfel a phasio Deddf Addysg 1944 cafwyd addysg rad i ddisgyblion ond yr oedd raid pasio'r Arholiad 11+ i gael mynediad i ysgol uwchradd. Oherwydd anfodlonrwydd â'r Arholiad 11+, gwelwyd arbrofion parthed addysg gyfun yn cael eu cynnal o 1940 ymlaen ac yr oedd Ynys Môn yn un o'r awdurdodau addysg cyntaf i dreialu addysg gyfun yn y sector uwchradd.

Yr hyn ysgogodd Thomas Jones i ystyried addysg gyfun oedd cyfarfod, un bore gaeafol, eneth o ardal Penysarn yn cerded drwy'r gwynt a'r glaw i gyfeiriad gorsaf reilffordd Amlwch am hanner awr wedi chwech y bore i ddal y trên 7.10 a.m. i Langefni. Yn ei llaw roedd pecyn o frechdannau a fyddai'n gorfod ei chynnal drwy'r dydd yn yr ysgol yno nes y byddai wedi cyrraedd yn ôl i'r Sarn tua chwech y noson honno.

Nid oedd modd codi ysgol uwchradd yn Amlwch ar y pryd ond wedi trafodaeth hir efo'r cwmni rheilffordd L.M.S.R llwyddwyd i'w perswadio i redeg trên yn cychywn o Amlwch tua 8 y bore gan gyrraedd Llangefni mewn pryd i'r disgyblion gerdded i fyny Allt y Forwyllt a chyrraedd yr ysgol cyn naw yn hytrach na sefyllian yn nrysau rhai o siopau'r dref yn disgwyl mynediad i'r ysgol.

Bu'n rhaid brwydro'n galed i gael ysgol newydd i Amlwch gan fod gwrthwynebiad cryf o Fiwmares, Caergybi a Llangefni. Yr oedd llawer o waith cynnal a chadw i'w wneud ar yr ysgolion yno ac nid oedd arian ar gael i godi adeilad newydd. Unwaith, llwyddodd Thomas Jones i berswadio'r Cyngor Sir i'w gefnogi i gael ysgol newydd yn Amlwch ond yn fuan wedyn daeth gorchymyn gan y Llywodraeth yn San Steffan fod gofyn torri gwariant cyhoeddus yn llym. Trefnwyd fod dirprwyaeth o Fôn yn teithio i Lundain i geisio dwyn perswâd ar y llywodraeth. Yn anffodus, ar y diwrnod y trefnwyd i deithio yr oedd Thomas Jones yn wael yn ei wely. Unwaith y cyrhaeddodd y ddirprwyaeth Lundain, anghofiwyd am eu teyrngarwch i'r meddyg yn ei wely'n wael a phleidleisodd pawb i gefnogi codi estyniad ar y tair yn hytrach na chefnogi codi adeilad newydd yn Amlwch. Profodd hynny yn siom fawr i'r meddyg ond parhaodd â'i ymdrech ar ran disgyblion ardal Amlwch. Fel meddyg teulu yr oedd yn ymwybodol iawn o effeithiau gorfod cerdded i gyfarfod y trên mewn tywydd oer a gwlyb; sylweddolai beryglon gorfod reidio beic yn ôl a blaen i'r orsaf yn ystod oriau'r blacowt. Yn y cyfnod yma bu tân difriofol yn ysgol Llangefni a difrodwyd nifer o ddosbarthiadau. Creodd hyn drafferthion lawer a pherswadiwyd y Pwyllgor Addysg i ddefnyddio Neuadd Goffa Amlwch fel ysgol i'r dalgylch. Bu hyn yn gam manteisiol iawn i Thomas Jones gan ei gwneud yn haws i berswadio'r llwyodraeth i ystyried pwysigrwydd ysgol newydd a safle ar ei chyfer yn Amlwch.

Yn dilyn yr arweiniad a roddwyd yn ystod cadeiryddiaeth Thomas Jones o'r Pwyllgor Addysg, agorwyd yr ysgol gyfun gyntaf yng Nghymru a Lloegr yng Nghaergybi yn 1949. Ychydig cyn hynny yr oedd perchennog Maesllwyn, Amlwch wedi marw a'i stad i'w gwerthu mewn arwerthiant cyhoeddus. Yr oedd rhan o'r tir yn addas ar gyfer codi ysgol newydd arno ond pan glywodd cyfreithwyr y teulu am fwriad y Cyngor Sir i'w brynu, trefnwyd bod y tir yn cael ei dynnu'n ôl o'r ocsiwn. Llwyddodd Thomas Jones i brynu'r tir yn annibynnol a'i ail-werthu i'r Cyngor Sir. Codwyd yr ysgol sy'n dwyn ei enw ond yn anffodus yr oedd y prif ysgogydd wedi marw cyn i'r un garreg gael ei gosod. Agorwyd yr ysgol ym Mhentrefelin, Amlwch yn 1952; hon oedd yr ysgol gyfun gyntaf ym Mhrydain i'w hadeiladu i'r pwrpas o fod yn ysgol gyfun. Prif ddisgyblion cyntaf yr ysgol oedd Ted Huws a Gwen Thomas a chafodd y ddau yr anrhyededd o fod ymysg enillwyr cynnar Gwobr Syr Thomas Jones hefyd. Yr oedd Thomas Jones o'r farn fod raid i'r 'Fam Ynys' roi arweiniad i weddill Cymru. Credai fod yr hyn yr oedd Môn yn ei wneud yn gyntaf yn cael ei efelychu gan weddill Cymru wedyn. Er gwaethaf salwch difrifol bu'n flaengar iawn ym myd addysg ym Môn yn dilyn cyhoeddi Deddf Addysg bellgyrhaeddol 1944.

Fel y tyfodd y plant; John Glyn, William Hywel a Dilys; cartrefodd y teulu yn y Gwyndy yn Amlwch, 'tŷ bendigedig' yn ôl Gruff Roberts (Corwas), Dyserth. Yr oedd cwrt tenis o faint llawn yn perthyn i'r Gwyndy a chafodd nifer o bobl ifanc Amlwch gynnig y cwrt i'w defnydd eu hunain ar yr amod eu bod yn torri'r gwair unwaith yr wythnos a marcio llinellau gwyn ar y cwrt, ac yno y dysgodd Gruff ac eraill ddefnyddio peiriannau 2 strôc am y tro cyntaf.

'Mae hynny, ynddo'i hun, yn siarad cyfrolau am Dr Jones,' meddai Gruff. Diddorol iawn yw hanesyn o'r fath gan i gyfaill arall o Amlwch, Arthur Lloyd Owen, gofio fel y byddai tîm pêl-droed y dref yn chwarae ar un o gaeau fferm Llaethdy oedd gryn bellter o ganol y dref. Pan adawodd meibion Llaethdy yr ardal bu'n rhaid chwilio am gae arall a phwy ddaeth i'r adwy ond Miss Dilys Jones (Miss Jôs Doctor), merch Syr Thomas. Trefnodd i'r tîm gael chwarae ar gae Lôn Bach, Amlwch – lle mae'r gemau'n parhau i'w cynnal hyd heddiw. Nid oes gan Arthur Lloyd Owen, er iddo fod yn ysgrifennydd y clwb pêl-droed am gyfnod, gof am Miss Jôs na neb arall yn gofyn am rent na thâl am ddefnyddio'r cae. Rhaid bod cymwynasgarwch yn rhedeg yn y teulu.

Bu farw Syr Thomas Jones yn ei gartref yn saith deg a phedair mlwydd oed ar nos Sul, 29 Gorffennaf, 1945. Yr oedd wedi dioddef o gancr y gwddw ers rhai misoedd, ond er gwaethaf y gwaeledd yr oedd wedi ymdrechu hyd y diwedd i gyflawni ei ddyletswyddau ac yn ystod yr wythnos cyn ei farw, gwahoddwyd pwyllgor gwaith y Cyngor Sir i'w ystafell wely i ddewis pennaeth newydd i Ysgol Sirol Caergybi.

Cynhaliwyd gwasanaeth angladdol preifat yn y Gwyndy ac yna yng Nghapel Mawr Amlwch am 2.30 y prynhawn dan arweiniad y Parchedig Dafydd Cwyfan Hughes, Dr Hugh Williams a'r Parchedig Thomas Hughes, Llanfairpwll yn ei gynorthwyo. Talwyd teyrnged iddo gan William Jones, Clerc y Cyngor Sir a'i disgrifiodd fel gŵr o weledigaeth glir, yn un oedd â diddordeb eithriadol mewn addysg ac yn ei gyd-ddyn, yn un o ysbryd diflino ac yn enwog am ei garedigrwydd a'i gymwynasgarwch. Ni allai amheuaeth godi ym meddwl neb i Syr Thomas feddu ar weledigaeth glir o faes ei lafur ac o gylch ei wasanaeth. Ufuddhaodd i'r alwad, cysegrodd ei fywyd yn llwyr i'r gwaith a pharhaodd yn ffyddlon i'r weledigaeth gydol ei oes. Arweiniwyd yr osgordd o'r capel i Fynwent Gyhoeddus Amlwch gan y Prif Gwnstabl, aelodau o'r Heddlu, gweinidogion, cynghorwyr ac aelodau gwahanol fyrddau, meddygon, penaethiaid ysgolion y sir, athrawon a'r cyhoedd. Trefnwyd gan Thomas Jones ei hun i'r arch gael ei chario gan gynrychiolwyr o'r Swyddfa Addysg yn Llangefni.

Rhydfab, bardd lleol, a ganodd:

Am roddi'r Syr amryddawn – oedd annwyl,
Oedd inni mor ffyddlawn:
Er cof am arwr cyfiawn,
Hyn o le sydd annwyl iawn.

Pontiodd Thomas Jones ddwy ganrif a dau gyfnod yn ei waith a'i ddiddordebau ac er mai plentyn y bedwaredd ganrif ar bymtheg ydoedd, daeth ag arferion meddygaeth a syniadau addysgol yr ugeinfed ganrif i Amlwch a Môn. Dylai ei hanes fod yn gyfarwydd i bob un o ddisgyblion ysgol y sir.

ix
Llawfeddyg Mawr ond Dyn Mwy

Er i Syr Robert Jones fod yn gysylltiedig â theulu'r Meddygon Esgyrn, nid oedd mewn gwirionedd yn berthynas gwaed iddynt. Nai ydoedd i wraig Hugh Owen Thomas – mab i'w brawd – ac un a fabwysiadwyd gan Hugh ac Elizabeth Thomas oherwydd amgylchiadau teuluol Robert (gweler isod). Robert oedd flaenaf yn tynnu sylw'r byd at syniadau Hugh Owen Thomas.

George Perkins, llawfeddyg amlwg ac edmygydd mawr o Robert Jones, ddywedodd fod Robert Jones yn sefyll ben ac ysgwydd yn uwch na neb arall ym maes meddygaeth orthopaedig ac nad oedd neb i gymharu ag o. I Perkins, un o gysuron ei fywyd oedd y gallai ymffrostio mewn un tebygrwydd i'r Dyn Mawr ei hun: '*Robert Jones was very fond of kippers; so am I*'.

Yn yr un modd gallaf innau felly ymfalchïo mewn un tebygrwydd iddo sef ein bod yn cael ein hadnabod gan y rhan fwyaf o'n cydnabod wrth flaen lythrennau'n henwau. R.J. oedd o; J.R. ydw i.

Bu amgylchiadau bywyd Robert Jones yn garedig ac yn greulon wrtho. Bu farw ei dad cyn cyrraedd ei ddeugain oed a chafodd Robert ei fabwysiadu gan ei fodryb a'i gŵr. Oni bai am hynny byddai'r byd wedi colli un o'r cymwynaswyr mwyaf ym myd meddygaeth orthopaedig.

Ganwyd taid Syr Robert Jones yn y Rhyl ac ar ôl ei daid y cafodd y darpar farchog / feddyg ei enwi. Yr oedd y taid yn flaenor Methodist yn y dref. Yn 1824 priododd ag Eleanor Humphreys o Ruddlan a ganwyd iddynt bedwar o blant: Robert (g. 1836); Mary (g. 1837); Elizabeth (g. 1839) a Susannah (g. ? 1842). Yr oedd y teulu yn llawn gobaith y byddai'r mab hynaf yn dwyn enw da iddo'i hun a chafodd Robert (II) ei brentisio, fel ei dad, yn bensaer yng Ngholeg Fairfield, Manceinion. Pan oedd yn ugain mlwydd oed priododd â Mary Hughes, hithau hefyd o Ruddlan, yn Lerpwl ar 26 Medi, 1856 a chawsant dri o blant – Robert (g. 28 Mehefin, 1858), Elizabeth a John.

Anodd fu amgylchiadau byw i Robert (II) a Mary a'r plant, o gofio bod y teulu yn y Rhyl wedi troi eu cefn arnynt am i Robert (II) adael ei broffesiwn yn 1865 a symud y teulu i fyw yn Sgwâr Nelson, Llundain ar ochr Surrey o'r afon Tafwys, a heb fod ymhell o Stryd y Fflyd, lle cafodd waith fel newyddiadurwr. Anodd fu iddo gael dau ben llinyn ynghyd. I ychwanegu at ei broblemau cafodd lythyr eithaf bygythiol gan ei dad yn ei gyhuddo o fod wedi archebu, yn enw ei dad, gosyn o gaws mewn siop yn y Rhyl. Doedd neb yn fodlon talu amdano ond fe'i bwytawyd gan y teulu yn Llundain.

Yn y cartref yn Llundain, er mor anodd oedd amgylchiadau byw, yr oedd pawb yn hapus a'r plant yn cael cefnogaeth eu rhieni. Câi Robert (III) ryddid i fynd i wrando ar bregethwyr enwog y cyfnod fel Charles Spurgeon (1834-1892), Bedyddiwr a phregethwr grymus iawn; Sankey a Moody – dau efengylwr, Ira Sankey (1837-1899) a Dwight Lyman Moody (1840-1908) fyddai'n pregethu, cyfansoddi cerddoriaeth (Sankey) ac emynau (Moody) ar gyfer eu cynulleidfaoedd, ac ar rai o wleidyddion huotlaf y dydd fel Benjamin Disraeli (1804-1881), gwleidydd Ceidwadol a phrif weinidog ddwywaith a William Ewart Gladstone (1809-1898), gwleidydd Rhyddfrydol a phrif weinidog bedair gwaith. Symudodd teulu Robert i Walworth, Llundain lle gweithiai'r tad fel golygydd ar ei liwt ei hun. Un fantais o fyw yn Walworth oedd y cysylltiad rheilffordd â chanol y ddinas. Yr oedd Robert (III) yn dangos diddordeb mawr mewn trenau a pheiriannau stêm a phan ofynnwyd iddo fynd ar frys efo gwaith pwysig o eiddo'i dad i'r orsaf er mwyn ei anfon ymlaen i Stryd y Fflyd, eisteddodd y bachgen yno am ddwy awr yn gwneud dim ond edmygu ei hoff injan drên!

Yn 1854 priododd Elizabeth, chwaer Robert (II) efo Hugh Owen Thomas, un o deulu'r Meddygon Esgyrn o Lanfair-yng-Nghornwy, Ynys Môn (a Lerpwl yn ddiweddarach) ac er mai di-blant fu'r briodas yr oeddynt yn cymryd diddordeb mawr yn hynt a helynt teulu Robert yn Llundain ac yn eu gwahodd i Lerpwl ar wyliau. Yr oedd y tri phlentyn wrth eu boddau efo'r fath drefniant ac yn ystod gwyliau felly y daeth Robert (III) i adnabod ei ewythr yn dda a sefydlu cyfeillgarwch oes â'r meddyg enwog.

Yr oedd Robert (III) a'i frawd John yn awyddus i fynd i'r môr ond yr oedd Ewythr Hugh wedi sylweddoli fod gwell addewid yn Robert i fod yn feddyg, felly trefnodd i'r brodyr fynd ar fordaith o amgylch arfordir de Lloegr mewn llong simsan iawn a than ofal capten byr iawn ei dymer. Bu hynny'n ddigon i'r ddau newid eu cynlluniau. Wedi addysg mewn ysgol breswyl ym Mhorthaethwy, Môn anfonwyd Robert (III) i Goleg Sydenham, ysgol feddygol yn Llundain nid nepell o'r Palas Crisial, yn 1869 a chafodd amser wrth ei fodd yno fel y dengys yr adroddiadau amdano sy'n ei ddisgrifio fel gweithiwr aneffeithiol a diofal ond yn chwaraewr criced da iawn! Yn yr ysgol datblygodd gyfeillgarwch oes â Frederick Low (1856-1917), barnwr, cyfreithiwr a gwleidydd Rhyddfrydol.

Pan fu farw Robert (II) yn 1875, mabwysiadwyd Robert (III) gan Elizabeth a Hugh yn Lerpwl. Ar yr aelwyd yn Llundain yr oedd disgyblaeth yn llawer mwy llac na llym. Cymeriad eangfrydig iawn ei feddwl a chydymdeimladol iawn â'r tlawd a'r anghenus oedd y tad (Robert II), un digon di-hid amdano'i hun a diofal am arian. Un tebyg i'w dad oedd Robert (III) pan oedd yn fachgen ifanc, ond yn Lerpwl daeth dan ddylanwad ei ewythr, oedd yn un llawer mwy difrifol a disgybledig. Credai hwnnw'n gryf yn yr ethig o waith caled a siarad yn blaen. Defnyddiai ynni, oedd yn ymddangos i fod yn ddiddiwedd. Daeth Robert (III) i edmygu ei ewythr yn fawr a mabwysiadodd 'Gyffes Ffydd Hugh Owen Thomas' iddo'i hun.

Cyffes Ffydd Hugh Owen Thomas

Your favourite virtue?	Perseverance
Your favourite quality in man?	Fortitude
Your favourite occupation?	The Healing Act
Your idea of happiness?	To be always in Action
Your idea of misery?	Everlasting rest
If not yourself, who would you be?	Mazzini
Your favourite authors?	Shakespeare, Shelley, Theodore Parker
Your favourite heroes?	Brutus, Paine, Garibaldi
Your favourite food and drink?	What I can digest
Your pet aversion?	A successful hypocrite
Your favourite motto?	On
What is your present state of mind?	Not quite so active as it used to be

Yr oedd agwedd yr ewythr tuag at waith yn mowldio'r nai i fod yn un tebyg. Byddai Robert, er mai dim ond pymtheg oed oedd ar y pryd, yn gweithio yn y feddygfa ac yn y gweithdy efo Hugh tan hanner nos yn aml. Yr oedd gan Hugh ddigon o ymddiriedaeth yn Robert i ganiatáu iddo, dan oruchwyliaeth, roi *ether* i'r cleifion ac yntau ddim ond yn fyfyriwr ysgol feddygaeth ar y pryd a heb gymwysterau. Un o ffaeleddau Hugh Owen Thomas oedd na chredai mewn llaesu dwylo o gwbl ac ni chymerai na seibiant na gwyliau, na hyd yn oed ganiatáu gwyliau i neb arall. Dyna pam i Robert Jones (III) ddewis mynd i Ddulyn pan oedd yn ddim ond un ar bymtheg mlwydd oed i astudio bydwreigiaeth. Yno, yr oedd y cleifion a rhai o'i gyd-fyfyrwyr yn gwneud hwyl am ei ben yn gyson. Yr un peth ddigwyddodd pan aeth i astudio am radd Cymrawd Coleg Brenhinol y Llawfeddygon (FRCS) yn yr Ysgol Feddygol gyda'r myfyrwyr yn gwawdio edrychiad y bachgen bochgoch, gwallt golau oedd yn gwisgo cap Glengari siâp cwch, a dau ruban hir yn hongian ar ei war.

Dechreuodd ei yrfa waith yng nghwmni ei ewythr yn Stryd Nelson, Lerpwl a chafodd brentisiaeth arbennig o brofiadau ym myd meddygaeth a chyfle i wrando ar arbenigwr yn trafod ei waith. Dysgodd weithio'n galed, yn null Hugh, a chadwodd at yr arfer hwnnw drwy gydol ei oes gan weithio oriau hir bob dydd. Beth bynnag oedd angen ei wneud, rhoddai Robert ei holl egni a'i nerth tu ôl i'r ymdrech i'w gwblhau – boed hynny yn waith er mwyn eraill neu iddo'i hun. Yr oedd yn canolbwyntio ar y dasg dan sylw i'r fath raddau fel bod ei edrychiad yn un difrifol iawn. Byddai'n ymgolli yn yr ymdrech i gofio manylion am bob achos dan ei sylw. Ceisiodd ei ewythr i'w gael i ymlacio tipyn yn ei ymwneud â phobl, a cheisio cellwair rhyw fymryn a gwneud hwyl efo'r rhai oedd mewn sefyllfaoedd cythryblus a phoenus.

'Taswn i ddim yn dy nabod yn iawn,' meddai Hugh wrtho, 'yn ôl yr edrychiad ar dy wyneb fe fyddwn yn dweud dy fod angen sylw brys gan feddyg!'

Dysgodd y meddyg dibrofiad wenu ac ymlacio yng ngŵydd ei gleifion gan ysgafnhau'r awyrgylch a gwneud iddynt, y plant yn arbennig, deimlo'n llawer mwy cartrefol yn ei gwmni a hyderus yn ei alluoedd fel meddyg. Dyma seicoleg syml ar ei orau. Wrth ddathlu canmlwyddiant ei eni, disgrifiodd Reginald Watson-Jones ef fel gŵr llon, bob amser â rhyw sylw doniol, yn dynnwr coes heb ei ail ac yn wên o glust i glust. Yr oedd y meddyg ifanc wedi dysgu'r wers i'r dim.

Datblygodd Robert Jones yn ddarllenwr trylwyr ac yn raddol, fel Hugh o'i flaen, creodd lyfrgell iddo'i hun. Llythyrai â'i deulu a'i gyd-feddygon yn rheolaidd er mwyn dysgu ac ehangu ei orwelion. Yr oedd Hugh a Robert yn aelodau o Gymdeithas Feddygol Lerpwl lle byddent yn cael cyfle i wrando ar amrywiol sgyrsiau ac i siarad yn gyhoeddus eu hunain. Nid cnau gwag oedd Hugh yn eu torri ac yr oedd pob cam bwriadol ganddo o gymorth mawr i Robert yn ei yrfa. Gwyddai Hugh yn iawn na fyddai'r ffordd ymlaen yn hawdd iddo am iddo fod yn ymwneud â meddyg o deulu Cilmaenan ac un o deulu'r

Meddyg Esgyrn ond fe lwyddodd Robert i groesi'r bont honno. Meddai Dr John Ridlow o Chicago yn 1933:

> To go on from Thomas by the same road was not an easy matter. To my mind one of the greatest things that Robert Jones ever did was to make the main principles of Hugh Owen Thomas acceptable to the medical profession.

Ond yr oedd Robert Jones yn prysur osod ei farc ei hun ym myd meddygaeth. Yn Ysbyty Brenhinol y Southern yn 1872 crëwyd adran orthopaedig dan gyfarwyddyd Robert Jones. Ychwanegwyd Adran Pelydr-X – y gyntaf yn y wlad – yno yn 1895, eto dan gyfarwyddyd Jones a'i gyd-feddyg, Dr Thurston Holland. Pan ddysgodd Robert Jones am fodolaeth peiriant pelydr-X, aeth i'r Almaen yn un swydd i brynu un at ei waith.

> With a little tube, we were able to develop a photograph of a small bullet which was embedded in a boy's wrist. With what enthusiasm we described this marvel to the Liverpool Medical Institute at its next meeting! It was very interesting to have this x-ray referred to by Lord Lister, when he came down to Liverpool in 1896, to deliver the Presidential Address to the British Association.

Yn 1880 apwyntiwyd Robert Jones yn llawfeddyg Ysbyty Stanley, Lerpwl ac yntau'n ddim ond tair ar hugain mlwydd oed. Tra bu yno ysgrifennodd sawl erthygl a llyfr ar amrywiol driniaethau meddygol a llawfeddygol a gafodd eu cyfieithu i'r Almaeneg a'r Ffrangeg a'u hanfon i bellafoedd byd. Buan y daethant yn weithiau cyfeiriol a chafodd yr awdur ei gydnabod fel arbenigwr:

A New Operation for Haemorrhoids
Fractures of the Humerus, Radius and Ulna, Successfully Treated (erthygl i'r *Lancet* – 1882)
The So-called 'Abuse of Rest'
An Analysis of 105 cases of Colles Fractures with Notes on the Uses and Application of Thomas Hip Splint (1883)
Protest Against the Routine Exision of Joints (1888)
Common Errors in the Treatment of Fractures (1888)

On Club Foot (1896)
On Hip Diseases (1899)
Modern Methods in the Surgery of Paralysis (1903)
Certain Derangements of the Knee Joint (1906)
Injuries to the Elbow Joint (1914)
Fractures in the Neighbourhood of Joints (1916)
Injuries to Joints & Orthopaedic Surgery of Joints – 2 gyfrol

Mae'r rhestr gyflawn yn llawer hirach gan iddo fod yn awdur toreithiog iawn a'i gyfraniadau mewn print, mewn llyfr neu erthygl, wedi eu cyhoeddi dros gyfnod o bedwar deg naw o flynyddoedd rhwng 1883 a 1932.

Yr oedd y defnydd o Sblint Thomas (y soniwyd amdano eisoes) yn faes arbenigol gan Robert Jones gan iddo fod yn berchen blynyddoedd o brofiad o weithio efo'r gwneuthurwr; ac mewn cyfarfod o brif feddygon Prydain fe'i gwahoddwyd i'w hannerch ar *The Treatment of Fractures of the Femur by the Thomas Splint*. Un o'i ddamcaniaethau, a wrthodwyd gan bawb arall, oedd y gallai'r goes oedd yn y sblint fod yn hirach na choes iach. O fewn chwe mis yr oedd wedi profi ei hun yn gywir ac mewn pedwar achos nododd fod y goes oedd wedi ei thorri yn hirach:

Achos 1 – y goes fodfedd a chwarter yn hirach
Achos 2 – y goes fodfedd yn hirach
Achos 3 – y goes dri chwarter modfedd yn hirach
Achos 4 – y goes dri chwarter modfedd yn hirach

Ar daith gerdded yn Norwy, drwy fannau digon anghysbell, daeth Robert ar draws bachgen ifanc o fugail oedd wedi anafu ei goes. Wedi archwilio'r claf penderfynodd fod yn rhaid rhoi'r goes mewn sblint ond yn anffodus doedd dim un ar gael. Defnyddiodd y meddyg gloriau caled rhai o lyfrau'r teulu a rhwygo'r gorchudd oddi ar y cefn i wneud rhwymyn. Defnyddiwyd arwyddion i geisio egluro i rieni'r bugail sut i drin y goes wedi i wyliau'r meddyg ddod i ben.

Dro arall daeth galwad iddo fynd i UDA i drin clun mab i filiwnydd ond gan ei fod ar ganol llawdriniaeth gymhleth, ni allai fynd. Gofynnodd i'r teulu anfon ffilm o symudiadau'r claf. Datblygwyd y ffilm yn Lerpwl a'i dangos ar sgrin Theatr Scala yn y ddinas. Wedi ei gwylio yn ofalus, anfonodd neges efo cyfarwyddiadau ar sut i drin y glun glwyfedig. Ymhen amser derbyniodd neges yn ôl yn diolch iddo am ei waith a'i sicrhau fod y claf wedi gwella.

Yn 1885 sefydlodd bractis ar ei liwt ei hun yn 22 Sgwâr Great George, Lerpwl. Etifeddodd ddiffyg ei dad i drin arian a chael ei hun mewn trafferthion ariannol. Cafodd gefnogaeth barod gan Hugh ac Elizabeth a hwy a ddodrefnodd ran o'r tŷ iddo a sicrhau fod ganddo arian wrth gefn. Araf fu'r gwaith yn dod ato a'r cleifion yn amharod i adael un meddyg yr oeddynt yn ei adnabod yn dda a mynd at un hollol ddieithr. Er hynny yr oedd Robert yn ffyddiog y deuai i'r lan ac y byddai ei amgylchiadau yn gwella, a phroffwydodd na fyddai'n hir iawn cyn i bob cyflwr o ddynion fod yn curo ar ei ddrws ac yn llenwi ei logell efo arian!

Dim ond yn yr ifanc y ceir y fath hyder. Yr oedd gan Robert Jones ffydd yn ei allu ei hun ac wrth gwrs, fe lwyddodd. Gofynnodd i Susie (Susannah Evans, merch i un o fasnachwyr Lerpwl) ei briodi yn 1887 er iddo fod mewn dyled eithaf sylweddol i'w ewythr. Bu ei wraig yn gefn cadarn iddo yn ei waith ac yn ysgwydd gyfforddus i orffwys ei ben arni ac fe fu eu cartref yn ynys o heddwch ym mhrysurdeb ei fywyd – er y byddai'r tawelwch a geisiai yn cael ei chwalu yn aml. Cofiai Syr John Lynn-Thomas (1861-1939) iddo dderbyn gwahoddiad yno i ginio Sul ac am sgwrs dawel wedyn ond erbyn iddo gyrraedd, yr oedd dwsin o feddygon eraill yno o'i flaen! Yn ôl Lynn-Thomas, digwyddai hyn bron bob dydd!

Yn 1888 dechreuwyd ar y gwaith o adeiladu Camlas Longau Manceinion o'r afon Merswy yn Eastham i Salford ym Manceinion. Yr oedd adeiladu 'Y Ffos Fawr' fel y'i bedyddiwyd, oedd yn dri deg chwech milltir o hyd, yn rhoi gwaith i ugain mil o weithwyr, y mwyafrif ohonynt wedi dod â'u gwragedd a'u plant i fyw mewn cytiau pren yma ac acw ar lan y gamlas tra cwblhawyd y gwaith. Yng nghwrs y gwaith yr oedd damweiniau yn ddigwyddiadau cyffredin a heintiau difrifol yn amlygu eu hunain o dro i dro. Cofiai Mrs Elizabeth Garnett, un o gefnogwyr mwyaf brwd y *Navy Misson*, am y meddyg ifanc o Lerpwl a gyfarfu tra oedd ar wyliau yn Norwy. Yr oedd un o'r gwesteion yn y gwesty wedi ei daro'n wael ond gofalwyd amdano, yn dyner iawn, gan feddyg. Pwy oedd hwnnw? Neb llai na Robert Jones, wrth gwrs. Gwnaeth argraff ar bawb a'i gwelodd yn gweithio a phan ddaeth yn amser i ystyried pwy fyddai yn cael ei benodi yn llawfeddyg ymgynghorol i weithwyr y gamlas, cofiodd Mrs Garnett am ei enw a'i grybwyll i'r panel apwyntio. Apwyntiwyd Robert Jones i'r swydd yn 1889 yn llawfeddyg ymgynghorol ac

Teulu Syr Robert Jones

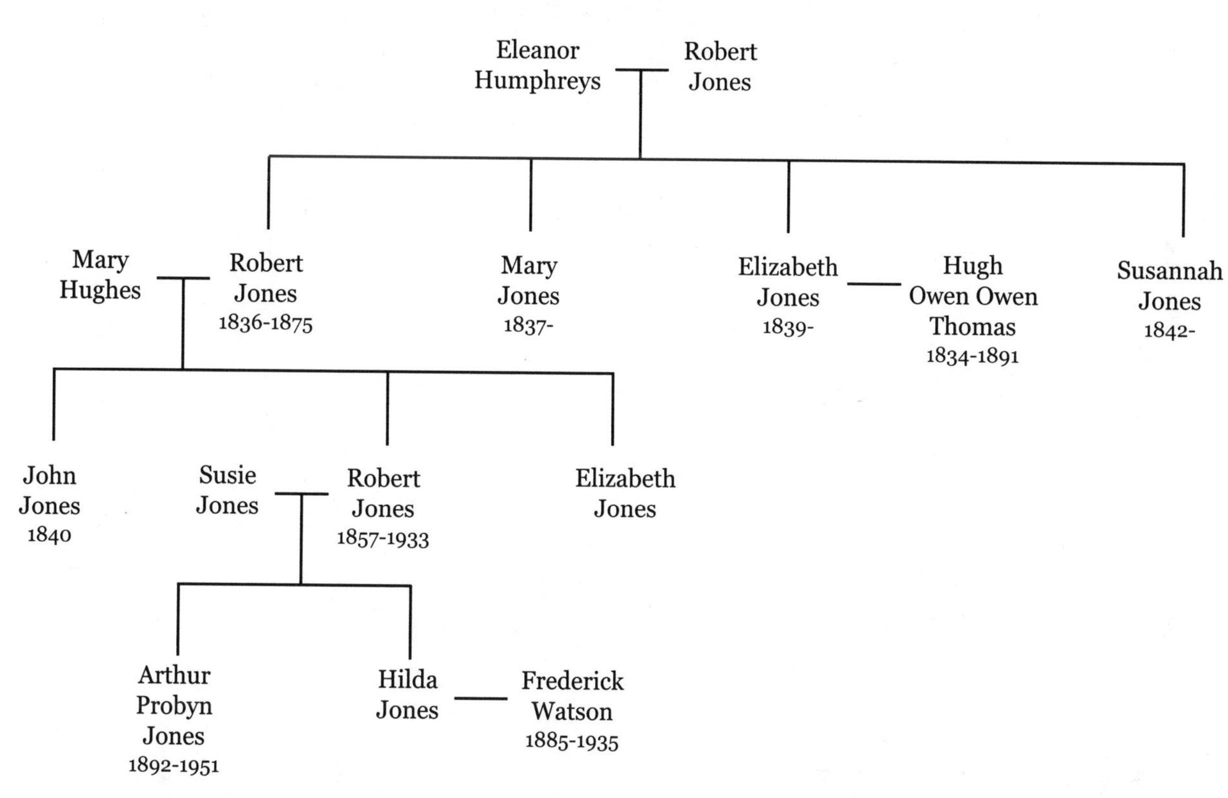

yn arolygwr ar bedwar deg dau o feddygon eraill oedd yn gyfrifol am iechyd pawb oedd yn ymwneud â'r gwaith. Agorwyd tri ysbyty – un yn Eastham, Penbedw, un arall yn Latchfield, Warrington a'r trydydd yn Barton, Manceinion – pob un â'i staff ei hun o fetron, llawfeddyg ifanc a dwy nyrs yn gyfrifol am un ward o chwe gwely ar hugain a dwy ward fechan o ddau neu bedwar gwely yr un.

Byddai Jones yn teithio o un ysbyty i'r llall ar y trên ar yr *Overland Railway* oedd bum milltir ar hugain o hyd, ond nid oedd ei amseru ef yn ffitio ag amseroedd taflen amser y cwmni rheilffordd felly trefnwyd trên arbennig at ddefnydd y llawfeddyg. Oherwydd straen a phwysau'r gwaith oedd arno byddai wedi syrthio i gysgu ymhell cyn diwedd y siwrnai ac un o ddyletswyddau pwysicaf y giard oedd ei ddeffro ar derfyn y daith. Wedi un diwrnod o waith eithriadol galed, rhuthrodd Jones i'r orsaf a neidio ar y trên. Syrthiodd i gysgu'n syth a bu mewn trwmgwsg am dair awr cyn i'r giard ei ddeffro ac egluro fod y trên wedi mynd ond yn anffodus doedd y cerbyd oedd o ynddo ddim wedi ei gysylltu â'r injan!

Yng nghwrs y gwaith ar y gamlas byddai'r llawfeddyg yn gwneud defnydd cyson o ddyfais ei ewythr – y Sblint Thomas – a phe byddai angen braich neu goes bren, i'r ysbyty yn Stryd Nelson yr anfonai'r claf ac yno y byddai'r llawfeddyg yn cynnal y driniaeth. Dim ond os oedd rhaid y byddai yn defnyddio anaesthetig. Gwell oedd ganddo eistedd efo'r claf drwy'r nos yn ei gysuro ac egluro iddo bob cam o'r driniaeth oedd yn ei wynebu. Daeth Robert Jones i adnabod ac edmygu cymeriad y gweithwyr a daeth yntau yn ffefryn ac yn gyfaill iddynt hwythau.

Yn ystod y cyfnod eithriadol brysur hwn yn ei fywyd, fe'i hapwyntiwyd yn llawfeddyg Ysbyty'r Southern, Lerpwl ac wrth ei waith fel llawfeddyg orthopaedig yn cynnal clinigau orthopaedig cyntaf y wlad y daeth yr ysbyty yn gyrchfan i bererinion meddygol o bob rhan o'r byd. Yma sefydlodd batrwm o lanweithdra a diheintio nas gwelwyd yn unlle arall. Cyn dechrau ar unrhyw lawdriniaeth, golchai Jones ei ddwylo am ddeng munud; gwisgai fenig wedi eu gwrth-heintio, côt arbennig, esgidiau rwber a mwgwd dros ei ben a'i geg a defnyddiai arwyddion i gyfleu gorchmynion i'w gyd-feddygon a'r nyrsus oedd yn ei gynorthwyo. Mynnai fod pob darn o offer yn cael ei ddiheintio hefyd, ymhell cyn i hynny fod yn rhan o batrwm arferol llawfeddygaeth. Bu un o'i gyfeillion yn ddigon o fardd i gyfansoddi cerdd am y manylder yma:

Before an operation we expose our knives to steam,
We do the same with all our tools however sweet they seem.
We soak them then, because with steam alone we're not content,
In lotion made from No. 2 Carbolic, 5 per cent.

Of course a knife thus treated has a somewhat saw-like edge,
To cut, it must be used with force like driving home a wedge.
In former times we used to pick a knife whose edge was keen,
We now aspire to have a knife that's surgically clean.

All surgeons used to strive to be both dextrous and neat –
This does not seem to matter now as long as things are sweet.
So if you wish to satisfy all up-to-date demmands,
Pray sterilize your instrument, and 'Don't forget to wash your hands!'

Gweithiai yn eithriadol o gyflym ac ar ddydd Mercher, diwrnod triniaethau, byddai yn cyflawni ugain a mwy o lawdriniaethau. Pan ddaeth criw o feddygon tramorol i'w weld wrth ei waith, cyflawnodd chwe llawdriniaeth ar hugain rhwng hanner awr wedi dau y prynhawn a naw o'r gloch y nos gan gymryd y rhan fwyaf blaenllaw ym mhob un ond un. Ei ddull o weithio oedd cynnal y driniaeth ar fwrdd oedd yn fath o elorwely (*stretcher*) fel y gellid cario'r claf allan o'r theatr lawdriniaethau heb aflonyddu arno. Defnyddiai ddau fwrdd a dau anaesthegydd ar y tro a chaniatáu chwarter awr i bob triniaeth. Bob yn ail Sul byddai yn cynnal clinig a gwelai ar gyfartaledd 260 o gleifion bob Sul neu hyd at 7,000 mewn blwyddyn. Er y gweithiai yn gyflym iawn yr oedd popeth a wnâi yn ymddangos fel petai'n ddiymdrech a threfnus – dyna arwydd o arbenigrwydd unrhyw grefftwr wrth ei waith.

Yn Ysbyty'r Southern, daeth i gysylltiad ag Agnes Hunt – nyrs ac arloeswraig mewn rhoi sylw i blant, salwch plant a chyfnod plentyndod. Dechreuodd Agnes Hunt ar ei gwaith yn y Rhyl, yn y Royal Alexandra Hospital lle'r arferai Hugh Owen Thomas alw'n rheolaidd pan oedd y sefydliad dan yr enw Sea Side Hospital and Convalescent Home yn y 1870au. Nid oedd yr hyfforddiant yn hawdd i Agnes gan ei bod yn dioddef o sgileffeithiau salwch difrifol i'w chlun ac o'r dicáu. Er hynny, ymdrechodd i gymhwyso ei hun fel nyrs a thra oedd yn y Rhyl cafodd yr ysbrydoliaeth i sefydlu cartref preswyl i blant anabl yn Baschurch, swydd Amwythig. Byddai plant oddi yno yn cael eu hanfon i glinig yn Lerpwl bob dydd Sadwrn, ac wedi i Robert Jones orffen ei archwiliadau ohonynt byddai yn gweiddi:

'Oes yma rywun o ogledd Cymru?'

Dim ond wedi eu harchwilio hwy y byddai rhai o Crewe, Preston, Caerhirfryn a gogledd Lloegr yn cael ei sylw a'i amser ac yn olaf, wedi i bawb arall droi tua thref, byddai yn troi ei sylw at y rhai oedd wedi teithio y ffordd fyrraf i'w weld o Lerpwl. I hwyluso'i waith o deithio yma ac acw i weld y cleifion yn y ddinas a thu hwnt, ac i fynd o ysbyty i ysbyty prynodd gar Rover (tua 1906-1908). Ef oedd un o'r meddygon cyntaf yn Lerpwl i fod yn berchen ar gar. Unig anfantais y car oedd ei fod yn un swnllyd iawn ond gan y gellid clywed ei sŵn o tua milltir i ffwrdd, byddai pob meddyg ifanc a nyrs yn barod wrth ochr y gwelyau erbyn iddo gyrraedd. Yr oedd pawb rhyw natur ei ofn ond yr oedd yn gymeriad hawddgar iawn. Yr oedd gan R. Watson Jones gryn edmygaeth ohono. Awgrymodd Syr Robert i Watson Jones mai da o beth fyddai iddo deithio Ewrop i ymweld â chanolfannau orthopaedig ond meddyg ifanc, cymharol dlawd oedd Watson Jones ar y pryd ac ni allai fforddio'r gost. Soniwyd dim mwy am yr awgrym ond ymhen ychydig wythnosau anfonwyd Watson Jones i Lundain gan Syr Robert i ymchwilio ar gyfer ailgyhoeddi'r gyfrol bwysig *Orthopaedic Surgery*. Wedi treulio wythnos yn llyfrgelloedd Llundain, dychwelodd yr ymchwilydd ifanc i Lerpwl efo gwybodaeth y sylweddolodd fod Syr Robert yn berchen arno yn barod. Thalodd o ddim i Watson Jones am ei lety na'i waith ond yn hytrach talodd iddo deithio cyfandir Ewrop.

Yr oedd Robert Jones yn hoff iawn o blant ac roedd rhyw atyniad yn perthyn iddo fel ei fod yntau yn ffefryn ganddynt hwythau. Byddai plant Ysbyty Heswall yn ei gymeradwyo pan fyddai'n barod i gychwyn ar ei daith o amgylch wardiau'r ysbyty. Awgrymodd ddulliau newydd o drin eu salwch oedd yn dangos fod ganddo feddwl gwreiddiol a'i fod, fel Hugh Owen Thomas, yn ŵr o flaen ei amser. Credai'n gryf mewn ymarfer y corff ac mewn symud i gyfeiliant cerddoriaeth yn hytrach na'r dulliau hen ffasiwn, milwrol o *drill* corfforol. Yr oedd yn ymwybodol fod cyflwr llawer o gartrefi'n dlodaidd ac yn fagwrfa i glefyd y llech (*rickets*) a'r dicáu. Ar ei awgrym y codwyd yr Ysbyty Brenhinol i Blant yn Heswall ac yno sicrhaodd fod pob un o'r cleifion yn cael digon o awyr iach a thriniaeth addas. Yn y gerddi roedd awyren Avro Anson (Rhif TX155), stêm-roler, injan dân a bad achub i'r plant chwarae arnynt – polisi y credai Robert Jones yn gryf ynddo. Talai Jones o'i boced ei hun i'r plant fynd i weld y pantomeim Nadolig yn Lerpwl. Yn anffodus caewyd yr ysbyty yn 1985 a chafodd yr adeiladau eu dymchwel i wneud lle i archfarchnad Tesco!

Erbyn 1914 ystyriwyd Robert Jones yn un o lawfeddygon mwyaf profiadol y wlad yn sgil ei brofiadau yn Stryd Nelson efo Hugh Owen Thomas, yn gweithio ar Gamlas Llongau Manceinion ac mewn ysbytai yn ninas Lerpwl. Yn yr un flwyddyn daeth cynrychiolwyr Cymdeithas Lawfeddygol Glinigol America i Brydain a gofyn am ei weld wrth ei waith yn Ysbyty'r Southern. Fe'i gwelsant yn cyflawni hanner cant a dau o driniaethau mewn diwrnod. Yr oedd y fath beth yn syndod i'r Americanwyr gan iddynt hwy ystyried fod cyflawni dwy neu dair llawdriniaeth y dydd yn ddiwrnod da o waith. Yn ystod yr ymweliad hwn, sefydlwyd cyfeillgarwch oes rhwng Robert Jones a John Ridlon – yn ddiweddarach byddai Ridlon yn anfon bocs o ffrwythau iachusol ar draws yr Iwerydd i Jones bob Nadolig, ond bocs o boteli wisgi a anfonai Jones yn ôl.

Er yr holl bwysau gwaith yr oedd Robert Jones yn barod iawn i wneud ei ran pan ddechreuodd y Rhyfel Mawr yn 1914. Ymunodd â'r Fyddin Diriogaethol (wrth gefn) fel uwch-gapten yn Ysbyty Cyffredinol y Gorllewin yn Fazakerley. Bu cyfarwyddwyr Gwasanaethau Meddygol y Fyddin ac yntau yn trafod codi ysbyty arbennig ar gyfer trin esgyrn a chlwyfau milwyr o'r Ffrynt yn Ffrainc. Er iddynt anghytuno ynglŷn â maint y cyfryw ysbyty, codwyd Ysbyty Orthopaedig Milwrol yn Alder Hey yn Chwefror 1915 efo lle i ddau gant o welyau. Buan y darganfuwyd nad oedd yn ddigon mawr i'r pwrpas a gorfodwyd y tri meddyg mewn gofal – Jones, McMurray ac Armour – i drefnu sefydlu mwy o ganolfannau orthopaedig neu ganolfannau llawfeddygol milwrol gyda Jones yn arolygu'r gwaith i gyd.

Am weld y milwyr yn mynd allan o'r ysbyty mewn byr amser oedd yr awdurdodau gan fod cymaint o alw am welyau ynddynt, ond barn bendant Robert Jones oedd y dylai pob un fod yn holliach cyn cael eu rhyddhau. Yr oedd am iddynt gael gwaith wrth aros yn yr ysbyty hefyd er mwyn teimlo fod pwrpas i'w bywydau er gwaethaf anafiadau difrifol iawn. Yn Ysbyty Orthopaedig Milwrol Shepherd's Bush, Llundain yr oedd 500 allan o 800 (62.5%) o'r cleifion yno yn gweithio. Byddai troi troell neu lif ffret yn ystwytho ffêr anystwyth ac yn codi calon y rhai oedd mewn iselder. Gwell o lawer oedd ymdrech gorfforol nag eistedd drwy'r dydd yn chwarae cardiau a smocio.

Yn ystod cyfnod y Rhyfel Mawr (1914-1918) byddai Robert Jones a

Maurice Sinclair yn croesi i Ffrainc i arolygu'r gwasanaeth meddygol ar y Ffrynt. Fe'u siomwyd yn arw o sylweddoli mai ychydig iawn o feddygon milwrol oedd yn gyfarwydd â Sblint Thomas a bod llai fyth yn ei ddefnyddio. Gwyddai Jones hefyd fod Llywodraeth Ffrainc wedi gwrthod defnyddio'r Sblint yn 1870. Mynnodd ei fod yn cael ei ddefnyddio ar faes y gad ac mewn ysbytai ac o wneud hynny llwyddwyd i leihau niferoedd y milwyr clwyfedig a fu farw o 80% i 20%. Yr oedd colledion Prydain yn llai na'r un wlad arall wedi dechrau defnyddio'r sblint.

Americaniaid oedd llawer o'r llawfeddygon oedd yn gweithio yn y canolfannau orthopaedig dan gyfarwyddyd Robert Jones, a dywedwyd amdanynt eu bod wedi derbyn 'Hyfforddiant Jones'. Bu hynny yn bluen amlwg yn eu het ac yn fanteisiol iawn i lawer un wrth geisio am swydd wedi'r rhyfel. Allan o 200,000 o filwyr Americanaidd a glwyfwyd yn y Rhyfel Mawr, dim ond 4,000 (2%) a gollodd aelodau o'u cyrff – oherwydd dulliau gweithio a dylanwad iachusol Robert Jones ar lawfeddygon a'r defnydd cyson o Sblint Thomas. Yn ddiweddarach, fe'i hanrhydeddwyd â gradd D.Sc. o Brifysgol McGill, Montreal, Quebec, Canada am ei waith. Gweithredwyd ei syniadau gan lawer o feddygon gogledd America a bu'n ddylanwad mawr ar lawfeddygaeth y cyfandir hwnnw. Mewn Cynhadledd Feddygol Ryngwladol a gynhaliwyd yn Llundain, dywedodd Dr Robert Lovett amdano: '*He is one of the most important factors in shaping the course and development of American orthopaedic surgery*'. Tipyn o ganmoliaeth!

Er cystal llawfeddyg oedd Robert Jones yr oedd yn filwr sobor o sâl. Yn ôl Syr Reginald Watson-Jones, yr oedd yn soldiwr anobeithiol ond yn gyfaill ardderchog. Pan alwyd arno ar barêd yn yr ymarfer blynyddol, gofynnodd a gâi ymddangos yn ei iwnifform er bod tri botwm heb eu cau a'i drowsus heb y streipen goch! Dro arall, pan oedd ar ei ffordd i Balas Buckingham i dderbyn anrhydedd gan y brenin, sylwodd Cyfarwyddwr-Gadfridog Gwasanaethau Meddygol y Fyddin fod ei wisg yn anaddas i'r achlysur a bu'n rhaid iddo fynd tu ôl i'r gwrych i ail-wisgo cyn y câi dderbyn yr anrhydedd.

Wedi'r rhyfel ac wedi i lawer o feddygon ddychwelyd i UDA sylweddolodd Robert Jones fod y prinder o staff meddygol ym Mhrydain yn peryglu triniaethau i filwyr clwyfedig oedd yn parhau i fod angen sylw. Brwydrodd er mwyn cael mwy o hyfforddiant meddygol. Ailafaelodd yn y gwaith plant a bu'n ymdrechu i ddileu clefyd y llech a'r dicáu.

Derbyniodd sawl gwahoddiad i UDA i ddarlithio ac egluro'i syniadau parthed trin esgyrn a thrin salwch plant. Cafodd ei anrhydeddu fwy nag unwaith ac mewn un cyfarfod o'r fath teimlodd effaith y gwres yn fwy nag arfer. Aeth allan o'r neuadd i gael diod oer. Tynnodd ei gôt. Pan alwyd arno i'r llwyfan i dderbyn yr anrhydedd ni atebwyd yr alwad ac wedi chwilio amdano fe'i cafwyd tu allan, yn llewys ei grys, yn dynwared pregethwyr Cymraeg yn mynd i hwyl yn y pulpud.

Mewn cinio yng Nghynhadledd yr International Surgical Meeting ym Madrid, cafwyd areithiau gan feddygon a llawfeddygon amlwg iawn yn Saesneg ac mewn Sbaeneg. Cododd Frank Jeans, un o gydweithwyr Robert Jones, a rhoi araith mewn Ffrangeg coeth a ffraeth iawn. I gloi'r cyfarfod, safodd Robert Jones ar ei draed o flaen y gynulleidfa a'u cyfareddu efo araith mewn Cymraeg. Siaradodd gydag arddeliad ond ddeallodd neb yr un gair. Pan ofynnwyd iddo yn ddiweddarach beth oedd ei destun, bu raid iddo gydnabod, gyda gwên lydan, mai adrodd 'Gwŷr Harlech' a wnaeth!

Gallai Jones gynnal sgwrs ag unrhyw un a phan oedd ar wyliau yn yr Alban yn 1897 ar gwch hwylio Mr Edward Crompton, yr oedd yn hwyr iawn yn ymddangos wrth y bwrdd brecwast un bore. Ei eglurhad am hynny oedd iddo fethu cysgu ar ôl noson stormus yn Lochalsh ac iddo fynd i'r lan tua phump o'r gloch y bore mewn cwch rhwyfo a chyfarfod yno â theulu o dinceriaid. Cawsant sgwrs felys iawn am eu teuluoedd a pherswadiodd Jones hwy, efo cymorth papur £5, fod perthynas iddynt yn feddyg amlwg yn Lerpwl a hwnnw yn un o'i gyd-deithwyr ar y cwch. Wedi i'r siarad ddod i ben, dychwelodd i'r cwch hwylio a mynd i'w wely a chysgu'n sownd. Cododd pawb arall yn y cyfamser a chael eu rhyfeddu pan ddaeth y tinceriaid i chwilio am eu perthynas.

Dro arall, ac yntau yn anterth ei boblogrwydd, cerddai ar hyd un o strydoedd Lerpwl a gwelodd fod damwain wedi digwydd. Gorweddai gŵr ar y palmant a hwnnw'n amlwg wedi torri ei goes. Aeth Robert Jones ato a cheisio gosod y goes yn ei lle a defnyddio ffyn cerdded i wneud sblint a hancesi poced yn rhwymau. Ymysg y dyrfa oedd wedi ymgasglu o amgylch, mentrodd rhywun y sylw i heddwas ei fod wedi derbyn hyfforddiant Cymorth Cyntaf yn ei waith ac meddai'r plismon wrth Robert Jones, heb sylweddoli efo pwy y siaradai:

'Fe gewch chi fynd adref rŵan. Mae'r dyn yma wedi derbyn gwersi *First Aid*!'

Efallai nad oedd aelod o heddlu'r ddinas wedi ei adnabod ond yr oedd gweithwyr y Post Brenhinol yn gwybod yn iawn pwy ydoedd, a hoffai Syr Robert adrodd yr hanes am lythyr a dderbyniodd wedi ei gyfeirio at '*Mr Jones, Bone-setter, Liverpool*' oddi wrth un oedd wedi arwyddo'i lythyr fel '*Mr ..., Bone-setter, Carlisle*'.

Yr oedd Syr Robert Jones yn ŵr cymdeithasol iawn, yn hoff o gwmni eraill. Byddai wrth ei fodd yn adrodd ei stôr o storïau i gynulleidfa astud. Gyda gwên lydan y byddai'n adrodd ei hanes yn ymweld â'r Fonesig C... Nid oedd am ddatgelu ei henw yn llawn rhag creu embaras iddi ond wedi trafod ei salwch, fe'i gwahoddwyd i aros i de. Ymysg y cwmni o foneddigesau amlwg a phwysig oedd Mrs Asquith, gwraig y prif-weinidog. Fe'i gwahoddwyd ganddi i ginio ac wrth dderbyn meddai Syr Robert wrthi:

'Nawr bod eich hunangofiant wedi ei gyhoeddi, mae'n ddiogel i mi ddod acw.'

'Peidiwch â phoeni,' meddai Mrs Asquith wrtho, 'dim ond am bobl gwirioneddol bwysig rydw i yn sôn yn y gyfrol!'

Tu allan i'w faes proffesiynol, ei hoff bleser oedd chwaraeon. Teithiodd i bob un cae sirol i weld tîm criced Awstralia yn chwarae pan oeddynt ar daith ym Mhrydain. Yr oedd ganddo ddiddordeb byw mewn bocsio hefyd ac yn ôl pob sôn yr oedd yn eithaf medrus efo'i ddyrnau. Byddai sawl bocsiwr enwog yn galw i'w weld yn Stryd Nelson, yn eu mysg Georges Carpentier (1894-1975), pencampwr pwysau trwm Ewrop ond anfuddugol yn ei ymgais yn erbyn Jack Dempsey am Bencampwriaeth y Byd yn 1921; 'Bombadier' Billy Wells (1889-1967), pencampwr pwysau trwm Prydain dair ar ddeg o weithiau a Joe Beckett (1892-1965). Sefydlodd Robert Jones gymdeithas ddiwylliannol yn Lerpwl ond y prif bleser a gâi o fynychu'r cyfarfodydd oedd y gornestau bocsio rhwng yr aelodau ar y diwedd. Aeth i Baris i weld un o ornestau Carpentier ond gan fod honno drosodd mewn ychydig funudau, fe'i gwahoddwyd gan Carpentier i'w ystafell yn y gwesty i ddangos ac egluro rhai o'i symudiadau iddo. Gwelodd Robert Jones y noson honno fel oedd rhai o'i symudiadau ef wedi eu haddasu gan y pencampwr.

Treuliodd Robert Jones wythnosau olaf ei fywyd ym Modynfoel, Sir Drefaldwyn yng nghartref ei ferch Hilda a'i fab yng nghyfraith Frederick Watson. Bu farw 14 Ionawr, 1933. Anfonwyd neges o gydymdeimlad i'w fab, A. Probyn Jones, gan y brenin a'r frenhines. Cynrychiolwyd pob haen o gymdeithas yn ei angladd gan gynnwys cynrychiolaeth o Gyngor Dinesig Lerpwl, yr Arglwydd Faer, meddygon y ddinas, y brifysgol a'r ysbytai a thalwyd gwrogaeth iddo gan gyn-filwyr, y cloffion a'r plant. Fel y byddai'n cychwyn ar ei daith o amgylch wardiau Ysbyty Heswall byddai'r plant yn canu iddo. Dewiswyd yr ieuengaf ohonynt i ganu yn ei angladd:

> Give to cripples' doctors,
> Calm and sweet repose.
> With the children's blessing
> May their eyelids close.

Gŵr bonheddig oedd Syr Robert Jones, un caredig tu hwnt, yn dosturiol wrth y tlawd a'r anghenus ac efo gair o gysur i bawb.

'I have never heard an unjust criticism, a cruel jibe or a word of bitter cynicism on his lips,' meddai Arglwydd Moinyham. Ategwyd hynny gan yr Athro W. Rowley Briston:

'He was in a class apart from the other men of his generation' a chan Esgob Lerpwl, cafwyd y sylw:

'His life was a parable, reflecting as in a mirror the creating and adventurous energy of the spirit of God himself.'

Gadawodd waddol ar ei ôl ac ymysg hwnnw un o'i roddion mwyaf gwreiddiol i Gymru. Yn Neuadd Ceiriog, Glyn Ceiriog mae penddelw o Hugh Owen Thomas – yr unig un o'i fath – a gyflwynwyd i'r neuadd ar achlysur gosod ffenestri lliw rhai o enwogion amlycaf Cymru. Syr Robert Jones dalodd am brif ffenestr goffa'r neuadd, Ffenestr Ceiriog, ac ef hefyd gyflwynodd y penddelw i'w arddangos. Trysor arall sydd yn y neuadd yw cnocar drws ffrynt Hugh Owen Thomas. Ni ellid gwahanu'r ddau, ddim hyd yn oed gan farwolaeth. Yr oedd, ac y mae yn parhau, gyswllt oesol rhyngddynt. Yng ngeiriau teyrnged Dr W. Thomas:

> While it is true that Sir Robert Jones was not of the Orthopaedic Tree which had its roots in Anglesey, he was grafted on to it and the resultant fruit has been of priceless benefit to the world.

Pan ofynnodd Cymdeithas Orthopaedig Prydain i Joanna Whitley, gor-wyres Robert Jones beth fyddai'n ddewis i gofio ei hen daid, yr oedd ei dewis bethau yn gasgliad eclectig iawn yn cynnwys:

i. Pêl griced. Yr oedd gan Robert Jones ddiddordeb oes mewn criced. Fel bowliwr, troellwr ydoedd a gallai ymffrostio iddo gael yr enwog W. G. Grave allan unwaith pan oedd hwnnw yn ymarfer yn y rhwydau ar gae'r Oval. Cyn i dîm criced Lloegr gychwyn ar eu taith i Awstralia yn 1932-33, daeth Harold Larwood, bowliwr cyflym, ato am driniaeth ac oni bai fod y llawfeddyg wedi tynnu darn o asgwrn allan o'i ben-glin, mae'n siŵr na fyddai Larwood wedi gallu teithio gyda'r tîm. Manteisiodd ar gyfnod hir y fordaith i wella'n llwyr cyn cymryd rhan mewn taith hanesyddol a gofir o hyd fel The Bodyline Tour a llwyddo i ennill Tlws y Lludw i Loegr.

ii. Coler ci. Ar y goler ledr oedd disgen bres a'r enw *Barry* wedi'i ysgythru arni. Barry, y bytheiad bleiddiog Gwyddelig oedd ci olaf Syr Robert Jones. Fe'i cafodd yn anrheg gan Alter Rowley Bistow. Ei ragflaenwyr oedd Raleigh – labrador; Gelert – alsesian; Major – St Bernard mawr, gwyn a Matt – alsesian teircoes.

iii. Bwydlen. Er i'r fwydlen ddynodi'r dyddiad fel diwrnod ei ben-blwydd yn saith deg mlwydd oed, cynhaliwyd y cinio dathlu ar ei ben-blwydd yn saith deg un am i'w gyfeillion, oedd wedi trefnu, wneud camgymeriad!

iv. Blwch matsys. Enw'r Saville Club ym Mayfair, Llundain oedd ar y blwch gan i Syr Robert fod yn aelod yno rhwng 1918 a 1929.

v. Llawddryll. Byddai llawer un wedi bod wrth eu bodd yn bod yn berchen y dryll arbennig hwn gan iddo fod yn anrheg i Syr Robert gan yr enwog William Cody, neu Buffalo Bill. Bu'r ddau yn gyfeillion oes wedi'r cyfarfyddiad cyntaf.

vi. Llythyr o gydymdeimlad gan y cyn-frenin Manuel II o Bortiwgal a'r gorchymyn ar yr amlen – '*Letter to Keep*'.

vii. Bonyn tocyn gornest focsio rhwng Jack Dempsey a Georges Carpentier yn Boyle's 30 Acres, Jersey City, New Jersey a gynhaliwyd ar 2 Gorffennaf, 1921. Yr oedd Syr Robert wedi ei wahodd i UDA ym mis Mehefin 1921 i'w urddo â graddau anrhydedd ym mhrifysgolion Coleg

Smith, Northampton, Massachusetts, Coleg Iâl, New Haven, Connecticut a Harvard, Caergrawnt, Massachusetts. Yn hytrach na dychwelyd yn syth, dewisodd aros ychydig ddyddiau i weld yr ornest am Bencampwriaeth Pwysau Trwm y Byd. Dempsey a orfu yn y bedwaredd rownd, wedi i Carpentier dorri ei fawd. Yr oedd Jones yn un o naw deg un mil yn gwylio'r ornest.

Rhestr o rai o Anrhydeddau a Swyddi Amlycaf Syr Robert Jones

FRCS Iwerddon 1912
D Sc Cymru 1916
CB 1917
FACS 1918
FRCS Lloegr 1918
Ll D Aberdeen 1919
Knight of Grace, St Ioan, Jerusalem 1919
Cyfarwyddwr Llawfeddygaeth Orthopaedig Filwrol 1914-1919
KBE 1919
Dirprwy is-gapten Palatine sirol 1921
D Sc Anrhydeddus Coleg Smith UDA 1921
D Sc Anrhydeddus Prifysgol Harvard 1921
Ll D Anrhydeddus Coleg Iâl UDA 1921
Ll D Anrhydeddus Prifysgol McGill UDA 1923
Ll D Anrhydeddus Prifysgol Lerpwl 1925
Barwnig 1926
Aelod o Fwrdd Ymgynghorol y Swyddfa Ryfel
Aelod o Gymdeithas Orthopaedia Ffrainc
Aelod o Gymdeithas Orthopaedia Sweden
Aelod o Gymdeithas Orthopaedia Yr Almaen
Aelod o Gymdeithas Orthopaedia UDA
Aelod o Gymdeithas Orthopaedia Rwsia
Cyfarwyddwr Orthopaedig Prifysgol Lerpwl
Cyfarwyddwr Orthopadig Ysbyty Brenhinol y Plant, Lerpwl
DSM gan Lywodraeth UDA
FRCS Caeredin
Gwobr Liston (Coleg Brenhinol Llawfeddygon, Caeredin)

Gwobr Cameron Prifysgol Caeredin
Llawfeddyg Ymgynghorol Anrhydeddus Gweinyddiaeth Pensiwn
Llawfeddyg Ymgynghorol Anrhydeddus Ysbyty St Thomas, Lerpwl
Llawfeddyg Ymgynghorol Anrhydeddus Ysbyty Brenhinol y De, Lerpwl
Llawfeddyg Ymgynghorol Anrhydeddus Ysbyty Brenhinol Cenedlaethol Orthopaedig
Llawfeddyg Ymgynghorol Ysbyty Orthopaedig Swydd Amwythig
Llawfeddyg Ymgynghorol Ysbyty Brenhinol y Plant, Heswall, Lerpwl
Llywydd Cymdeithas y Llawfeddygon
Llywydd Emeritws Cymdeithas Orthopaedig Prydain
M Ch Lerpwl
Uwch-gapten Anrhydeddus yn y Fyddin

Fe'i anrhydeddwyd wedi ei farwolaeth hefyd gan i hyd at ugain o'i edmygwyr a chydweithwyr awduro cofiannau amdano.

Yr oedd wyth gair yn ddigon i'w rhoi ar garreg fedd Hugh Owen Thomas. Ar gofeb Syr Robert Jones yng Nghapel Goffa Goodford, yn yr ysbyty yng Nghroesoswallt, mae pedwar gair yn dweud y cyfan amdano:

Great Surgeon – Greater Man

Ysbyty Robert Jones ac Agnes Hunt

Un o bartneriaethau mwyaf cynhyrchiol y byd meddygol yn nechrau'r ugeinfed ganrif fu'r un rhwng Robert Jones ac Agnes Hunt. I'r arlunydd Kyffin Williams, '*Cousin Aggie*' oedd Agnes gan eu bod yn hanu o'r un teulu. Florence oedd mam Agnes, a'i thad Rowland yn fab i un o deulu Lloyd, Glangwna, Caernarfon fel oedd hen nain Kyffin. Er iddi, yn ôl Kyffin, gasáu plant, yr oedd Florence yn fam i un ar ddeg ohonynt. Agnes oedd y chweched a anwyd ar 31 Rhagfyr, 1867. Cartrefai'r teulu ym Mharc Boreatton, Baschurch yn Swydd Amwythig.

Pan oedd Agnes yn naw oed, fe'i trawyd gan salwch difrifol, a marwol ar adegau, gwenwyn gwaed (*septicaemia*). Cadwodd Agnes ei salwch iddi ei hun heb ddweud yr un gair wrth ei hathrawes breifat (*governess*) na'i mam, a fyddai neb wedi cael gwybod hyd nes iddi fod yn rhy hwyr oni bai i rywun daro yn erbyn briw oedd ar ei choes a chanfod fod y boen yn annioddefol iddi. Lledodd yr heintiad i'w chlun a datblygu yn *osteomyelitis*, sef salwch yn creu difrod i'r asgwrn. Er y gallai salwch o'r fath arwain at oes o fethu symud, ni adawodd Agnes na'i mam i'r anabledd ddifetha ei bywyd.

Wedi marwolaeth Rowland Hunt, penderfynodd Florence brynu ynys oddi ar arfordir Queensland, Awstralia. Ei bwriad oedd symud yno i fyw efo'i theulu yn 1884 i fagu geifr Angora. Yn anffodus bu'r fenter yn fethiant llwyr a dychwelodd Agnes i Brydain yn 1887 mewn gobaith o gael iachâd ac i chwilio am waith fel nyrs mewn ysbyty. Yr oedd rhyw benderfyniad angerddol yn perthyn i'w chymeriad a bu hynny o fantais fawr iddi wrth wynebu trafferthion yn ddiweddarach yn ei gyrfa.

Mae Kyffin Williams wedi ei disgrifio fel un a chanddi gwallt cwta ac wyneb cryf, bron yn ddynol yr olwg:

> But her eyes were the kindest I have ever seen. She always wore a pale blue whip-cord uniform with a nurse's cap to match. Her deep voice booming, and laughing as she lifted up a crutch and playfully clobbered a cripple with it.

Beth fyddai'r awdurdodau yn ei ddweud am y fath ymddygiad heddiw, tybed? Yr oedd Agnes erbyn hynny'n gloff ac yn symud ar faglau. Yr oedd ei chydymdeimlad â rhai yn yr un sefyllfa yn fawr. Gwyddai o brofiad personol beth yn union oedd eu problemau. Yn 1900, pan oedd Agnes yn gweithio fel nyrs gymunedol, daeth ei mam i fyw ati i Dŷ Florence, Baschurch. Yma y bwriadai Agnes a'i chydweithwraig Emily Goodford (Goody) sefydlu cartref preswyl i blant methedig wella ynddo. Mrs Hunt oedd yn gyfrifol am dalu'r costau a'r cyflogau a gweddill y teulu oedd aelodau'r Pwyllgor Rheoli. Derbyniwyd yr wyth plentyn cyntaf ar 1 Hydref, 1900 i'r cartref a fyddai'n datblygu i fod yn ysbyty orthopaedig byd-enwog yn dwyn ei henw.

Cofiai Agnes am ei chyfnod cychwynnol o hyfforddiant yn Ysbyty Brenhinol Alexandra yn y Rhyl yn 1887 lle rhoddwyd pwyslais mawr ar ran awyr iach i wella cleifion. Yno hefyd y sylweddolodd effaith hapusrwydd a meddylfryd positif i wynebu her a gwella cleifion. Dyma fu athroniaeth Agnes ac Emily hefyd. Yr oedd y ddwy yn benderfynol o roi'r un rhyddid i'r cleifion ag a gafodd Agnes, er ei hanawsterau, pan oedd yn blentyn.

Gan fod wardiau Tŷ Florence ar y llawr cyntaf a dringo'r grisiau yn anodd os nad yn amhosibl i'r cleifion, profodd yr adeilad yn anaddas ar gyfer y gwaith dan sylw. Codwyd nifer o siediau ar agor i'r awyr agored yn y gerddi.

Yr oedd nifer o'r cleifion yn dioddef o glefyd y llech a diffyg fitamin D yn y corff. Effaith hyn oedd gwanio'r esgyrn yn y coesau fel na allent gynnal pwysau'r corff ond yng ngwres a goleuni'r haul gall y corff gynhyrchu cyflenwad digonol o fitamin D iddo'i hun. Yr oedd bod allan yn yr awyr iach yn lleihau anwydau, clefydau'r frest a'r dicáu yn arbennig. Mynnodd Agnes fod pawb yno yn cael digon o awyr iach a chedwid y ffenestri ar agor ar y tywydd gerwinaf gan fynd yn erbyn yr hen drefn o gadw awyr iach allan. Mynnodd hefyd fod pawb yn mwynhau eu cyfnod yn yr ysbyty er gwaethaf eu hanawsterau a'u problemau. (Yr oedd, yn barod, wedi dechrau anfon plant Ysbyty Heswall i weld y pantomeim Nadolig yn Lerpwl a thalu am y gost o'i phoced ei hun.)

Yr oedd cyflwr meddygol Agnes Hunt wedi dirywio gymaint erbyn 1903 fel na allai ond prin gerdded o un ystafell i'r llall a bu dan ofal Robert Jones, y llawfeddyg, yn Lerpwl. Wedi derbyn triniaeth ganddo, datblygodd cyfeillgarwch rhwng y ddau a barhaodd am dros ddeng mlynedd ar hugain ac yn dilyn llawdriniaeth ar ei chlun, gwahoddodd Agnes y llawfeddyg i ymweld â Baschurch. Yn dilyn yr ymweliad cyntaf hwnnw, cytunodd Robert Jones iddi anfon cleifion i'w feddygfa yn Lerpwl i dderbyn triniaeth unwaith y mis. Talai Hunt, o'i phoced ei hun, iddynt deithio yng nghwmni porter ar y trên mewn *perambulator* gan fod pris y tocyn i'r rheini yn rhatach na thocyn i gludydd elorwely neu stretcher neu ambiwlans, a sicrhau eu bod i ddychwelyd yn ddiogel. Buan y sylweddolodd Jones fod hyn yn achosi problemau i blant oedd yn ddifrifol anabl a chan fod Jones yn edmygwr mawr o waith Agnes, trefnodd y byddai ef ei hun yn mynd i Baschurch bob Sadwrn i weld y cleifion fel 'llawfeddyg anrhydeddus'. Tra oedd yn cynnal un llawdriniaeth yn Baschurch, gwelwyd ei fod heb gau ei drowsus a bod hwnnw yn raddol lithro dros ei draed. Gafaelodd yn ei got a'i rhwymo am ei ganol a pharhau â'i waith. Ar y ffordd allan, gwelwyd ei fod wedi ailwisgo'r trowsus ond ei fod y tu ôl ymlaen!

Yn ogystal â bod yn gartref i wella ynddo, yr oedd Tŷ Florence bellach yn ganolfan triniaethau hefyd. Prin iawn oedd yr adnoddau yno a bu'n rhaid defnyddio'r ystafell fwyta fel theatr lawdriniaethau a'r sosban ferwi pysgod yn cael ei defnyddio i ddiheintio offer llawfeddygol. Erbyn 1907 casglwyd £249 ar gyfer adeiladu theatr llawdriniaethau ac ystafell ddiheintio, prynu offer llawfeddygol a threfnu ward i gleifion yn dilyn llawdriniaethau.

Fel y nodwyd eisoes, Robert Jones oedd un o'r rhai cyntaf i wneud defnydd o dechnoleg pelydr-X ym Mhrydain ac erbyn 1913 roedd offer pelydr-X yn cael ei defnyddyddio'n gyson yn Nhŷ Florence. Cafodd ei ddefnyddio yn effeithiol iawn wrth drin milwyr clwyfedig o'r Rhyfel Byd Cyntaf. Erbyn 1915 roedd yno ward awyr agored a dwy babell yn llawn milwyr clwyfedig. Er bod Tŷ Florence yn parhau i dderbyn plant rhaid fu cyfyngu ar eu niferoedd dros gyfnod y rhyfel a derbyn dim rhai o dan bedair ar ddeg mlwydd oed yn unig. Oherwydd cyflwr difrifol rhai o'r milwyr oedd yn cael eu derbyn yno anfonwyd nifer o'r plant adref yn fuan. Trefnwyd bod canolfannau gofal ar gael iddynt ac erbyn 1918 yr oedd tair ar ddeg o ganolfannau wedi eu sefydlu yn Swydd Amwythig.

Cyfrannodd mudiad y Groes Goch £25,000 yn 1919 i ddatblygu'r ysbyty orthopaedig. Prynwyd ac addaswyd Ysbyty Milwrol Park Hall yn ysbyty awyr agored. Derbyniwyd £9,000 arall gan Gronfa Goffa'r Rhyfel yn Swydd Amwythig i sicrhau fod un ochr allan o wyth i'r deg ward siâp octagon yno yn agored i'r awyr iach ac i adeiladu coridor cysylltiol rhwng yr wyth ward ag un breifat ac un arall oedd yn ystafell 'gynnes' i rai yn dadebru ar ôl llawdriniaeth. Yr oedd angen £5,000 arall i sicrhau cyflenwad o offer ar gyfer gwaith yr ysbyty.

Ar 5 Awst, 1921, symudwyd cleifion o Gartref Gwella Baschurch i ysbyty newydd sbon – Ysbyty Orthopaedig Swydd Amwythig yn Gobowen. Un rhan o'r ysbyty hwnnw oedd y capel a godwyd, ar gais Agnes Hunt, er cof am Emily Goodford fu farw yn 1920. Daeth yr ysbyty yn genedlaethol a rhyngwladol enwog am ei waith. Agorwyd ysgol i addysgu'r plant oedd yno am gyfnodau hir a chodwyd gweithdai i ddarparu offer ar gyfer yr ysbyty, ac yn 1927 prynwyd y darn tir agosaf i'r ysbyty o'r enw Derwen, ac arno agorwyd coleg hyfforddi i'r anabl lle gallent ddysgu crefft ac ennill bywoliaeth. Yn dilyn marwolaeth Syr Robert Jones yn 1933 ailenwyd yr ysbyty yn Ysbyty Coffa Robert Jones ac Agnes Hunt.

Defnyddiwyd yr ysbyty unwaith eto yn ystod yr Ail Ryfel Byd a thyfodd o fod yn sefydliad 360 gwely yn 1939 i un 715 gwely yn 1945. Yn 1948 difrodwyd bron i bum deg y cant o adeiladau'r ysbyty gan dân difäol iawn ac er i sefydliad newydd godi o'r lludw, welodd Agnes Hunt mohono. Bu farw ar 24 Gorffennaf, 1948 yn wyth deg un mlwydd oed. Claddwyd ei llwch ym Mynwent Eglwys Baschurch a chodwyd cofeb iddi tu fewn i'r eglwys. Y geiriau ar ei chofeb yn Gobowen yw:

Reared in suffering thou shalt know how to solace others' woe.
The reward of pain doth lie in the gift of sympathy.

Bellach, mae Ysbyty Coffa Robert Jones ac Agnes Hunt yn sefydliad bydenwog, yn un o Ymddiriedolaethau'r Gwasanaeth Iechyd Gwladol, yn ganolfan hyfforddi i lawfeddygon a nyrsys ac yn ganolfan ymchwil i glefydau orthopaedig megis arthritis.

Cafwyd stori gan Agnes Hunt am ei chydweithiwr Robert Jones. Yr oedd y ddau'n mwynhau paned yn Stryd Nelson, Lerpwl pan gerddodd gŵr ifanc i mewn a gofyn i'r llawfeddyg os oedd o'n cofio trin plentyn yn dioddef o anhwylder i'w glun ym Manceinion, ac iddo'i berswadio i ddysgu chwarae'r crwth. Yr oedd y bachgen hwnnw wedi meistroli'r offeryn ac wedi ei benodi i swydd cyfarwyddwr cwmni yn cynhyrchu offer cerddorol. Cyflwynodd rodd fechan i Robert Jones a'i annog i'w gyflwyno i unrhyw sefydliad yr oedd y meddyg yn ymwneud ag o. Wedi i'r rhoddwr adael, eglurodd Jones i Agnes Hunt mai un o blant strydoedd tlotaf Manceinion oedd y bachgen, yn un o gartref tlawd lle byddai'r tad yn meddwi a'r fam yn ddi-hid am y mab oedd yn methu symud yn ystod ei blentyndod. Cafodd y bachgen y crwth tra oedd yn yr ysbyty a byddai'n chwarae i blant eraill yr ysbyty. Ar ymweliad â'r teulu un prynhawn Sul, clywai Robert Jones sŵn canu a sŵn cerddoriaeth ac wrth nesu at y tŷ, sylweddolodd fod pob teulu o'r stryd wedi ymgynnull yng nghartref y bachgen cloff i ganu emynau a bod y tad a'r fam wedi newid eu cymeriad yn llwyr.

Un o ddifyrion mawr bywyd Agnes Hunt oedd cofio iddi ddarllen ysgrif goffa amdani ei hun yn y *Times* yn 1937 a'r pleser a gafodd wrth ysgrifennu i'r papur i ddweud ei bod yn dal yn fyw os nad yn holliach!

X

DNA – Ateb i'r Broblem?

Wedi cyfarfod rhywun am y tro cyntaf, tuedd ynom ni Gymry yw gofyn, 'Pwy oedd o?' neu 'Pwy oedd ei dad neu ei daid o neu hi?' Yr ydym ni Gymry gystal, os nad gwell, na neb am holi ynglŷn ag achau pobl ac wedi cael yr wybodaeth berthnasol gallwn drafod teulu hwn a'r llall fel petaen ni yn eu hadnabod erioed.

Rhai o bobl Môn oedd teulu'r Meddygon Esgyrn a dyna pam ein bod yn ymfalchio cymaint ynddynt – ond erys un broblem. Un o le oedd Evan Thomas, Y Maes, Llanfair-yng-Nghornwy yn wreiddiol? Am ganrifoedd mae'r ateb i'r cwestiwn wedi bod yn boendod i achyddwŷr ond bellach yr ydym gam yn nes at gael yr ateb.

Er i DNA gael ei ddarganfod yn 1869 gan Friedrich Miescher, dim ond yn 1953 y darganfyddwyd yr adeiladwaith o helics dwbl sydd ynddo gan James Watson a Francis Crick. Anrhydeddwyd y ddau am eu gwaith efo Gwobr Nobel am Feddygaeth yn 1962.

Ceir DNA, neu Asid Deocsiriboniwcleig (*Deoxyribonucleic Acid*), sydd wedi ei wneud o elfennau o garbon, hydrogen, ocsigen, ffosfforws a nitrogen ym mhob un, bron, o gelloedd y corff dynol. Yng nghnewyllyn y celloedd hyn cedwir gwybodaeth parthed sut mae'r corff yn datblygu a thyfu. Y mae DNA hefyd yn rheoli sut bryd a gwedd sydd gan unigolyn, pa fath o bersonoliaeth ac iechyd mae'r corff yn ei berchen a'i fwynhau. I fwyafrif helaeth y boblogaeth, ar wahân i efeilliaid, mae DNA pawb yn unigryw; ni ellir ei newid mewn unrhyw ffordd a gellir ei ddefnyddio fel modd i adnabod ac i brofi perthynas deuluol uniongyrchol gan fod cyfran o DNA pawb yn cael ei drosglwyddo i'r genhedlaeth nesaf ac felly mae'r patrwm sylfaenol yn cael ei gadw o un genhedlaeth i'r llall.

Y mae pob unigolyn yn etifeddu rhan o'u DNA oddi wrth eu rhieni. Golyga hyn fod pawb yn cario gwybodaeth arbenigol am eu rhagflaenwyr. Yn y côd llythrennau sydd mewn DNA, un rhan arbenigol yw Cromosom Y, sydd yn cael ei etifeddu gan y mab o'r tad bob amser ac felly yn cael ei gario gan y gwrywaidd yn unig.

Am bum munud wedi naw y bore ar 10 Medi, 1984, wedi saith mlynedd o waith ymchwil ym Mhrifysgol Caerlŷr, darganfyddodd Alec Jeffreys fod modd defnyddio gwybodaeth DNA i adnabod bodau dynol (*genetic fingerprinting*). Yr oedd hyn yn gam mawr ymlaen gan fod modd, wedyn, defnyddio'r wybodaeth i gysylltu aelodau neu ddisgynyddion uniongyrchol o'r un teuluoedd a phrofi lle oedd eu gwreiddiau.

Efo'r fath wybodaeth aeth tîm o wyddonwyr i chwilio am ddisgynyddion uniongyrchol Evan Thomas, Y Maes yn y gobaith o allu profi o le yn union y tarddodd Evan Thomas fel bod ei hanes yn gyflawn. Wedi darganfod disgynnydd uniongyrchol iddo – Mr David Evans o Foelfre, Ynys Môn, bu'r gwyddonwyr yn profi samplau o'i boer a'i waed. Wedi cymharu'r rheini â samplau eraill gan berthynas i'r teulu, gallwyd gwahanu'r hyn oedd yn perthyn i genedlaethau eraill o fewn y patrwm DNA a'u cymharu â rhai o ardaloedd yn Ewrop. Yn groes i'r gred gyffredinol am darddiad Evan Thomas a'i frawd gwelwyd bod patrwm DNA David Evans yn debyg iawn i'r hyn a geir o ddwyrain Ewrop ac nid o'r gorllewin a Phenrhyn Iberia fel y tybiwyd yn y lle cyntaf. O'i astudio'n fanwl gwelwyd ei fod yn ymdebygu i batrwm DNA cymharol brin o Weriniaeth Czech a Slofacia neu, efallai, o Awstria, Armenia neu Groatia.

Darganfyddwyd disgynnydd arall i Evan Thomas yn Awstralia, ac er mor bell o Fôn, gellid yn weddol hawdd cymharu ei DNA yntau i weld fod y canlyniadau yn ymdebygu i'r hyn oedd wedi ei gasglu yn barod.

Efallai y byddai'r fath wybodaeth yn ormod i Evan druan ei amgyffred, ond mae'n siŵr y byddai Hugh Owen Thomas, y meddyg trwyddedig, wrth ei fodd efo'r darganfyddiad ac yn ysu am ganlyniadau ymchwil pellach i gadarnhau ei wreiddiau.

Er mwyn cau'r mwdwl go iawn, y cam nesaf fydd cadarnhau yr union fan lle ceir patrwm tebyg o DNA Dafydd ac Evan Thomas. Mae datblygiadau newydd yn digwydd o hyd ac un diwrnod yn y dyfodol agos efallai y bydd modd nodi yr union ardal lle ganwyd un a wnaeth, fel ei ddisgynyddion, les i lawer.

Atodiadau

i. Cerdyn Hysbysebu

MEDICAL CARD

Dr Thomas, Ruabon (formerly Evan Thomas and Sons, 'Surgeons and Bone-Setters' Liverpool), will attend at Mr Lovatt's, auctioneer, Old Swan Inn, Wrexhan, every Thursday between the hours of Two and Four p.m., to meet patients.

ii. Ymwelydd Diolchgar

O *Yr Arwydd*, Tachwedd 2013

Un a arferai ymweld â chartref Syr Thomas a'r Foneddiges Jones ym Mrynhyfryd, Amlwch oedd y bardd Crwys. I ddiolch am y croeso, cyflwynodd anrheg i'r teulu sef copi o'i gyfrol *Cerddi Crwys*. Ei gyfarchiad ar dudalen flaen y llyfr oedd:

Wedi'm hymlid hyd yn Amlwch,
Teca goror lletygarwch,
Nid oedd ochain. Hedd a iechyd
Oedd yn hofran uwch Brynhyfryd.

Cefais yno'n gryno a graenus
Oreu wenau gwŷr yr Ynys,
A threm addien ei thri meddyg
O'r hoffusaf, gorau ffisig.

Gŵr a gem o fwyn wraig gymen,
Briod dawel, barod Awen,
Yma'n tario rhwng pentiroedd,
Mwyna hafan – dyma Nefoedd.

iii. I gofio Hugh Owen Thomas, Ysw., y Meddyg Esgyrn ardderchog.

Mab llafur ddringodd i udddas, – ei haedd
Yw Hugh Owen Thomas;
Mewn dawn dyn mwya'n dinas
Er hyn i gyd gwna ran gwas.

Rhoddwyd i'w ran uwchraddol – athyrylith
I'r alwad feddygol!
Rhoi esgeiriau ysgarol
A llaw'n hawdd wna i'w lle'n ol.

Offeiriad yr urdd gyfeiriol – ydyw,
Ac awdwr uwchraddol;
Medd aig o ddawn meddygol,
Hyd mae'i ran fydd dim ar ôl.

Erfyl. Lerpwl.
O'r *Dydd*, 11 Gorffennaf 1890.

Ymhen llai na blwyddyn defnyddiodd Erfyl un o'i linellau mewn englyn arall (un o bump) i gofio:

Y Diweddar Dr Hugh Owen Thomas, Liverpool.

Dwthwn chwerw i gymdeithas,– heb ail,–
Cau bedd Doctor Thomas;
Mewn dawn dyn mwya'n dinas,
Er hyn i gyd gwnai ran gwas.

Erfyl.
O'r *Celt*, 13 Chwefror 1891.

Ddiwedd Gorffennaf 1891, cynhaliwyd cystadleuaeth yn *Y Cymro* i lunio'r englynion gorau i gofio Hugh Owen Thomas. Y beirniaid oedd 'Alarch Glan Conwy' ac yn fuddugol oedd gwaith Arthur, sef Gerafon.

Gŵr o fri, gwaldgar ei fron, – ac hefyd
Cyfaill pur ei galon,
Yw'r cywir feddyg tirion,–
Un o sêr y ddinas hon.

I ddynion yr Ail Ddinas, – swyn a rhin
Sy'n yr enw Thomas;
Ant mewn cur neu'r twymyn câs
I'w ŵydd am help cyfaddas.

Wrth ymdrech âg afiechyd, – eglura
Ddisgleirwedd gelfyddyd;
Ira glwyf, oera glefyd,
Lleiha boen diball y byd.

Yn ail-orau oedd ymdrech Eutychus, sef G. Mathafarn:

Doctor â'i gyngor yn gall – yw Thomas,
Pob brwnt dwymyn ddeall;
I estyn oes, dyn yw all
I wan ŵr roi hoen arall.

Y gwael ysig ail-asia, – erchyllaf
Archollion a rwyma,
Esgyrn i'w lleoedd wasga, –
Yn llaw hwn, pwy ni wellha?

Cymro gaiff enwog goffhâd – yw'n gwron
Dyngarol ei deimlad,
Heb eisiau balch hysbysiad,
Oesa'i lwydd er lles y wlad.

Llyfryddiaeth

Across the Straits, Kyffin Williams, Gwasg Gomer 1993.

Anglesey (A Survey and Inventory by the Royal Commission on Ancient Monuments in Wales and Monmouthshire), HMSO 1968.

An Historical Outline of Manual Therapies, J. Burch, Cyfnodolion Sefydliad Rhyngwladol Rolf a Hellerwork.

Associated Medical Journal (amrywiol).

Beddau'r Proffwydi – drama mewn pedair act, W. J. Gruffydd. The Educational Publishing Company, 1910.

Baner ac Amserau Cymru (amrywiol).

Bonesetting, Chiropractic, and Cultism – The Origin and Course of Bonesetting, S. Homola, Washington 1963.

British Medical Journal (amrywiol).

Bywyd Gŵr Bonheddig, E. Richards, Gwasg Gwynedd 2002.

Celtic Influence on the 20th Century Development of Anaesthesia in Liverpool, T. C. Gray.

Theatr Fach Llangefni: D. Llewelyn, Cysgodion Enciliedig, Gol.: H. W. Davies, Gwasg Gomer, 2000.

Datblygiad Orthopaedeg, M. Jones, Cennad Rhifyn Cyf. 20, rh. 1. 1989.

Dictionary of Place-Names in Wales, H. W. Owen & R. Morgan, Gwasg Gomer, 2007.

Dramatics and Melodramatics, W. Hywel, Gwasg Gee, 1990.

Enwogion Môn, R. Hughes, Cymdeithas Eisteddfod Gadeiriol Môn, 1913.

Enwogion Môn, R. Parry, Amlwch, 1877.

Enwogion Môn, R. M. Williams. North Wales Chronicle 1913.

Hen Enwau o Arfon, Llŷn ac Eifionydd, G. Carr, Gwasg y Bwthyn, 2012.

Yr Herald Cymraeg (amrywiol).

Lancet, 1 (1891) 174-5. Hugh Owen Thomas, MD, MRCS (obituary).

Liverpool Mercury (amrywiol).

Llwynogod Môn, D. W. Wiliam, Cyhoeddiadau Mei, 1983.

Meddygaeth ym Môn, G. P. Jones, Darlith Goffa Syr Ifor Williams a draddodwyd yn Llangefni 8 Tachwedd, 1968.

Meddygon Esgyrn Môn, H. Hughes-Roberts, Cymdeithas Eisteddfod Gadeiriol Môn, 1935.

Northern Daily Times (amrywiol).
North Wales Chronicle (amrywiol).
Outlines of English History, G. Carter, Relfe Bros.
Portraits of an Island, H. Ramage, AAS+FS, 1987.
Social Life in Mid-18th cent. Anglesey, G. N. Evans, Gwasg Prifysgol Cymru, Caerdydd, 1936.
Some Medical 'Toys' from Liverpool, Dr A. Florence, Lerpwl.
The Art of the Bonesetter, G. M. Bennett, Tamor Peirston, 1989.
The Diary of Bulkeley of Dronwy, Anglesey 1630-1636, H. Owen, Trafodion CHNM, 1932.
The Life and Works of Lewis Morris (1701-1765), H. Owen, AAS, 1951.
The Physicians of Myddfai. J. Pughe, Longman, London, 1861.
The Practice and Tradition of Bonesetting, A. Agarwal & R. Agarwal, Education for Health, 2010.
The Time Traveller's Guide to Medieval England, I. Mortimer, Vintage Books, 2009.
The Welsh Builder on Merseyside, J. R. Jones, 1946.
The Ulster Medical Journal (amrywiol).
Through England on a Side Saddle in the time of William & Mary, C. Fiennes, Leadenhall Press, 1888.
Welsh Outlook (amrywiol).
Y Ford Gron (amrywiol).
Y Genedl Gymreig (amrywiol).
Yn ei Elfen, B. L. Jones, Gwasg Carreg Gwalch, 1992.
Yr Ardal Wyllt, E. Richards, Cyhoeddiadau Modern Cymreig Cyf., 1983.
Yr Arwydd, Colofn Farddol Glyndwr Thomas, Tachwedd 2013.

Cyfres Llyfrau Llafar Gwlad – rhai teitlau

42. AR HYD BEN 'RALLT
    Enwau Glannau Môr Penrhyn Llŷn
    Elfed Gruffydd; £4.75
49. O GRAIG YR EIFL I AMERICA
    Ioan Mai; £3.50
50. Y CYMRY AC AUR COLORADO
    Eirug Davies; £3.50
51. SEINTIAU CYNNAR CYMRU
    Daniel J. Mullins; £4.25
52. DILYN AFON DWYFOR
    Tom Jones; £4.50
53. SIONI WINWNS
    Gwyn Griffiths; £4.75
54. LLESTRI LLANELLI
    Donald M. Treharne; £4.95
57. Y DIWYDIANT GWLÂN YN NYFFRYN TEIFI
    D. G. Lloyd Hughes; £5.50
58. CACWN YN Y FFA
    Ysgrifau Wil Jones y Naturiaethwr; £5
59. TYDDYNNOD Y CHWARELWYR
    Dewi Tomos; £4.95
60. CHWYN JOE PYE A PHINCAS ROBIN – ysgrifau natur
    Bethan Wyn Jones; £5.50
61. LLYFR LLOFFION YR YSGWRN, Cartref Hedd Wyn
    Gol. Myrddin ap Dafydd; £5.50
62. FFRWYDRIAD Y POWDWR OIL
    T. Meirion Hughes; £5.50
63. WEDI'R LLANW, Ysgrifau ar Ben Llŷn
    Gwilym Jones; £5.50
64. CREIRIAU'R CARTREF
    Mary Wiliam; £5.50
65. POBOL A PHETHE DIMBECH

R. M. (Bobi) Owen; £5.50

66. RHAGOR O ENWAU ADAR
Dewi E. Lewis; £4.95
67. CHWARELI DYFFRYN NANTLLE
Dewi Tomos; £7.50
68. BUGAIL OLAF Y CWM
Huw Jones/Lyn Ebenezer; £5.75
69. O FÔN I FAN DIEMEN'S LAND
J. Richard Williams; £6.75
70. CASGLU STRAEON GWERIN YN ERYRI
John Owen Huws; £5.50
71. BUCHEDD GARMON SANT
Howard Huws; £5.50
72. LLYFR LLOFFION CAE'R GORS
Dewi Tomos; £6.50
73. MELINAU MÔN
J. Richard Williams; £6.50
74. CREIRIAU'R CARTREF 2
Mary Wiliam; £6.50
75. LLÊN GWERIN T. LLEW JONES
Gol. Myrddin ap Dafydd; £8.50
76. DYN Y MÊL
Wil Griffiths; £6.50
78. CELFI BRYNMAWR
Mary, Eurwyn a Dafydd Wiliam; £6.50
79. MYNYDD PARYS
J. Richard Williams; £6.50
80. LLÊN GWERIN Y MÔR
Dafydd Guto Ifan; £6.50
81. DYDDIAU CŴN
Idris Morgan; £6.50
82. AMBELL AIR
Tegwyn Jones; £6.50
83. SENGHENNYDD
Gol. Myrddin ap Dafydd; £7.50

Cyfrol o ddiddordeb yn yr un gyfres a chan yr un awdur

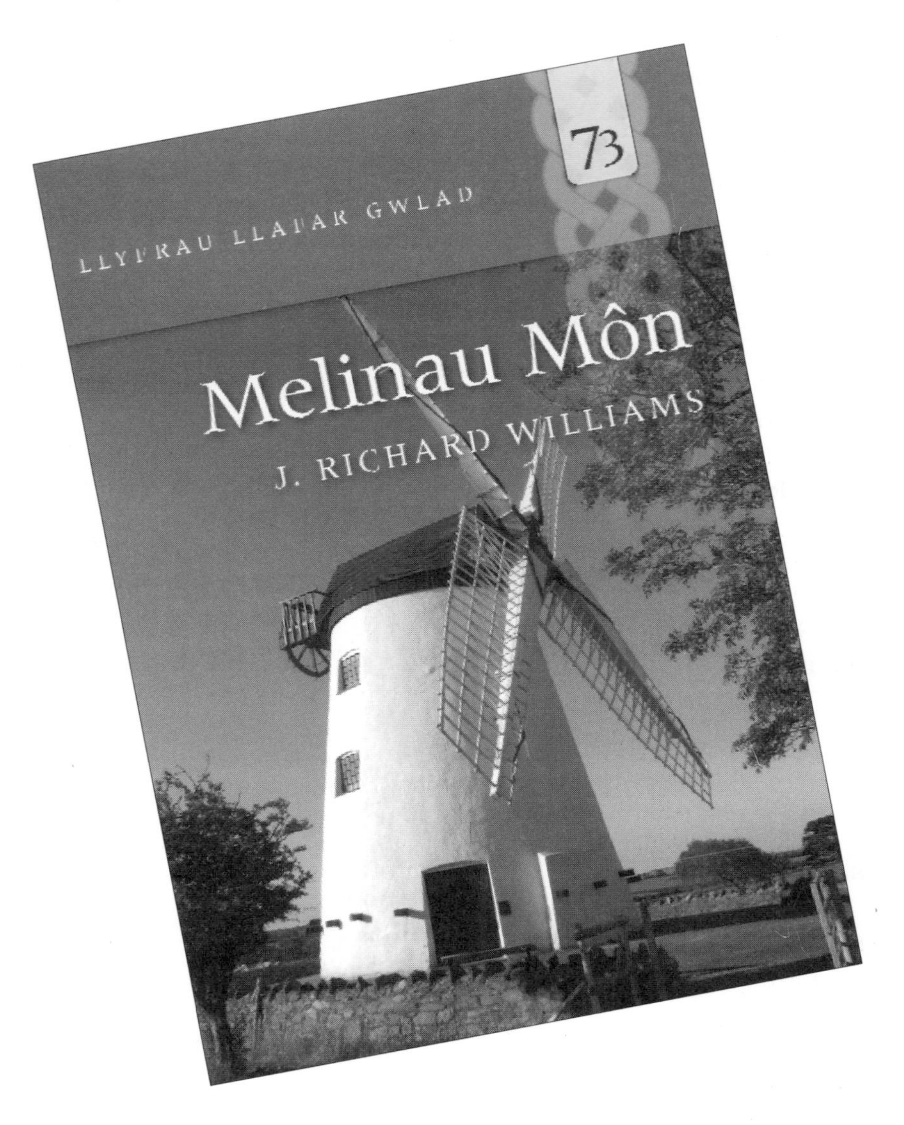